FFATRI SERCH

nofel gan

Gareth Miles

Argraffiad cyntaf: Tachwedd 2003

ⓗ *Gareth Miles*

Cyhoeddir o dan gynllun comisiwn
Cyngor Llyfrau Cymru.

Rhif Llyfr Safonol Rhyngwladol:
0-86381-864-1

Cynllun clawr: Cowbois

Argraffwyd a chyhoeddwyd gan Wasg Carreg Gwalch,
12 Iard yr Orsaf, Llanrwst, Dyffryn Conwy, LL26 0EH.
☎ 01492 642031
📠 01492 641502
✉ llyfrau@carreg-gwalch.co.uk
Lle ar y we: www.carreg-gwalch.co.uk

Pennod 1

Cwymp Sulwen

Ganllath o Ogof Twm Siôn Cati, cwympodd Sulwen Huws.

Yr oedd newydd holi Llewelyn C. Price IV, a frasgamai drwy'r rhedyn gwyrddlas ychydig droedfeddi o'i blaen, pam y dewisodd loywi ei Gymraeg ar gwrs Wlpan Prifysgol Llansteffan Dyffryn Teifi yn hytrach nag ar unrhyw gwrs arall, pan safodd y fyfyrwraig bengoch ar ddim a syrthio'n bendramwnwgl i bydew a gloddiwyd gan wreiddiau derwen wyrgam wrth grafangu maeth o bridd caregog y llechwedd.

'Dau reswm,' atebodd Llywydd ICAC *(The International Cambro-American Corporation)*. 'Yn gyntaf, oherwydd yr enw rhagorol sydd gan eich sefydliad drwy'r byd benbaladr. Ac, yn ail, oherwydd y cawn gyfle i ymweld â chuddfan yr herwr gwlatgarol, Tomas ap Siôn ap Dafydd ap Madog ap Hywel Moethau o Berth-y-Ffynnon, ger Tregaron.'

Cymerodd y Biliwnydd gam neu ddau cyn ychwanegu: 'Bonws annisgwyl yw cyrchu tuag at y fangre yng nghwmni ysgolheiges ddisglair, sydd mor dlws ag y mae hi'n ddiwylliedig!'

Pan drodd Llewelyn Price i weld pa effaith a gâi ei eiriau ar wrthrych y ganmoliaeth nid oedd golwg ohoni ar wyneb y ddaear; dim ond rhedyn, boncyffion, cangau, deiliach. Yr un smic i'w glywed heblaw crawc rybuddiol cigfran oddi fry a dwndwr gwawdlyd afon Tywi ymhell oddi tano.

Yna, ymddangosodd llaw fechan, wen ynghanol y brwgaets a chlywodd lais Sulwen Huws yn ymbil:

'Help! Help! Mr Price!'

Ar amrantiad, safai'r Americanwr uwchlaw'r ceudwll gan syllu'n syn i wyneb gwelw, hirgrwn, llawn dychryn ei gydymaith. 'Ydych chi'n iawn, Sulwen?' holodd. 'Gawsoch chi niwed?'

Ni allai Sulwen, er gwaethaf ei sefyllfa druenus, lai na gwenu o glywed y pryder a'r gofal yn ei lais.

'Dwi fawr gwaeth, diolch byth!' meddai mor llon ag y gallai. 'Ga i help llaw gynnoch chi i ddŵad allan o'r twll 'ma, Mr Price?'

'Ar un amod,' atebodd y Biliwnydd, mymryn o wg ar ei wyneb a thinc o gerydd yn ei lais

''Mod i'n edrach lle dwi'n mynd o hyn ymlaen?'

'Eich bod chi'n rhoi'r gorau i 'ngalw i'n "Mr Price", Sulwen. "Llewelyn" ydw i i fy ffrindiau. "Llew" i ffrindiau arbennig.'

'Iawn . . .'

Petrusodd Sulwen.

'Llew?' cymhellodd y Biliwnydd eurwallt dan wenu.

'Newch chi plîs 'nhynnu i o fan hyn . . . Llew?'

'Ar unwaith, Sulwen.'

Cyrcydodd Llewelyn Price ar ymyl y pydew gan estyn ei ddwylo; cydiodd Sulwen ynddynt ac fe'i codwyd o'i charchar mor rhwydd a diymdrech â phetai mewn lifft. Dododd ei gwaredwr fraich gadarn amdani fel y cyrhaeddodd hi'r lan a chamu'n ôl oddi wrth geg y twll iddi gael ei thraed dani. Safasant felly am rai eiliadau, Sulwen yn gyffro drwyddi a Llewelyn C. Price IV mor ddi-syfl a chadarn â'r bryn dan ei draed.

Llifodd gwres cyfrin, anghyfarwydd drwy wythiennau'r fyfyrwraig ifanc. Canodd ei meddwl, 'O! am aros ar dy fynwes ddyddiau f'oes!' Caledodd tethi ei bronnau bychain, crynion o gael eu gwasgu yn erbyn asennau'r gwryw cyhyrog a'i daliai mor dynn. Llanwyd Sulwen ag awydd anorchfygol i edrych ar wyneb golygus y dieithryn hwn a fynnai ei bod yn 'gyfaill arbennig' iddo, ond ofnai iddo ei chusanu. Na! Y fath ragrith! Dyheai am iddo ei chusanu. 'Na! Na!' llefodd ei chydwybod.

'Be wyddost ti nad ydi o wedi priodi? A be am honna sy hefo fo?'

'Ahhhhh!'

Achubwyd Sulwen o gaethgyfle a chyfyng-gyngor gan sgrech annaearol. Fel y gollyngodd hi a 'Llew' eu gafael yn ei gilydd, clywsant yr un llais benywaidd yn datseinio:

'Y bastard! Nest ti 'na'n fwriadol!'

'Naddo, wir yr, Myf. Trio rhoid hwb ymlaen ichdi o'n i,' haerodd llais gwrywaidd.

''Sdim angen dy help di arno i, O'Toole!' llefodd y fenyw. 'Ffyc off!'

Gerallt O'Toole a Myfanwy di Chianti oedd y dyn a'r ddynes a gwerylai ar y marian ar odre'r llethr yr oedd Sulwen a Llewelyn Price newydd ei ddringo. Eisteddai Cynorthwy-ydd Personol y Biliwnydd ar y cerrig llwydion dan rwbio'i choes, tra safai ei Warchodwr drosti fel petai'n cynnig ei chodi ar ei thraed.

'Trwbwl ymhlith y Staff,' ebe Llewelyn Price gyda gwên ymddiheurol. 'Esgusodwch fi, Sulwen.'

Ar y gair, hyrddiodd ei hun i lawr y llwybr serth gan neidio o boncen i boncen a llamu dros wreiddiau nes cyrraedd y ddau gecryn a darfai ar dangnefedd y prynhawn. Wrth i Sulwen ei ddilyn yn fwy carcus, clywai'r Biliwnydd yn dweud y drefn wrth ei wasanaethyddion, eithr ni lwyddodd i ddeall beth a ddywedai. Llefarai Llewelyn C. Price IV heb godi ei lais dwfn, soniarus, megis un ac awdurdod ganddo.

Erbyn i Sulwen ymuno â'r tri, roedd y ddrama ar ben, fwy neu lai. Syllai'r ddau ddyn i lawr ar Myfanwy fel petaent yn disgwyl iddi ymateb i ryw sylw neu orchymyn.

'Be ddigwyddodd?' holodd Sulwen yn bryderus.

'Y pwrsyn hyn baglodd fi!'

Poerodd Myfanwy di Chianti ewingoch y geiriau at Sulwen fel petai'n beio'r eneth ddiniwed yn ogystal â Gerallt O'Toole.

Er gwaethaf gwelwder Lladinaidd Myfanwy di Chianti, perai lliw ei gwallt, ei sbectol haul Gucci, ei chrys a'i llodrau beicio Versace a'i botasau Misserotti i'r Gymraes ifanc feddwl amdani fel 'Y Bantheras Ddu'.

'Blant! Blant! Dim rhagor o ffraeo o flaen ein gwestai! Os gwelwch chi'n dda!' gorchmynnodd eu cyflogwr. 'Mae'n amlwg y bydd rhaid i ti droi'n ôl, Myfanwy . . . '

'Rwy'n iawn!' taerodd y P.A.

'Nag wyt,' oedd dyfarniad terfynol ei phennaeth. ''Cherddi di'r un cam ymhellach, rhag iti rwygo gewyn . . . O'Toole!'

Ar orchymyn ei feistr cododd Gerallt O'Toole ei gydweithwraig oddi ar y cerrig cyn rhwydded â phetai hi'n ddeilen. Stranciodd Myfanwy nes i'w ddwylo mawr gau fel gefeiliau am ei haelodau.

'Gwna'n siŵr fod y Signorina'n cael pob gofal ym meddygfa'r Brifysgol, O'Toole,' gorchmynnodd Llewelyn Price. 'Dychwel dithau i'r pentref erbyn chwech a pharcio ger yr Ysgol. Mi welwn ni di yno.'

'OK, Bòs,' atebodd O'Toole mor llariaidd â llo bach, er fod ei gap a'i grys-ti coch yn arddel cefnogaeth i'r Chicago Bulls byd-enwog.

'Bechod,' ebe Sulwen wrth Myfanwy gyda gwên gydymdeimladol.

'Gei di weld beth yw pechod yn y man, cariad,' sgyrnygodd yr Eidales â'i gwefusau fel edafedd sgarlad.

'Ffwrdd â chi,' archodd y Biliwnydd gan ddodi'r sgrepan fawr liwgar yr oedd Gerallt O'Toole newydd ei ddiosg ar ei gefn llydan ei hun.

Trodd O'Toole a chamu dros y marian tua glan yr afon a Myfanwy di Chianti'n gwingo yn ei freichiau.

Y Picnic

'Braidd yn siomedig,' oedd ymateb Llewelyn Price i'r hafn briddlyd y dywedir iddi lochesu'r herwr chwedlonol.

'Be oeddach chi wedi'i ddisgwl, Llew?' holodd Sulwen a'i llygaid gwyrddlas yn llawn direidi. 'Ogof Aladin?'

'Rhywbeth tebycach i guddfan Osama bin Laden ym mynyddau Affganistan – cyn inni eu bomio nhw,' eglurodd yr Americanwr.

10

'Pam fod gynnoch chi gymaint o ddiddordeb yn 'rhen Dwm?'

'Fy nhras Gymreig a'm delfrydau Americanaidd yn cyfuno, decini, i fawrygu pob Cymro a heriodd Gyfraith Lloegr yn enw Rhyddid!'

'"Gorau Cymro, Cymro oddi cartref",' sylwodd Sulwen. 'Biti na fasa'r rhei sy wedi eu geni a'u magu yma'n teimlo 'run fath â chi, Llew!'

'Does 'na ddim prinder gwlatgarwyr yng Nghymru,' atebodd y Gweriniaethwr Americanaidd. 'Y ffaith eu bod nhw, ar hyn o bryd, ar chwâl ac yn ddigyfeiriad ydi'r broblem!'

'Be 'di'r atab?' holodd Sulwen.

'Drafodwn ni hynny dros ginio,' ebe'r Americanwr. 'Dowch,' gwahoddodd gan ledio'r ffordd drwy'r wig. 'Anfonais O'Toole ar *recce* i'r parthau hyn ddechrau'r wythnos. Yn ôl y llabwst hwnnw, mae llecyn bendigedig ar gyfer picnic nid nepell oddi yma.'

Gwir y dywedasai'r 'llabwst'. Yn y man, cyraeddasant lannerch fechan a'i changhennau'n dihidlo pelydrau crasboeth haul y prynhawn eithr heb ei chysgodi'n ormodol. Dihatrodd Llewelyn Price y sgrepan a chymryd ohoni liain, napcynau, cyllyll, ffyrc, platiau, gwydrau, oddeutu dwsin o flychau tryloywon yn cynnwys amryfal ddanteithion, a dwy botel o win mewn siacedi a gadwai eu cynnwys ar y tymheredd priodol.

'Fyddech chi garediced â "hulio'r bwrdd", Sulwen?' gofynnodd rhoddwr y wledd, 'tra bydda i'n agor y rhain?'

'Siŵr iawn,' cydsyniodd hithau a thaenu'r lliain gwyn dros y mwsog emrallt a garpedai'r llannerch. Roedd label ar bob un o'r blychau i nodi ei gynnwys. 'Eog afon Teifi, Caws Llanboidy, Ham Cartref Talgarreg, Cocos Penclawdd, Dŵr Tryweryn, Wyau Sir Fôn,' darllenodd Sulwen. 'Pob un dim o Gymru, Llew!'

'Nag ydi, gwaetha'r modd,' ffug-ymddiheurodd yntau. 'Daw'r Sancerre o lannau afon Loire a'r St Emilion o gyffiniau Bordeaux!'

'Mae rhywun yn dysgu rwbath newydd bob dydd!'

chwarddodd Sulwen.

'Mae'n bryd imi ddysgu mymryn am f'athrawes, yn hytrach na ganddi, Sulwen,' ebe'i disgybl yn dalog. 'Rydych chi'n hanu o Wynedd, os nad ydw i'n cyfeiliorni?'

'Wedi 'ngeni a'm magu yng Nghwmbrwynog, yn Eryri.'

'Ardderchog!' murmurodd y Biliwnydd, megis wrtho'i hun.

'Rhaid i bawb ddŵad o rwla!' chwarddodd Sulwen.

'Bugail neu chwarelwr ydi'ch tad?'

'Naci wir,' ebe Sulwen. 'Perchennog Ffatri Wlân Cwmbrwynog.'

'Dyn busnes, fel fi!'

'Ddim fel chi'n hollol,' gwenodd Sulwen. 'Mae Cybi Huws yn fwy o ddyn y Pethe nag o ddyn busnas. Gwyndaf – y rheolwr, Gwyndaf ap Siôn – sydd â gofal am y Ffatri o ddydd i ddydd, tra bydd Tada'n stryffaglio efo limrig neu gerdd gocosaidd blesith y Meuryn. Neu'n mynd â Mam i siopa'n Llandudno neu Gaer yn y Porsche, neu'r Ferrari. Neu pa bynnag gar fydd o wedi mopio efo fo ar y pryd.'

'Mae'r fenter yn y teulu ers cenedlaethau, decini?' holodd y teicŵn tal.

'Ers canrifoedd,' oedd ateb balch Sulwen Huws. 'Mae 'na gyfeiriad ati yng Nghywydd Iolyn Foel ap Idris Frwynog (fl.1342) yn "Anfon Ystlum at Honco ap Ercwlff i erchi Carthen dros Syr Siôn Fychan Anwydog o Blas Mawnog":

Melin Gwlân, mael o Gwlen
Ar gwr y coed a'r graig hen,
Cwm Brwynog, cam braisg ysig,
Cnu claerwyn, cnwd y wig.'

'Bendigedig,' murmurodd Llewelyn Price. 'Cawsoch eich magu ar aelwyd ddiwylliedig, Sulwen?' awgrymodd gan arllwys gwin gwyn, gloyw i wydrau grisial.

'Do, ma'n debyg,' cydsyniodd Sulwen. ''Nhrwytho yn llên a barddoniaeth Cymru gin Tada, ac yn ei cherddoriaeth hi gin Mam – Telynores Brwynog yn yr Ŵyl Gerdd Dant, Eos Brwynog, fel unawdydd, a Madam Lowri Huws pan fydd hi'n arwain y côr meibion lleol.'

'Cyw o frid,' ebe Llewelyn Price gyda boddhad wrth i sawr y gwin – eirin Mair, riwbob, sinamon, glaswellt a chwa ysgafn o goltár – swyno ei ffroenau.

'Cywan!' cywirodd Sulwen a sipian Sancerre. 'Wrth gwrs, ma hi'n ardal ddiwylliedig iawn.'

'A chrefyddol?' awgrymodd yr Americanwr.

'Tydi achos crefydd, gwaetha'r modd, ddim cyn gryfad ag y buo fo yng Nghwmbrwynog, chwadal nag yn unrhyw ardal arall yng Nghymru,' cyfaddefodd y ferch ifanc. 'O bosib fod y dirywiad wedi bod yn arafach am fod gynnon ni weinidog ymroddgar iawn acw, y Parch. D. Culfor Roberts: ysgolhaig, diwinydd, bardd coronog, cynghorydd sirol a deiliad gwregys du carate, yn ogystal â bugail eneidiau.'

Sylwasai'r cyfalafwr craff sut y gwridai Sulwen a baglu dros ei geiriau wrth sôn am Reolwr Ffatri Wlân Cwmbrwynog. Holodd, nid yn hollol ddidaro:

'Sut un ydi'r dyn sydd gan eich tad yn gofalu am weinyddiad y busnes? "Gwynfor" galwoch chi o?'

Gwridodd Sulwen eto wrth ateb: 'Gwyndaf. Gwyndaf ap Siôn.'

'Maddeuwch imi,' ebe Llewelyn Price â gwên ymddiheurol. 'Boi go lew? Effeithiol? Gweithgar? Tipyn yn ei ben o?'

'Faint fynnir, chwara teg,' atebodd Sulwen. 'Gafodd Gwyndaf radd dosbarth cynta mewn Astudiaetha Busnes ym Mhrifysgol Prestatyn llynadd . . .'

Synnwyd yr Americanwr: 'Mae Prifysgol ym Mhrestatyn?'

'Yr hen Goleg Chwechad Dosbarth wedi'i uwchraddio. Gynnon nhw enw da iawn mewn pyncia fel Busnas, y Cyfrynga ac Aromatherapi. Fydd Tada'n rhyddhau Gwyndaf ddwywaith yr wythnos, iddo fo fynd draw yno i stydio at ei M.A.'

'Gŵr ifanc â'i ddyfodol o'i flaen,' sylwodd Llewelyn C. Price IV a'i lygaid gleision yn culhau'r mymryn lleiaf.

Cymerodd Sulwen lymaid arall o'r hylif heulog, oer a gadael i'w llygaid grwydro o amgylch y gilfach goediog. 'Os oes gan yr Inuit, neu'r Esgimos, fel yr oeddan nhw'n arfar cael eu galw, dri chant o wahanol eiria am eira,' meddyliodd, 'ddyla bod gin y Gymraeg gynifar am wyrddlesni!'

Ehedodd ymadroddion megis 'O na byddai'n Haf o hyd' ac 'y tawel gwmwd hwn' i'w hymwybyddiaeth. Yna, yn ddigymell, 'enaid hoff cytûn' . . .

Ceryddodd ei hun: 'Paid â chymryd dy siomi, Sulwen bach! Na gneud dim alla frifo neb . . . '

Cyfiawnhaodd ei hun: 'Be sy o'i le efo cyfadda fod y lle, y tywydd, y bwyd, y gwin – a'r gwmnïaeth – mor agos at berffeithrwydd ag y gall rwbath fod?'

Torrwyd ar ei hymson fewnol gan lais y gŵr a'i hysgogodd: 'Dydi'r bwyd ddim yn plesio?'

Gwridodd Sulwen drosti: 'Dydw i ddim wedi dechra eto, Llew!'

'Dyna sylwais i!' plagiodd yntau'n ddifalais. '*Bon appétit.*'

Prin fu'r ymgom yn ystod y pryd; cyfyngwyd eu cyfathrebu i ambell air cwrtais, gwenau ac edrychiadau serchus. 'Mae hyn fel cymun yng Nghadeirlan Natur,' meddyliodd Sulwen. Fel y ciledrychodd ar ei chyd-wleddwr, torrodd un o belydrau'r haul fel llafn disglair drwy nenfwd deiliog yr 'addoldy' gan droi'r mwng modrwyog, melyn yn gorongylch. 'A mae 'na angal yn y sêt 'gosa ata i!' meddyliodd Ms Huws, a chael cryn drafferth i ymatal rhag pwffian chwerthin.

Maes o law, wrth sipian coffi Eidalaidd cryf, ac wedi ei gwroli gan winoedd estron a bwydydd brodorol, mentrodd Sulwen atgoffa'i noddwr o'i addewid:

'Rŵan 'ta, Llew,' meddai gan synnu at ei hyfdra ei hun: 'Be'n union ydi'ch plan chi i achub Cymru? Sylwch chi, dwi'n siŵr, ei bod hi mewn coblyn o stad, ac angan rhywun fel chi i roid cic . . . i'w thynnu hi o'r twll ma hi yn'o fo. Fel tynnoch chi fi o nacw gynna!'

'Fel y gwyddoch chi, o bosib, Sulwen,' ebe'r entrepreneur eurwallt, 'Gogledd a De'r Amerig, y Dwyrain Pell, y Dwyrain Canol, a rhai o wladwriaethau'r hen Undeb Sofietaidd, o amharchus goffadwriaeth, ydi'r meysydd y mae ICAC yn llafurio ynddynt ar hyn o bryd.'

'Siŵr iawn!' cogiodd Sulwen rhag i'w hanwybodaeth frifo teimladau'r teicŵn.

Aeth Llewelyn Price rhagddo: 'Yn ystod y flwyddyn nesaf,

mi fyddwn ni, am y tro cyntaf, yn buddsoddi'n sylweddol yn yr Undeb Ewropeaidd. Pan ddigwydd hynny, bwriadwn sefydlu Pencadlys Ewropeaidd ICAC yma yng Nghymru.'

'Gwych!' ebychodd Sulwen. 'Ddaw 'na dipyn go lew o swyddi yma'n sgil hynny?'

'Rhai miloedd. Ynghyd â datblygiadau economaidd, cymdeithasol, gwleidyddol ac ysbrydol rif y gwlith,' cyhoeddodd Llewelyn Price.

'Lle'n union fydd y Pencadlys?' holodd Sulwen, gan ateb ei chwestiwn ei hun: 'Caerdydd, m'wn?'

'Mae'n ddrwg gen i'ch siomi chi,' ebe'r cyfalafwr carismatig a thinc cellweirus yn ei lais, 'ond byddai rhywle'n y Canolbarth neu'r Gogledd yn fwy at fy nant i. Ac yn nes at fy ngwreiddiau.'

'Da iawn chi!' cymeradwyodd Sulwen gan ymlid talp o gaws Llanboidy i lawr y lôn goch efo joch o St Emillion. 'Ym Mhowys ma'ch "milltir sgwâr" chi yntê? Dyna be ddeudoch chi ar ddechra'r Wlpan, os dwi'n cofio?'

'Ie,' cadarnhaodd Llewelyn C. Price IV. 'Gadawodd fy hendaid a fy hen-nain fwynder Maldwyn ddiwedd y bedwaredd ganrif ar bymtheg ac ymgartrefu'n Chicago. Cafodd Llewelyn C. Price I waith yn dienyddio defaid a gwartheg yn y *stockyards* enwog, tra enillai ei wraig ychydig ddoleri'r wythnos yn golchi dillad byddigions. Sefydlon nhw londri a ddatblygwyd yn gadwyn o ganolfannau sych-lanhau gan eu mab, Llewelyn C. Price II. Dinas arw a pheryglus oedd Chicago yn nhridegau'r ugeinfed ganrif; y fasnach gyffuriau, alcoholiaeth a llygredigaeth o bob math yn rhemp; lle digon tebyg i gymoedd De Cymru heddiw. Wel, rhag i'w mab gwympo i'r maglau hynny, prynodd fy nhaid *ranch* yn Nevada ac anfon y trydydd Llewelyn C. Price, sef fy nhad i, yno i'w ffermio. Ac yn 1965, fe'i hanfonwyd i Eisteddfod Genedlaethol y Drenewydd, lle y cyfarfu â Mam, merch ffarm o Lanuwchllyn a soprano efo'r Côr Cerdd Dant enwog. Er imi fwynhau magwraeth eidylaidd "llanc o'r wlad", nid oeddwn, serch hynny, am "dorri cwys fel cwys fy nhad". Ymunais â'r ffyrm deuluol yn Chicago, a sefydlu canghennau ledled yr Unol Daleithiau. Mentro i fyd bancio, yswiriant, dur, arfau, archfarchnadoedd ac olew, a chreu o'r holl fusnesau hynny ICAC, *The International Cambro-American Corporation*, corfforaeth amlwladol y mae ei hadnoddau economaidd a'i dylanwad gwleidyddol yn rymusach nag eiddo'r rhan fwyaf o wladwriaethau'r byd!'

Dotiodd Sulwen at y gwrthgyferbyniad rhwng arwyddocâd y geiriau a'r traddodi diymffrost: 'Ac er ichi wireddu'r freuddwyd Americanaidd, Llew,' meddai'n edmygus, 'rydach chi'n dal i gofio'ch bod chi'n Gymro!'

Tristaodd wyneb Llewelyn Price. 'Mae arna i ofn imi anghofio hynny ar adegau,' cyfaddefodd.

'Sut? Pryd?' holodd Sulwen yn syn.

'Yn ystod f'arddegau a'm hugeiniau,' atebodd y Biliwnydd gydag ochenaid ddwys, 'fel llawer i laslanc, gwrthryfelais yn erbyn daliadau a gwerthoedd fy rhieni. Fel llawer o Americanwyr ifainc – ac o fechgyn a merched Cymru, gwaetha'r modd – cefnais ar iaith a diwylliant "yr hen wlad". Tybiais eu bod yn fy llesteirio rhag "dod yn fy mlaen", ac es ati i'w difodi'n llwyr o f'ymwybyddiaeth. Yn unswydd i ddigio a thramgwyddo fy rhieni, priodais Elizabeth Jane Carruthers, merch i deulu Seisnig pendefigaidd a chefnog dros ben. "Llwyddo" oedd f'unig amcan mewn bywyd. Ac mi lwyddais. Erbyn cyrraedd fy neg ar hugain, roeddwn ymhlith deg ar hugain dyn cyfoethocaf yr Unol Daleithiau, ac yn bennaeth un o'r ymerodraethau masnachol-ariannol-diwydiannol mwyaf. Gan mai "gweithio'n galed a chwarae'n galed" oedd f'arwyddair, byrhoedlog fu 'mhriodas. Faliais i'r un botwm corn. Cefais gysur ym mreichiau merched hardd y mae golud enfawr yn *aphrodisiac* iddynt. Meddwais. Llyncais, ffroenais, ysmygais a chwistrellais yn helaeth yr amryfal gyffuriau oedd ar gael yn rhwydd yn y cylchoedd *exclusive* y perthynwn iddynt. Gamblo hefyd. Roeddwn i'n slâf i hapchwarae. Dyna sut mai yn Vegas . . . yn Las Vegas . . . '

Tawodd y Biliwnydd, cau ei lygaid a chrychu ei dalcen fel petai mewn poen.

'Be sy, Llew?' holodd Sulwen yn bryderus. 'Rydach chi'n edrach yn reit gwla! Rwbath fytoch chi?'

Agorodd Llewelyn Price lygaid glas, trallodus gan siglo'i ben. 'Nage, Sulwen,' meddai. 'Cywilydd. Rydw i wedi datgelu mwy amdana i'n hun nag a wnes i wrth neb ond fy seiciatrydd. Os clywch ragor, beryg iawn y collwch chi bob parch ata i. Byddai hynny'n annioddefol . . . '

Llifodd ton o dynerwch dros Sulwen o weld y cawr cyfalafol mor ddagreuol a diamddiffyn.

'Rydw i'n berson reit eangfrydig, Llew,' meddai.

'Synhwyrais hynny'r tro cynta y cyfarfon ni, Sulwen,' ebe Llewelyn Price, 'pan roddoch chi wers inni ar arddodiaid cyfansawdd enwol.'

'Ma nhw'n deud bod cyffesu'n lles i'r enaid . . . '

Am ennyd faith, nid ynganodd yr Americanwr air. Yna, dan ryw orfodaeth fewnol, crygodd y geiriau:

'Las Vegas oedd fy Namascus i . . . '

'Damascus?'

'Yno y sylweddolais beth oedd yn bod arna i.'

'Salwch? Iseldar?'

'Argyfwng Gwacter Ystyr ac Angen am Wreiddiau . . . Dyna lle'r oeddwn i, yn pwyso ar ganllaw balcon fy stafell yn yr Imperial Luxor Palace, gwesty moethusaf Vegas, wedi fy hurtio gan alcohol a *cocaine*, yn rhythu ar oleuadau amryliw, llachar y Babilon fawr o'm hamgylch ac oddi tanaf. Byddai'r olygfa wedi dwyn i'm cof y Ddinas Dihenydd a Strydoedd Elw, Balchder a Phleser petaswn i'n gybyddus â *Gweledigaethau'r Bardd Cwsg* ar y pryd. Buasai'r ymadrodd "ymdrybaeddu mewn trythyllwch" yn diasbedain yn fy mhenglog i . . . '

Gwyrodd yr Americanwr ei ben a rhwbio'i dalcen am rai eiliadau cyn mynd rhagddo gydag ochenaid:

'Ar wely ymerodrol, enfawr y lofft y tu ôl imi, gorweddai'r *showgirl*, Jolene Clauswitz. Campwaith llawfeddygaeth gosmetig. Bronnau a gwefusau "perffaith" â'u llond o silicon. Croen ei thin ar ei thalcen, yn llythrennol ac yn ffigurol. Gorweddai'n ddiymadferth ac yn noethlymun groen dan gwrlid o ddoleri, miloedd ar filoedd o ddoleri yr oeddwn wedi eu hennill wrth y byrddau *roulette* a *blackjack*.

'Ffieiddiwn fy hun a'm cywely. Fe'm meddiannwyd gan

ysfa anorchfygol i gydio ynddi a'i bwrw hi a mınnau dros ymyl y balcon i ebargofiant. Fe'm hataliwyd gan seirenau'n sgrechian trwy ddwndwr y rhialtwch pechadurus a godai o'r strydoedd islaw. Ceir polîs yn ymateb i lofruddiaeth, hunanladdiad, lladrad arfog neu ryw anfadwaith arall.

'Dechreuodd Charlene . . . Jolene, Maybelene, beth bynnag oedd ei henw . . . fytheirio fel dynes o'i cho. "Shut that fucking window, Lou!" meddai. Maddeuwch yr araith; fel yna bydda hi'n siarad. "Shut that fucking window! I can't stand them wails. They're driving me insane!"

'Clywais lais, fy llais i fy hun, yn ateb fel petawn i'n robot, neu'n *ventriloquist's dummy*, a rhywun arall yn llefaru'r geiriau: "I love Wales! I love Wales! And the rest of my life is going to be dedicated to saving it!"

'"I don't mean the fucking fish, you asshole!" crochlefodd fy "ffrind" fel gwrach a lyncodd ei moddion gwenwynig ei hun. Y peth nesa glywais i oedd . . . '

Seiniodd teleffon symudol bychan, bach a lechai ym mhoced frest crys Burberry sidan, lliw hufen yr entrepreneur. Gwgodd a thyngu – '*Goddamit!*' – cyn ateb yr alwad yn anewyllysgar: '*Llewelyn C. Price speaking* . . . Rydw i'n siarad Cymraeg . . . Ie . . . Ydi . . . Ydi, mae hi . . . Arhoswch eiliad . . . '

Caeodd Llewelyn Price ei law am y ffôn wrth hysbysu Sulwen: 'Gwyndaf . . . '

Fflamiodd wyneb y gochen. 'Be goblyn ma hwnnw isio?' ebychodd.

Cymerodd Sulwen y teclyn ac arthio iddo: 'Gwyndaf! Sut ffendist ti rif ffôn Mr Price? . . . Y Coleg? . . . Roeddan nhw ar fai'n ei roid o ichdi. Ddes i ddim â'n ffôn 'yn hun, imi fedru mwynhau Natur yn ei gogoniant heb gael 'yn styrbio. Be ddaeth dros dy ben di?'

Ni pharodd ei dicter yn hir. Gwelwodd ei hwyneb, ciliodd y llid oddi arno a dwysaodd ei llais: 'O . . . O, na . . . Sut mae o, Gwyndaf? . . . Wela i . . . Lle mae o rŵan? . . . Iawn. Gyntad medra i . . . Diolch ichdi, Gwyndaf. A . . . Madda imi am dy flagardio di gynna . . . 'Na i . . . Da bo 'chdi.'

Neidiodd Sulwen ar ei thraed ac ateb y cwestiwn oedd ar

wyneb yr Americanwr:

'Mae 'Nhad wedi bod mewn damwain car. Un ddifrifol. Rhaid imi fynd adra ar unwaith. Gawn ni fynd o'ma?'

'Wrth reswm,' ebe Llewelyn Price gan godi oddi ar ei eistedd. 'Ga i funud i roi caniad i O'Toole, a munud arall i daro gweddillion y picnic a'r geriach yn y sgrepan?'

Cyflawnodd y gorchwylion hynny mewn byr o dro.

'Barod?' holodd yr Americanwr.

Anwybyddodd Sulwen ei gwestiwn. 'Y Ferrari fflamgoch felltith!' llefodd dan wylo'n hidl. 'Grefodd Mam a fi ar Tada i'w newid o am gar ffitiach i ddyn yn ei oed a'i amsar. Ella gwrandewith o rŵan!'

'Dowch,' ebe Llewelyn Price yn dyner. 'Cydiwch yn fy llaw i. Rhowch eich pwys arna i, Sulwen, ac fe awn ni'n gynt.'

Derbyniodd Sulwen Huws ei gynnig gyda diolch ar ei gwefusau ac yn ei chalon.

Pennod 2

Y Bregeth

'Daw fy nhestun heddiw'r prynhawn o'r unfed adnod ar bymtheg o'r nawfed bennod o Ail Lyfr y Brenhinoedd,' cyhoeddodd y Parch. D. Culfor Roberts B.A., B.D., O.B.E., Y.H. o bulpud Capel Gommorah (M.C.) Cwmbrwynog wrth ddechrau traddodi'r bregeth yng ngwasanaeth angladdol Cybi Huws.

'"Felly Jehu a farchogodd mewn cerbyd ac a aeth i Jezreel . . ."'

Edrychodd y pregethwr yn foddhaus ar y gynulleidfa astud a orlenwai lawr ac oriel yr addoldy, gan lawenhau fod cynifer o gymdogion, ardalwyr, masnachwyr, beirdd, cantorion a seiri rhyddion wedi ymuno â theulu a gweithlu'r ymadawedig i wrando arno ef yn talu'r deyrnged olaf i'w hen gyfaill. Wedi saib maith, trwmlwythog, aeth yn ei flaen:

'Fydda i fyth yn peidio â rhyfeddu, wyddoch chi, pa mor berthnasol i'n bywyda ni heddiw ydi geiria'r Hen Lyfr yma,' llefodd y Cennad corffol gan anwesu dalennau agored y Beibl mawr a orweddai ar y ddarllenfa o'i flaen. Ailadroddodd ei destun: '"Felly Jehu a farchogodd mewn cerbyd ac a aeth i Jezreel . . . "' a thewi eto, ennyd, i sylwedd ac arwyddocâd y geiriau dreiddio i ymwybyddiaeth ei wrandawyr, a mynd rhagddo fel a ganlyn:

'Aeth Cybi Huws yn ei gar am Bwllmawnog,' ebe Mr Roberts a'i lais cyfoethog yn diasbedain drwy'r Cwm gan fod uchelseinydd wedi ei osod ar dalcen y Capel at wasanaeth y dorf enfawr a'i hamgylchynai. 'Yr un geiria, fwy neu lai, yn disgrifio dau ddigwyddiad a dau ddreifar, a thair mil o flynyddoedd rhyngddyn nhw.

'Sawl gwaith, mhobol i, y clywsoch chi rywun yn deud: "Tydi Cybi Huws yn gyrru fel Jehu yn yr hen gar coch 'na?" Gwrandwch ar yr ugeinfed adnod o'r un bennod a'r un llyfr yn y Beibil go-iawn, a thystiolaeth y gwyliwr ar y tŵr yn ninas Jezreel: "A'r gyrriad sydd fel gyrriad Jehu mab Nimsi; canys y mae efe yn gyrru yn ynfyd."

'Ond "Atolwg," meddach chi, "roedd y milwr o Iddew a'r dyn busnas o Gymro ar ddau berwyl tra gwahanol. Y naill yn mynd i ddeud y drefn wrth yr hen gnawas anfoesol honno, Jesebel, a'r llall ar ei ffordd i Dŷ Capel Gommorah, Pwll Mawnog, i drafod ryw fusnas digon diflas – a defnyddio geiria'r ymadawedig ei hun – efo'i Weinidog."

'Ga i fentro anghytuno, 'mhobol i? Ga i awgrymu fod Jehu fab Nimsi a Cybi Huws ill dau'n ymateb i'r un cymhelliad, sef gorchymyn dwyfol, yn achos y cyntaf, i weinyddu cyfiawnder yr Hollalluog trwy ladd Jesebel a channoedd o'i dilynwyr annuwiol. Yn achos yr ail, i droi at un o Weision yr Arglwydd am "gymorth hawdd ei gael mewn cyfyngder".

'Beth oedd ar feddwl perchennog y Ffatri Wlân pan gychwynnodd o o Gwmbrwynog? Ai hynny barodd iddo fo yrru ar gymaint o sbîd a chymryd trofa Cnec-y-Bugail yn rhy siarp? Fel iddo gael ei daflu drwy "winsgrin fechan i dragwyddoldeb mawr", fel basa Bob Wilias-Parri wedi deud?

'Dichon mai perfformiad alaethus Lerpwl yn erbyn Arsenal y noson cynt oedd wedi cynhyrfu priod cariadus Lowri a thad annwyl Sulwen. Roedd o, fel finna, yn cefnogi tîm y crysau cochion, ac yn gweld bywyd y Cristion fel brwydr ddiddiwedd i esgyn i frig yr Uwch Adran ac osgoi *relegation*.

'Onid yr Apostol Paul ddywedodd: "O Anfield, pa le mae dy *goalie*? O UEFA, pa le mae fy muddugoliaeth?" Naci, siŵr. Tynnu'ch coesa chi yr ydw i! Y diweddar, annwyl Bill Shankley, o barchus goffadwriaeth, bia'r geiria. Ydach chi'n cofio be ddeudodd Shanks wrth y newyddiadurwr rhyfygus hwnnw a holodd: "I suppose football is a matter of life or death to you, Mr Shankley?" "Oh, no," oedd atab yr hen batriarch. "It is much more important than that!"

'Dyna ichi ffydd! Dyna ichi argyhoeddiad. Dyna ichi her a sialens i ni Gristnogion ar ddechrau'r unfed ganrif ar hugain! Mi wn i, gyfeillion, fod ein diweddar gyfaill, Cybi Huws, wedi ateb yr alwad yn fuddugoliaethus, ac wedi ei wobrwyo ag un o'r seddi gora yn Stadiwm y Milenia. Mae o yno'r munud 'ma, efo'r Llu Nefol, ffans y Brenin Mawr bob un wan jac, yn moli, yn gorfoleddu ac yn llafarganu ei gefnogaeth i'r *Saints United* yn eu gornest dragwyddol yn erbyn *Satan's Scumbags*!

'Ac yn awr, gawn ni gydganu hoff emyn ein diweddar Frawd:

"Nid wy'n gofyn bywyd moethus
Aur y byd na'i berlau mân . . . "

Ac yn y blaen . . . '

Y Gymwynas Olaf

Chwarter awr yn ddiweddarach, safai Sulwen ar lan bedd ei thad yn syllu i lawr ar gaead ei arch. Jarffiai Haf Bach Mihangel drwy Gwmbrwynog y diwrnod hwnnw ym mis Medi, gan gymryd arno na ddeuai ei ddiwedd yntau yn y man. Fflyrtiai ei heulwen hirfelyn, tesog, twyllodrus â dail y deri a'r ynn ar y Fron Fawr y tu ôl i'r hen gapel llwm, diaddurn; sgleiniai ei wenau coeglyd ddyfroedd gloyw lân Nant y Slebog ar ei hynt barablus i lawr y Cwm; siriolai hyd yn oed y pinwydd tywyll a sgwariai fel catrodau byddin estron, sinistr ar lethrau Moel y Bwch, a olchai ei thraed ysgythrog yn y Nant.

Eithr y Gaeaf a deyrnasai yn mynwent Gommorah. Fferrai ei anadl rynllyd galonnau Sulwen a Lowri Huws a mil a mwy o alarwyr a ddaethant, oll yn eu siwtiau duon, i dalu'r gymwynas olaf i dad, priod a chymwynaswr bro.

O gil ei llygad chwith, gwelai'r ferch ifanc ei mam yn gwegian ar fraich Gwyndaf ap Siôn dan igian crio; yntau, Rheolwr Cyffredinol Ffatri Wlân Cwmbrwynog, stwcyn byr, llond ei grys gwyn a'i siwt bygddu, yn mwytho'i hysgwydd i'w chysuro. Holodd Sulwen ei hun: 'Be ddaw ohoni heb Tada? Yn enwedig wedi imi fynd yn f'ôl i'r Coleg?'

Roedd Cybi a Lowri'n bâr mor gymharus er bod pymtheg mlynedd rhyngddynt o ran oedran a'u bod mor wahanol o ran ymddangosiad a chymeriad. Cybi a'i wên ddanheddog, ei ddwylo geirwon a'i galon feddal yn wladwr ac yn werinwr i'r carn. Lowri Huws, dyrnaid fechan siapus o fenyw, difrycheulyd ei cholur bob amser, cosmopolitan ei gorwelion a'i chwaeth mewn dillad, dodrefn a llenni, er mai yng Nghwmbrwynog yr ymgartrefodd gydol ei hoes. Priodas gadarn a chariadus na allai neb ond yr Ysgarwr Mawr ei hun ei chwalu.

Diolch byth am Gwyndaf! Biti nad oedd ychydig fodfeddi'n dalach a'i fod yn moeli'n ifanc, ond ni ellid amau ei gariad angerddol at Sulwen, ei fro enedigol a Chymru. 'Rhen Gwyndaf ffyddlon, didwyll, dibynadwy. Gwyndaf, ar ben ei holl ddyletswyddau a'i orchwylion eraill, a'i cynhaliodd hi a'i mam gydol y chwech wythnos faith er y ddamwain. Gwyndaf a'u gyrrai'n ôl a blaen i'r ysbyty bob dydd, yn ddirwgnach. Gwyndaf a fu wrth erchwyn gwely'r claf gyda'i ferch a'i wraig, yn cadw gwylnos ar ôl gwylnos. Gwyndaf oedd yno'r unig dro y dadebrodd Cybi Huws o'i drwmgwsg terfynol.

'Edrach ar eu hôl nhw imi, 'ngwas i,' erfyniodd Cybi Huws. Cydiodd yn llaw'r gŵr ifanc ac un ei ferch a'u gwasgu â nerth a'u synnai. Sibrydodd yn daer: 'Yn enwedig 'yn hogan bach i!'

''Na i, Mr Huws,' addawodd Gwyndaf.

Lledodd gwên dangnefeddus dros wyneb curiedig y gŵr yn y gwely. Dododd law esgyrnog ar dalcen foel ei ymwelydd a murmur y fendith: 'Da was, da a ffyddlon.'

Simsanodd Sulwen ar y domen bridd wrth i'r atgof gorddi drycin o deimladau yn ei mynwes. Buasai wedi syrthio i mewn i'r bedd oni bai i Gwyndaf sylwi ac estyn ei law rydd i'w sadio. Ymsythodd Sulwen a gwenu'n ddiolchgar, ddagreuol ar ei chariad. Yna, gwyrodd i godi dyrnaid o bridd a graean cochlyd Cwmbrwynog a'i ollwng yn gawod galed, ddidostur ar y plât pres a winciai ar gaead yr arch.

'Da bo chi, Tada,' sibrydodd Sulwen Huws. 'Mi weithia i'n galad yn y Coleg. Mi ga i noethuriaeth. I chi fedru teimlo'n hapus, lle bynnag rydach chi, fod gynnon ni Ddoctor yn y teulu o'r diwadd.'

Ymhen ychydig oriau, byddai merch Cybi Huws yn torri ei hadduned.

Wedi'r Oedfa

Wedi gloddesta maith ar sgons, paneidiau o de a geiriau cydymdeimladol yn Festri Gommorah, ac ysgwyd llaw nes bod garddyrnau'r ddwy'n wan, dychwelodd Sulwen a Mrs Huws adref i Brethynfa yng nghwmni Gwyndaf ap Siôn.

'Ddowch chi ddim i mewn, Gwyndaf?' oedd gwahoddiad taer y weddw ddeugain oed wrth i'w merch droi'r allwedd yn nhwll clo drws pren, nobl y plasty a adwaenid fel *Cloth Hall* gan y brodorion, canys dyna'i enw swyddogol nes i Mr Roberts y Gweinidog ddwyn perswâd ar y perchnogion i'w Gymreigio.

'Wel . . .'

Dyfarodd Gwyndaf yn ddiweddarach na fuasai wedi gwrthod yn gwrtais trwy bledio fod chwech wythnos o olynu Cybi Huws fel pennaeth y Ffatri Wlân a phenteulu Brethynfa, ynghyd â gofalu am drefniadau'r angladd, ymron â'i sigo. Ac roedd dwy gyfrinach a'i blinai. Un caswir y byddai'n rhaid ei ddatgelu i Mrs Huws a'i merch cyn bo hir. Ond nid heno. Nid heno o bob noson. Ac un arall na ddatgelai ar boen ei fywyd, rhag dryllio'r ddelw . . .

Caeodd Gwyndaf ei lygaid a cheisio ymlid yr atgof o'i ymwybod ond yn lle hynny gwelodd unwaith eto'r domen anferth o filiau a llythyrau cas gan gredydwyr, bancwyr a benthycwyr arian a orchuddiai ddesg Cybi Huws pan adawodd Ffatri Wlân Cwmbrwynog ar ei siwrnai olaf yn y Ferrari fflamgoch.

'Dim diolch yn fawr ichi, Mrs Huws,' murmurodd Gwyndaf ac agor ei lygaid i weld y siom ar wyneb trallodus y weddw.

'Plîs, Gwyndaf,' ymbiliodd Mrs Huws â gwefusau crynedig.

'Ma hiddiw wedi bod yn ddwrnod hir . . . ' ymesgusododd Gwyndaf.

'Ydi,' cydsyniodd hithau a'i llygaid yn llenwi, 'hir ofnadwy. Heno hefyd . . . Fydd hi'n unig iawn ac yn wag iawn yn yr hen dŷ mawr 'ma heno. Bydd, Sùl?'

'Bydd, Mam,' cydsyniodd Sulwen gydag ochenaid.

'Am ryw sbelan bach 'ta,' meddai Gwyndaf er ei waethaf a'u dilyn dros y trothwy i'r cyntedd hir, yr hongiai casgliad helaeth o baentiadau Syr Koffyn Williams a'i efelychwyr ar ei barwydydd gwynion.

'Dos â'r gôt 'ma a'i hongian hi imi, 'nghariad i,' ebe Mrs Huws wrth ddiosg y dilledyn sidan. 'A gna banad inni'll tri wedyn.'

'Dim mwy o de, os gwelwch chi'n dda,' ebe Gwyndaf, 'ne mi ofardosia' i.'

'Cweit reit,' ategodd Lowri Huws. 'Rydan ni'n haeddu rwbath cryfach ar ôl dwrnod mor sdreslyd. *Port and lemon* i mi, Sùl. Jameson a dŵr i chi, yntê, Gwyndaf?'

Amneidiodd Gwyndaf ei ddiolch, ufuddhaodd Sulwen i orchmynion ei mam ac arweiniodd meistres y tŷ eu gwestai o'r cyntedd i'r Parlwr Mawr. Roedd y stafell honno'n debycach o ran maint, nodweddion pensaernïol ac addurniadau i neuadd fechan ganoloesol nag i lolfa fodern. Ar feini ithfaen, moel y parwydydd gosodwyd tarianau ac arnynt arfbeisiau y deuddeg o Bymtheg Llwyth Gwynedd y medrai'r Huwsiaid olrhain eu llinach iddynt. Ymestynnai'r llawr pin caboledig at lenni melfed, moethus, porffor a led-guddiai ffenestr lydan. Syllai honno'n sinemasgopig dros ddyfroedd oer Llyn Crafog ar fawredd Moel y Bwch, y Cimwch Bach a'r Cimwch Mawr, a draw at yr Wyddfa a'i chriw, a orweddai fel anghenfilod cynoesol, swrth ar y gorwel. Dychmygodd Gwyndaf, fel y gwnâi bob ymweliad, abad rhadlon a dwsin o fynaich brwysg yn gwledda o amgylch y bwrdd derw hir a fewnforiwyd yn arbennig o Wlad Belg gyda chadeiriau eisteddfodol eu maint yn osgordd deilwng iddo.

'Dowch i ista wrth f'ymyl i'n fan hyn, Gwyndaf,' gorchmynnodd Mrs Lowri Huws gan ei dywys at soffa a wnaed o ledr baedd gwyllt o fforestydd Bafaria. Wynebai hon aelwyd y gallasai tri Siôn Corn lanio arni gyda'i gilydd o'r simne fawr. Gwasgodd Mrs Huws swits ger y lle tân ac ar amrantiad cafodd y stafell ei llonni gan wres a goleuni'r fflamau a dasgai o foncyffion hynod naturiol yr olwg.

Fel yr eisteddai Mrs Huws a Gwyndaf, daeth Sulwen i mewn atynt â dau wydryn ar hambwrdd bychan arian.

'Chymi di ddim byd dy hun?' holodd ei mam.

'Beryg imi ddechra crio eto os gna i,' atebodd y ferch.

'Call iawn,' cymeradwyodd Mrs Huws. 'Dos di i newid 'ta, rhag iti grîsio'r ffrog 'na.'

'Be amdanach chi?' holodd Sulwen.

'Well i rywun aros yma'n gwmni i Gwyndaf, toes?' meddai Mrs Huws. 'Toes gynno fo ddim isio bod ar ei ben ei hun yn hel meddylia, a dy dad a fynta'n gymaint o lawia. Dos di i newid rŵan. 'Na i ar d'ôl di.'

'O'r gora, Mam.'

Sylwodd Gwyndaf ar y tristwch anhraethol ar wyneb Sulwen cyn iddi droi a gadael y stafell heb ddim o'r sioncrwydd arferol yn ei cherddediad Llanwyd ef â thosturi at y ferch a garai. Ysai am ruthro ar ei hôl, rhoi ei freichiau'n dynn amdani a . . .

Ond eisteddai mam y feinwen ychydig fodfeddi oddi wrtho yn sipian *Port and lemon*. Meddai hi:

'Sut ma petha rhyngddach chi a Sulwen dyddia hyn, Gwyndaf?'

'Iawn,' atebodd y gŵr ifanc yn ddi-ffrwt.

'Dim ond "iawn"?'

'Ma'r wsnosa dwytha 'ma wedi bod yn rhei anodd . . . '

'Ydyn. Inni gyd,' cytunodd y weddw gydag ochenaid ddwys. Yna, fymryn yn fwy calonnog, holodd: 'Rhyw sôn pellach am engejo?'

'Mi ydan ni wedi trafod y matar.'

'A . . . ?'

Rhythodd y ddarpar fam-yng-nghyfraith yn eiddgar ar y darpar ddaw. Ebr yntau:

'Wel. Rydan ni wedi penderfynu gadal petha fel ma nhw

nes bydd Sulwen wedi ca'l ei doethuriath a finna'n M.A.'

'Pryd fydd hynny sgwn i?' holodd Lowri Huws yn feirniadol. 'Ddim am flwyddyn go lew. Taswn i'n lle Sulwen, a hogyn ifanc, glandag, gweithiwr calad a llond ei ben o intelijens, yn dangos intrest yn'a i, faswn i ddim yn ei drin o mor siabi!'

'Ma Sulwen a fi'n dallt 'yn gilydd yn reit dda, Mrs Huws,' ebe Gwyndaf yn amddiffynnol.

'Dda gin i glwad, wir,' meddai'r fam. 'Ma hynny'n fwy na fedra i ddeud. Ond mi fydd yr hen dŷ 'ma'n wag iawn pan eith hi'n ôl i'r Sowth. Mi alwch i 'ngweld i bob hyn a hyn, gnewch Gwyndaf?'

'Siŵr iawn, Mrs Huws!' cydsyniodd Gwyndaf.

'Galwch fi'n Lowri, Gwyndaf,' ebe'r weddw alarus gan gydio yn ei law a'i gwasgu'n dynn, dynn yn ei llaw fechan, fodrwyog ei hun.

'Iawn,' cydsyniodd Gwyndaf. 'Aw!'

'Be sy?'

''Ych gwinadd chi, Mrs . . . Lowri . . . '

'Ma nhw braidd yn hir tydyn? Sori, 'ngwas i. Faswn i ddim yn cael menthyg 'ych hancas chi?'

Tynnodd Gwyndaf y ffunen wen a sbeciai o boced frest ei siwt binstreip, a'i rhoi i Lowri Huws. Sychodd hithau ei dagrau, chwythu ei thrwyn smwt ac awgrymu y byddai'n 'syniad ichi alw yma unwaith neu ddwy bob wsnos, Gwyndaf – gyda'r nos fel hyn fasa ora – i roid *update* imi ar sut ma hi'n mynd tua'r Ffatri 'cw.'

'Siŵr iawn . . . '

'Dwi'n gaddo peidio 'myrryd na busnesu. Gewch chi redag petha'n union fel leciwch chi. Ond 'dach chi'n cytuno, dwi'n siŵr, y dylwn i, fel perchennog, gael gwbod os bydd 'na unrhyw broblema'n codi?'

'Wrth gwrs . . . '

'Oes 'na rwbath arbennig yn 'ych poeni chi ar hyn o bryd, Gwyndaf?'

Nid oedd Gwyndaf ap Siôn yn un da am guddio'i feddyliau a'i deimladau. Ymddangosodd haenen loyw o chwys ar wyneb pinc y gŵr ifanc ac atebodd yn fyngus:

'Well gin i beidio â siarad am betha felly heno, Mrs Huws . . . Lowri.'

'Pa "betha", Gwyndaf?' holodd Lowri Huws yn siarp.

'Y busnas. Y Ffatri . . . ' crygodd Gwyndaf.

'Ma 'na rwbath yn 'ych poeni chi, toes?' haerodd Mrs Huws. 'Dyna pam rydach chi'n edrach mor euog!'

Roedd urddas tawel yn llais Gwyndaf wrth iddo ateb: 'Toes gin i ddim byd i deimlo'n euog ynglŷn ag o, Lowri. Yr hyn rydw i'n deimlo ydi . . . nid heno ydi'r amsar gora i drafod dyfodol y Ffatri.'

'Gawn ni drafod 'ych dyfodol chi 'ta?'

'Fi? Fi a Sulwen ydach chi'n feddwl?'

'Chi a'r Ffatri, Gwyndaf,' meddai Lowri Huws a chyhuddiad yn ei llygaid a'i llais.

'Ydach chi'n meddwl rhoi'r sac imi?' holodd Gwyndaf yn anghrediniol.

'Sut medrwch chi ofyn y fath gwestiwn a chitha'n gwbod gymaint o feddwl sy gin i ohonach chi?' sibrydodd Lowri Huws a chydio yn ei law lydan â'i dwy law hi. Syllodd arno a'i llygaid mawr, tywyll yn llenwi. 'Ond os ydach chi'n benderfynol o sacio'ch hun, be fedra i neud? Fasach chi'n aros taswn i'n rhoid sein *Prif Weithredwr/Chief Executive* ar ddrws 'ych offis chi yn lle *Rheolwr Cyffredinol/General Manager*?'

'Dwi'n y niwl,' ebychodd Gwyndaf. 'Toes gin i 'run syniad am be 'dach chi'n siarad, Lowri.'

'Mae'n loes calon imi na fedrwch chi ddeud y gwir wrtha i,' edliwiodd y weddw a rhythu i fyw ei lygaid. Nid ysgogodd hynny'r gyffes a ddisgwyliai hi ac aeth yn ei blaen:

'Wn i ddim faint o goel fedar rhywun roid ar 'rhen Ifan Meri Ann fydda i'n rhoid puntan neu ddwy iddo fo at ei bres dôl am dwtio 'rar imi a gneud jobsys erill hyd y lle 'ma, ond deud roedd o, ddoe ddwytha, iddo fo glwad 'ych tad yn brolio tua'r *Brwynog Arms*, eich bod chi wedi cael cynnig jòb tua Prestatyn 'cw fydda'n talu dwbwl be 'dach chi'n gael rŵan, ac y byddach chi'n "ben dafad" – dyna'i eiria fo – i'w gwrthod hi.'

'Jac Goch ddiawl! Yr idiot meddw!' fflamiodd Gwyndaf.

28

'O! Mae o'n wir, felly!' llefodd Lowri Huws a beichio wylo.

'Gwrandwch arna i, Lowri,' gorchmynnodd Gwyndaf gan ddodi ei ddwy law ar ei hysgwyddau a mynnu ei bod yn edrych i'w wyneb. 'Rydw i wedi cael cynnig swydd ddeniadol iawn gin gonsortiwm o ddynion busnas sy'n berchan tafarndai, clybia nos, gwersyll gwylia a fflatia.'

'A mi 'dach chi wedi derbyn, m'wn?' ebe Mrs Huws yn dorcalonnus a'i llygaid yn gorlifo'u glannau.

'Rydw i wedi diolch iddyn nhw am y cynnig,' meddai Gwyndaf, 'a deud na fedra i mo'i dderbyn o tra 'mod i'n ymrwymedig i Ffatri Wlân Cwmbrwynog.'

Hyrddiodd Lowri Huws ei dirmyg ato: 'Faint o notis ydach chi isio? Mis? Wsnos? Cerwch fory nesa! Waeth ichi heb! Rydw i mor siomedig yn'a chi, Gwyndaf.'

Pan ddychwelodd Sulwen canfu ei mam yn wylo'n hidl a Gwyndaf yn ei siglo gerfydd ei hysgwyddau dan weiddi: 'Gwrandwch arna i, Lowri! Gadwch imi orffan!'

'Gwyndaf! Be wyt ti'n neud i Mam?' holodd Sulwen mewn braw. 'Gwllwn hi'r munud 'ma.'

Ufuddhaodd Gwyndaf fel petai wedi ei drydanu.

'Gofyn i'r cena bach anniolchgar be mae o am neud inni'll dwy!' gorchmynnodd Lowri Huws gan bwyntio'n filain at y gŵr ifanc a eisteddai yn awr lathen oddi wrthi. 'Fyddi di ddim elwach, felly mi ddeuda i wrtha chdi. 'Yn bradychu ni a'r addewid roddodd o i dy dad ar ei wely anga, am ddeg ar higian o ddarna arian, beth bynnag ydi hynny ym mhres hiddiw, a mynd i weithio i ryw hen Saeson tua Prestatyn!'

'Twyt ti rioed, Gwyndaf?' gwaredodd Sulwen.

'Nag 'dw,' atebodd yntau'n syml.

'Be ddeudist ti wrth Mam i'w hypsetio hi gymaint 'ta?' holodd Sulwen yn ddryslyd gan eistedd wrth ymyl Lowri Huws a dodi braich warchodol amdani.

Anwybyddodd Gwyndaf ei chwestiwn pan atebodd:

'Toeddwn i ddim wedi meddwl torri'r newydd ichi tan fory neu drennydd. Ond fedrwn i ddim mynd o'ma heno a gadal i chi feddwl 'mod i'n salach dyn nag ydw i.'

Edifarhaodd na fuasai wedi codi ei bac a gadael i Sulwen a'i mam feddwl yr hyn a fynnent amdano, ond buasai hynny'n fwy gwrthun, hyd yn oed, na'r gorchwyl creulon a'i hwynebai. Ymwrolodd Gwyndaf ap Siôn a datgan:

'Lowri . . . Sulwen . . . Ma Ffatri Wlân Cwmbrwynog o fewn dim i fethdalu.'

Buchedd Cybi

Pan ymunodd Gwyndaf â gweithlu'r Ffatri fel Rheolwr-dan-hyfforddiant bedair blynedd yn flaenorol, dechreuodd Cybi Huws laesu dwylo. Buan iawn yr amlygodd y gŵr ifanc ei rinweddau cynhenid – egni, deallusrwydd, dyfeisgarwch, didwylledd, sêl dros lwyddiant y fenter ac argyhoeddiad dwfn o'i phwysigrwydd fel sylfaen economaidd y gymdeithas leol a'i bywyd diwylliannol cyfoethog, ynghyd â'i barodrwydd i ddysgu. Wedi blwyddyn weithgar yn y tresi, penodwyd Gwyndaf yn Rheolwr Cyffredinol, gydag ychwanegiad bychan at ei gyflog. O hynny allan, ymddiriedodd Cybi Huws fwy a mwy o gyfrifoldebau allweddol iddo: gweinyddu'r Ffatri a delio efo'r gweithlu o ddydd i ddydd, arolygu'r cynnyrch ac effeithlonrwydd y peiriannau, marchnata, Iechyd a Diogelwch, datblygu patrymau a nwyddau newydd. Popeth o bwys heblaw cyllid. Tybiai Gwyndaf na fuasai einioes Ffatri Wlân Cwmbrwynog dan fygythiad petai'r elfen hanfodol honno heb ei heithrio.

Ers peth amser, bu sieciau'n adlamu a phentwr cynyddol o ddyledion nas casglwyd yn peri i'r Rheolwr Cyffredinol amau nad oedd llyfrau cownt y Ffatri mor drefnus ag y dylent fod. Wedi cludo Cybi Huws i'r ysbyty, troes amheuaeth Gwyndaf ap Siôn yn arswyd pan welodd gyfrifon Ffatri Wlân Cwmbrwynog am y tro cyntaf. Roeddynt yn llanast llwyr.

Y peth caredicaf y gallai Gwyndaf ei ddweud am ddull Cybi Huws o drin pres oedd ei fod yn Gristion gwiw mewn byd o bublicanod a phechaduriaid. Sant a faddeuai i'w ddyledwyr er fod rhai yr oedd arno ef arian iddynt ymhell o fod mor amyneddgar. Ac roedd y ddwy garfan yn lleng.

Cyllid y Wlad oedd y mwyaf barus a digyfaddawd o'r genfaint farus, yn chwythu bygythion ffiaidd oherwydd na dderbyniwyd, ers deunaw mis, daliadau TAW y Ffatri na threth incwm ac yswiriant cenedlaethol y perchennog a'i weithwyr. Pentyrrwyd ar y gofynion swyddogol hynny filiau cyflenwyr gwlân, siopwyr lleol, cwmnïau atgyweirio peiriannau ac offer, siopau dillad a chelfi tŷ yn Llandudno, Caer a Llundain, *Teithiau Crafog Cruises* a *Modurdy Mawnog Motors*.

Roedd bil y garej ei hun yn agos at £150,000, sef yr hyn oedd i'w dalu am y Ferrari a'r petrol a lyncwyd gan yr anghenfil llofruddiol hwnnw a faniau a lorïau'r Ffatri ers achau. Sylwodd Gwyndaf mai gydag un o sieciau'r Ffatri y talwyd am *Leila Mégane* Sulwen ac mai o'r un cyfrif y deilliai taliadau morgej y tŷ a brynodd ei thad iddi yn Llansteffan Dyffryn Teifi.

Y Gwir yn erbyn y Ffatri

Prin y crybwyllodd Gwyndaf ap Siôn y manylion diflas hyn tra oedd yn disgrifio wrth weddw a merch Cybi Huws freuder ariannol y busnes a'u cynhaliai. Beiai, yn hytrach, 'yr Hen Elynion . . . problema Llif Arian . . . Cyflwr y Farchnad . . . yr Ingland Refeniw.'

'*Basdas!*' ebychodd Lowri Huws.

'Ydyn ma nhw,' cytunodd Sulwen, er iddi synnu clywed y fath araith gan ei mam.

'Nid am hen betha'r incwm tacs dwi'n sôn,' eglurodd Lowri Huws. 'Cwmni *Basdas*. Yr Archfarchnad. Ddalltis i gin Cybi'u bod nhw newydd gynnig contract anfarth inni, Gwyndaf?'

'Ydyn ma nhw,' ategodd Gwyndaf. 'Ond cyn inni fedru'i dderbyn o, fasa'n rhaid inni fuddsoddi'n sylweddol mewn peirianna newydd a ballu. Tydi'r fath gyfalaf ddim gynnon ni.'

'Be am siwrans bywyd Cybi?' awgrymodd Lowri Huws. 'Gawn ni geiniog neu ddwy o fan'no?'

'Mi werthodd Mr Huws ei bolisïa i gyd i dalu am 'ych taith chi rownd y byd ddwy flynadd yn ôl, y trip i Batagonia efo Côr y Brwynogiaid ac i Zimbabwe i weld 'ych chwaer,' esboniodd Gwyndaf.

'Ddylsan ni fod wedi aros yn Rhodesia – dyna enw iawn y wlad – fel crefodd Jini a'i gŵr, Kuypers, arnan ni!' llefodd Lowri Huws. 'Fasa ganmil gwell gin i fod efo Cybi'n ffarmio mewn gwlad lle ma'r haul yn twnnu bob dydd, ac nid ar 'y mhen 'yn hun mewn twll fel hwn, lle ma hi wedi bwrw glaw bob yn ail ddwrnod! Be 'na i, Gwyndaf? Be 'na i?'

'Gwerthu,' dyfarnodd Gwyndaf. 'Gynta medrwn ni. Ma gobaith am bris go lew tra bydd y gweithlu efo'i gilydd a *Basdas* isio'n cynnyrch ni.'

'Diwadd naw can mlynadd o draddodiad,' sibrydodd Sulwen yn anobeithiol rhyngddi hi a'i hun.

Ond roedd gwaeth i ddod: 'Fydd hynny ddim yn ddigon i glirio'r dyledion i gyd,' meddai Gwyndaf. 'Ond ddylach chi ddŵad i'r lan wedi gwerthu Brethynfa a 22 Trem-y-Colej.'

'Lle nawn ni fyw wedyn?' holodd Lowri Huws a'i llais yn sgrech.

'Glywis i fod Cymdeithas Tai Brwynog newydd brynu 6 Cimwch View,' awgrymodd Gwyndaf. 'Gan fod Mr Huws wedi bod mor gefnogol i'r Gymdeithas . . . '

Gwaredodd Lowri Huws y syniad: 'Tydach chi rioed yn disgwl imi fyw mewn cwt cloman!'

'Fydd raid ichi, Mam,' ebe Sulwen gan fwytho'i chefn. 'Fydd raid i minna symud i dŷ lojin neu rannu fflat . . . '

Chwarddodd yn chwerw a'i chywiro'i hun: 'Be dwi'n rwdlian? Sut medra i ddal ati efo'r Ymchwil rŵan? Toes gin i ddim dewis ond chwilio am waith yn y Cyfryngga, fel pawb arall, a mynd yn athrawas os metha i.'

'Mi landiwch chi ar 'ych traed, Gwyndaf!' sylwodd Lowri Huws yn biwis. 'A jòb yn disgwl amdanach chi tua Prestatyn!'

'Fydd 'na fawr o ddyfodol imi yma,' ebe Gwyndaf. 'Beryg iawn mai *asset-strippers* brynith y Ffatri. Heglith rheini hi o'ma, wedi cael eu bacha blewog ar gytundeb *Basdas* a'n leins gora ni, gwerthu'r adeilada a'r tir i ryw fildar o ffwr' i godi tai i Saeson, a lluchio'r gweithwyr i gyd ar y clwt.'

'Toes 'na ddim byd fedrwn ni neud?' apeliodd Sulwen.

'Fedri di ddim meddwl am rwbath i arbad y Ffatri rhag syrthio i ddwylo estron, ac achub Cymreictod y Cwm?'

'Ddyliach chi wir,' honnodd Lowri Huws, 'a chitha'n B.A. mewn Astudiaetha Busnas. Ac wedi gaddo i Cybi, ar ei wely anga, basach chi'n edrach ar ôl Sulwen a fi. Mae hi'n ddyletswydd arnach chi, Gwyndaf.'

Gyda chryn anhawster y rheolodd Gwyndaf ei dymer wrth ymateb i'r cyhuddiad oedd ymhlyg yng ngeiriau chwerw Lowri Huws: 'Dyna dwi'n neud, Lowri, wrth 'ych cynghori chi i werthu ar unwaith.'

'Tria feddwl am ryw ffor arall allan o'r picil,' erfyniodd Sulwen. 'Nid jest er mwyn Mam a fi. Er mwyn y Cwm. Er mwyn Cymru!'

Er ei fod yn ymwybodol iawn o'r taerineb disgwylgar yn y pedwar llygad benywaidd a syllai arno, pendronodd Gwyndaf ap Siôn yn hir cyn ateb. Faint elwach fyddai o o godi gobeithion na ellid eu cyflawni? Crybwyll syniadau a chynlluniau chwyldroadol y buasai Lowri Huws yn siŵr o'u hwfftio? Ta waeth. Beth oedd ganddo i'w golli? Ac efallai . . . efallai . . . efallai . . . y deilliai o'r argyfwng hwn gyfle iddo wireddu gweledigaeth. A breuddwyd . . . Ond rhaid oedd geirio'n ofalus. Beth am ofyn am noson i ystyried y broblem? Na. Bwrw'r haearn ac yntau'n eirias fyddai orau. 'Toes gynnoch chi ddim dewis arall ond gwerthu'r Ffatri,' cyhoeddodd.

'O, Gwyndaf!' ochneidiodd Sulwen yn siomedig.

Dechreuodd Lowri Huws igian crio eto.

'Ond,' aeth Gwyndaf yn ei flaen, 'mi allwch chi ddewis i bwy y gwerthwch chi hi.'

'I bwy bynnag gynigith fwya, siŵr iawn!' ebe Mrs Huws.

'Nid o anghenraid,' ebe Gwyndaf. ''Tai'r dewis rhwng gwerthu i gwmni mawr estron am bris y farchnad, neu am lai i'r gweithwyr a'u teuluoedd a'r gymuned leol – pwy fydda'n ei chael hi gynnoch chi?'

Cythruddwyd Lowri Huws, fel y tybiasai Gwyndaf: 'Be 'dach chi'n baldaruo, ddyn?' holodd. 'Gwerthu'r Ffatri i'r dynion? Chlywis i rioed rotsiwn lol. Warith rheini 'run geiniog ar ddim ond sigaréts, cwrw a betio!'

'Peidiwch â bod gymaint o hen snob, Mam!' siarsiodd Sulwen.

'Rhag dy gwilydd di'n siarad fel'na efo dy fam, a hitha'n ei galar,' fflachiodd Lowri Huws ond anwybyddodd Sulwen ei beirniadaeth ac annog Gwyndaf i ymhelaethu:

'Troi'r Ffatri'n fentar gydweithredol wt ti'n feddwl? Ma honno wedi bod yn chwilan yn dy ben di ers blynyddoedd tydi?'

'Ydi,' cytunodd Gwyndaf ac amlinellu'r modd y gellid, gyda chymorth arian Amcan Un, y Cynulliad Cenedlaethol, y WDA, Cynghorau Lleol a nifer o asiantaethau eraill, ddiriaethu'r weledigaeth frogarol, wlatgar y bu'n ei choleddu er pan y cyflogwyd ef gyntaf yn Ffatri Wlân Cwmbrwynog, yn ystod gwyliau'r haf, ac yntau'n fachgen ysgol.

Roedd ymateb Sulwen yn frwd ac wedi i Lowri Huws dderbyn sicrwydd y câi gadw Brethynfa rhoddodd hithau, braidd yn anewyllysgar, sêl ei bendith i'r prosiect.

'Rydach chi'n iawn i leisio amheuon, Lowri,' addefodd Gwyndaf. '"Haws dywedyd mynydd na myned drosto", chwadal yr hen air.'

'Yn hollol,' meddai Mrs Huws. 'Nid y Cimwch Bach na'r Cimwch Mawr, na'r Wyddfa sy raid ichi'i ddringo, Gwyndaf, ond Eferest!'

Ategodd Gwyndaf y feirniadaeth: 'A chyrhaedda i fyth y copa a llusgo Ffatri Wlân Cwmbrwynog ar f'ôl ar ben fy hun bach.'

'Fydd Mam a fi a phobol y Cwm i gyd yn gefn iti, Gwyndaf,' sicrhaodd Sulwen ef.

'Wn i, Sùl, ond mi fydd arna i angan rhywun hefo fi i rannu'r baich ar flaen y gad,' eglurodd Gwyndaf. 'Rhywun ifanc, egnïol, deallus, ymroddgar, teyrngar i'r Cwm ac i Gymru. Rhywun sy'n barod i weithio oria maith am y nesa peth i ddim er mwyn troi'r weledigaeth yn realiti. Mae pobol felly'n brin iawn. A rhaid imi ddeud wrthach chi, yn blwmp ac yn blaen, bod hon yn dasg rhy anferthol imi feddwl ymgymryd â hi heb help rhywun felly. Mae'r wsnosa dwytha 'ma wedi bod yn gymaint o straen . . .'

Tawodd Gwyndaf. Ciliodd y brwdaniaeth a daniai ei wedd gynnau ac meddai'n sobor o ddifrifol wrth ei ddwy wrandawraig:

'Dwi jest â chracio. Wedi ymlâdd. Mae arna i ofn mai gwerthu i estroniaid ydi'r unig gam ymarferol.'

'Fasat ti'n fodlon dal ati tasa modd dŵad o hyd i rywun cymwys i dy helpu di?' gofynnodd Sulwen. Craffodd ar wyneb crwn y gŵr ifanc wrth ddisgwyl am ei ateb.

'Chaet ti neb efo'r cymwystera proffesiynol iawn heb dalu coblyn o gyflog iddo fo,' dyfarnodd Gwyndaf. 'A hyd yn oed taen ni'n medru fforddio hynny, rhywun o'r tu allan fydda fo. "Gwas cyflog" yn llythrennol. Sais, fwya tebyg. A'n hiaith a'n diwylliant ni'n golygu dim iddo fo. Mi fasa, siŵr iawn, yn gaddo dysgu Cymraeg er mwyn cael y jòb – ac yn anghofio'i addewid yn syth bìn wedyn.'

'Fedra i feddwl am rywun o'r Cwm fydda'n 'i hystyriad hi'n fraint ac yn anrhydedd i dy helpu di i achub y Ffatri,' meddai Sulwen yn dawel. '"Hi", nid "fo". Heb "gymwystera proffesiynol". Ond nid yn hollol dwp chwaith. Rhywun "â chariad at y Cwm yn berwi yn ei gwaed" . . . '

Lledodd gwên orfoleddus dros wyneb bachgennaidd Gwyndaf ap Siôn. 'Sulwen!' llefodd. 'Twyt ti rioed . . . ?'

'Ydw!' atebodd Sulwen a'i gwên hithau ymron cyn lleted.

'Be?' holodd Lowri Huws yn ddryslyd.

Nos da

Rhyw awr yn ddiweddarach, a hwyrnos hydrefol, iasol yn huddo'r Cwm â'i mantell serennog, cyd-gerddai Sulwen a Gwyndaf i lawr y rhodfa a droellai rhwng llwyni rhododendron, o Brethynfa at y clwydi haearn ar fin y lôn bost. Cerddent heb yngan gair. Llenwid eu clustiau gan sgwrsio di-baid y Nant Wyllt ar ei hynt heibio'r plasty, i gyfeiriad y Ffatri islaw, a chrensian y cerrig mân dan eu traed. Llanwyd eu pennau a'u calonnau gan yr un tryblith o feddyliau ac emosiynau, a ysgogwyd gan brofiadau a defodau diwrnod a fu'n gybolfa o alar a gobaith, digalondid a dadeni, ysgaru ac ymrwymo o'r newydd.

Safodd y ddau ar ganol y rhodfa, rhwng y clwydi mawr, rhydlyd oedd bob amser ar agor led y pen.

'Nos dawch, Sulwen,' ebe Gwyndaf yn ffurfiol dros ben.

'Nos dawch, Gwyndaf,' meddai hithau'r un modd. 'Diolch ichdi am bob dim.'

'Iawn, siŵr,' atebodd y gŵr ifanc, yn swil, fel o'r blaen.

Safasant yn fud am ysbaid hirfaith. Nes i Sulwen erfyn: 'Rho dy freichia amdana i, Gwyndaf, a gwasga fi'n dynn!'

Ufuddhaodd ei chariad ar amrantiad.

'O, Gwyndaf!' llefodd Sulwen o ddyfnderoedd ei bod. 'Wn i ddim be faswn i wedi'i neud hebddat ti. Wn i ddim be dwi'n mynd i neud tua'r Ffatri chwaith. Fydd raid ichdi ddysgu bob dim imi . . . '

'Mi 'na i! Mi 'na i, Sulwen,' addawodd Gwyndaf ap Siôn a'i lais yn angerddol. 'Ddysga i bob dim ichdi!'

Pennod 3

Y Llythyr

Alfayed Gardens
Kensington, Llundain
Hydref 30ain

Annwyl Sulwen,

Derbyniwch fy nghydymdeimlad dwys a diffuant ar farwolaeth drist eich tad ynghyd ag ymddiheuriad fod mis a mwy wedi mynd heibio er y digwyddiad hwnnw. Er mai ychydig a sonioch amdano yn ystod ein hymgomiau yn Llansteffan D.T., dywedasoch ddigon imi allu amgyffred cymaint yw eich trallod a'ch colled chi a'ch mam.

Yn fuan iawn wedi i chi ddychwelyd adref gorfu i minnau adael Llansteffan a Chymru a hedfan i Dwrcmenistan lle'r oedd terfysgwyr yn achosi trafferthion i ICACOil trwy atal y gwaith o osod pibell i gludo olew o Fôr Caspia tuag at Affganistan a'n porthladd newydd sbon ym Mhacistan. Wedi setlo'r broblem honno, fe'm gwysiwyd gan ein cynrychiolwyr yn y Dwyrain Canol i geisio lliniaru effeithiau'r helyntion diweddar ar ein gweithgareddau yn y rhanbarth cythryblus hwnnw, lle y treuliais rai wythnosau yn bwrw pennau tywysogion trahaus a gwleidyddion gwallgo yn erbyn ei gilydd. Mae hi wedi tawelu yno'n awr, ond am ba hyd? Amser a ddengys.

Un o'r pethau cyntaf a wnes wedi dychwelyd i 'mhencadlys (dros dro) yma ym mhrifddinas Lloegr oedd cysylltu ag Adran y Gymraeg ym Mhrifysgol Llansteffan i holi amdanoch, yn y gobaith o glywed nad oedd y newydd am eich tad cynddrwg ag y tybiasoch. Cefais wybod, ysywaeth, fod eich ofnau'n ddilys. Mae'n ddrwg calon gen i, Sulwen.

Buasai hyn o lith yn darfod yma oni bai fod fy Nghynorthwy-ydd Personol, Ms M. di Chianti, newydd gyflwyno i'm sylw grynodeb o adroddiadau a ymddangosodd yn newyddiaduron a chyfnodolion Cymru yn ystod ein habsenoldeb. Ymhlith y lloffion hynny darllenais am eich penderfyniad dewr a hunanaberthol i adael Academia a chydio yn yr awenau diwydiannol a gipiwyd mor greulon o ddwylo eich diweddar dad. Colled i ysgolheictod ond bydd Cymru ar ei hennill oherwydd ichi ddewis 'sefyll yn y bwlch'. Os clywaf alwad i 'ddyfod atoch i'r adwy', byddaf yn ymateb yn gadarnhaol.

Sylwais, gyda diddordeb, fod eich Prif Weithredwr, Mr Gwyndaf ap Siôn, yn bwriadu troi Ffatri Wlân Cwmbrwynog yn fenter gydweithredol mewn ymgais i oresgyn y problemau difrifol sy'n ei hwynebu ar hyn o bryd. Tra fy mod yn cymeradwyo'r delfrydau gwlatgarol sy'n ei ysgogi, a gaf i, yn wylaidd iawn, dynnu eich sylw chi a Mr ap Siôn at ddwy ffactor a all lesteirio datblygiad o'r fath?

1. Aflwyddiannus, hyd yn hyn, fu pob ymgais i greu ynys sosialaidd mewn môr cyfalafol, h.y., busnes, rhanbarth neu wladwriaeth nad ydynt yn cydymffurfio â gofynion y Farchnad.

2. Cyflwr bregus y diwydiant dillad yng Ngorllewin Ewrop yn wyneb cystadleuaeth o Ddwyrain Ewrop ac Asia.

Maddeuwch imi am fod mor hy â chynnig gwaredigaeth arall. Cyn bo hir, fel y gwyddoch, bydd ICAC yn ei amlygu ei hun fel chwaraewr yn rheng flaen economi Cymru ac Ewrop benbaladr. Byddai'r hyn yr wyf am ei awgrymu'n cydweddu'n llwyr â'r strategaeth honno. Dyma'r cynnig: bod Ffatri Wlân Cwmbrwynog yn ymuno ag ICAC fel cwmni annibynnol a than arweinyddiaeth ei dîm rheoli presennol.

Y fantais i chi: buddsoddiad sylweddol a esyd Ffatri Wlân Cwmbrwynog ar sylfaen ariannol gadarn fydd yn caniatáu ichi wario'n helaeth ar offer a pheiriannau, hyfforddiant ac Ymchwil a Datblygiad; aelodaeth o gorfforaeth ryngwladol fydd yn amddiffyn rhag anwadalwch y farchnad a cherrynt economaidd byd-eang; llu o farchnadoedd newydd i'ch nwyddau.

Yr enillion i ICAC: profiad mewn maes arloesol ac ewyllys da pobl Cymru a'u harweinwyr gwleidyddol.

Tybed a fyddai modd imi helaethu'r awgrymiadau uchod yn ystod f'ymweliad nesaf â Chymru (ar wahoddiad Llywodraeth y Cynulliad) yn y dyfodol agos? Yn llawn hyder ffydd y cydsyniwch, gofynnais i Ms di Chianti drefnu i mi ac aelodau o'm staff letya yn y Brwynog Arms nos Wener, Tachwedd 8fed.

Roeddwn wedi bwriadu eich gwahodd chi a'ch mam a Mr Gwyndaf ap Siôn i ymuno â ni am bryd o fwyd hwyrol ond fe'm hysbyswyd na fyddai hynny'n bosib oblegid cynhelir Swper a Dawns Flynyddol Eglwysi Sodom a Gommorah yn y gwesty yr un noson. Ar awgrym perchennog y Brwynog Arms, cysylltais â'r Parch. D. Culfor Roberts i holi a oedd tocynnau ar gyfer yr achlysur yn dal ar gael. Roedd ymateb Mr Roberts yn dra charedig. Nid yn unig fe'm gwahoddodd i a'm cyfeillion i gydwledda ag ef a'i braidd, gofynnodd imi fod yn Brif Westai'r noson a dweud gair neu ddau o brofiad. Rwyf innau, braidd yn rhyfygus, efallai, wedi derbyn.

Gan edrych ymlaen at gwrdd â chi eto cyn bo hir ac yn eich 'milltir sgwâr' chi eich hun.

Yr eiddoch yn gywir

Llew

Y Drafodaeth

Cludodd Sulwen lythyr y Biliwnydd yn ôl a blaen rhwng Brethynfa a'r Ffatri yn ei briffces lledr, llathrddu am ddeuddydd cyn mentro ei ddangos i Gwyndaf. Eisteddent yn awr, adeg te deg, yn Swyddfa'r Prif Weithredwr, o boptu'r dodrefnyn mahogani anferth y daliai hi i feddwl amdano fel 'desg Tada'.

Ar derfyn y paragraff cyntaf, cododd Gwyndaf ei lygaid oddi ar yr ysgrifen eglur, awdurdodol a holi: 'Hwn ydi'r Ianc est ti am bicnic efo fo?'

'Fo a dau arall 'te?' atebodd Sulwen yn siarp. 'Ei Ysgrifenyddas a'i Warchodwr o.'

'Pedwarawd bach del,' ebe Gwyndaf a darllen y paragraff nesaf. Yna: 'Dipyn o foi,' sylwodd. 'Dim rhyfadd fod angan bodigard ar dy Lew di. Ddigwyddodd 'na rwbath?' holodd yn ddidaro.

Gwylltiodd Sulwen: 'Be wt ti'n awgrymu, Gwyndaf?'

'Driodd neb ei ladd o tra oeddach chi'n picnica?'

'Dwi'n meddwl baswn i wedi sôn wrthat ti!'

'Fasat ti'n sôn tasa fo wedi trio mŵfs arna chdi?'

'Paid â siarad mor wirion! A di-chwaeth!'

'Wel? 'Nath o?'

'Nid dyn fel'na ydi o.'

'Be? Dipyn o gadi ffan?'

'Naci wir!' haerodd Sulwen yn bendant iawn.

'Rwt ti'n gochach na phwys o domatos, Sùl!' meddai Gwyndaf gan wenu'n gam arni.

'Wedi gwylltio efo chdi am ddeud petha mor ddwl dwi!' taniodd Sulwen. 'Darllan y llythyr! Ella callith o chdi!'

Ciliai'r wên bryfoclyd oddi ar wyneb Gwyndaf ap Siôn fel y darllenai'r llith ac y suddai'r goblygiadau i'w ymwybyddiaeth. Darllenodd ef yr eildro. Rhythodd ar y geiriau heb eu darllen am ysbaid hir cyn dodi'r ddalen lliw hufen yn ofalus ar y ddesg o'i flaen. Pwysodd ei beneliniau ar y ddesg gan blethu ei ddwylo yn ei gilydd, fel petai'n gweddïo.

'Wel?' meddai Sulwen, yn hollol hunanfeddiannol yn awr. 'Be wt ti'n feddwl o'r cynnig?'

Cydiodd Gwyndaf ym mreichiau ei gadair *executive* ffug-ledr, syllu i fyw ei llygaid a gofyn yn dawel: 'Oes raid iti ofyn, Sulwen?'

'Siŵr iawn,' ebe hithau'n dalog. 'Gin bod chdi'n Brif Weithredwr y Cwmni. Mae hi'n ddyletswydd arna i.'

'Siawns dy fod ti'n 'yn nabod i'n ddigon da . . . '

'Ga i weld rŵan os ydw i. Deud wrtha i be 'di dy farn di am wahoddiad caredig Mr Llewelyn C. Price IV, Llywydd ICAC, i Ffatri Wlân Cwmbrwynog ymuno efo'i gwmni o "fel cwmni annibynnol a than arweinyddiaeth y tîm rheoli presennol"?'

Gwasgodd Gwyndaf freichiau'r gadair yn dynn gan wyro rhan uchaf ei gorff ymlaen mewn ystum ymosodol a datgan: '"Diolch yn fawr, Mr Price. Ond, na. Dim diolch." Dyna faswn i'n ddeud wrtho fo, Sulwen, taswn i'n berchan y lle 'ma. Ond tydw i ddim. Be ddeudi di a dy fam wrtho fo sy'n cyfri. Wel? Ydach chi am dderbyn y cynnig?'

Anwybyddodd Sulwen oslef ddirmygus y Prif Weithredwr. 'Tydw i ddim wedi sôn am y llythyr wrth Mam eto,' meddai. 'Roeddwn i isio'i drafod o efo chdi gynta. Wn i y cytunith hi efo fi be bynnag benderfynwn ni.'

'Wt ti'n meddwl y cytunwn ni'n dau?'

'Gawn ni weld,' meddai Sulwen ac ymestyn ar draws y ddesg am y llythyr. 'Wel,' meddai wedi bwrw golwg hamddenol dros druth y Biliwnydd, 'mi wt ti dy hun wedi cyfadda tasg mor anodd fydd cael mentar gydweithredol i lwyddo, bod y fasnach defnyddia a dillada'n un mor ansicir, a chymaint o gystadleuath o dros y môr. Er mai Americanwr ydi Llew . . . Mr Price, mae o'n gystal Cymro â chdi a fi, Gwyndaf. Yn caru Cymru a Chwmbrwynog hefyd, dwi'n siŵr, pan ddaw o i nabod y lle. O bosib mai dyma'r ffor ora i ddiogelu'r Ffatri a swyddi'r gweithwyr. A mae hynny'n dy gynnwys di, cofia. Hyd yn oed tasa Mr Price ddim yn gaddo na newidith o mo'r "tîm rheoli presennol", fasa Mam a fi'n mynnu bo chdi'n cadw dy jòb. Debyg gin i caet ti fwy o gyflog hefyd. Bach iawn ydi o ar hyn o bryd. Dwi'n synnu bo chdi'n medru gneud ar gin lleiad.'

'Grêt,' chwyrnodd Gwyndaf. 'A'r cwbwl raid imi neud i gadw'n jòb a chael codiad cyflog ydi anghofio bob dim dwi 'di bregethu yn ystod yr wythnosa dwytha 'ma am greu mentar ddiwydiannol o fath gwahanol. Un wedi'i sylfaenu ar egwyddorion fel Cydraddoldeb, Cymuned, Gwarchod Diwyllianna Cynhenid a'r Amgylchedd. Rhoid y gora i baldaruo am herio globaleiddio a rhoid Cwmbrwynog a Chymru ar flaen y gad yn y frwydr fyd-eang yn erbyn rhaib y corfforaetha amlwladol. A mynd yn gi bach i un o globaleiddwyr mwya'r blaned. Be 'di'r ots os siomwn ni bawb sy wedi bod mor barod i'n cefnogi efo'u hewyllys da a'u punnoedd prin? Gweithwyr y Ffatri, pobol o'r ardal ac o bob rhan o Gymru, pleidia gwleidyddol, cynghora, eglwysi, mudiada blaengar o bob math . . . '

Tawodd Gwyndaf a syllu'n herfeiddiol i wyneb Sulwen, fel

petai'n ewyllysio iddi gywilyddio, cyn ychwanegu, â'i lais yn crynu: 'Fel siomist ti fi, Sulwen. Feddylis i bo chdi'n credu cyn gryfad â fi yn yr hyn roeddan ni'n obeithio'i greu yma. Feddylis i, fel y bu's i wiriona, fod 'yn perthynas ni wedi symud i lefel ddyfnach, uwch wrth inni gydweithio, cydymdrechu, cyd-ddyheu. 'Yn bod ni'n dallt 'yn gilydd i'r dim. Toedd hynny ddim yn wir, mae raid.'

Ni allai Gwyndaf reoli ei lais na'i deimladau mwyach. Tawodd gan bwyso'i ben yn llesg yn erbyn cefn y gadair ddu a chau ei lygaid.

A'u hagor eto mewn syndod rai eiliadau'n ddiweddarach pan deimlodd wefusau llawnion, cynnes, llaith Sulwen ar ei wefusau ef a'i thafod ymchwilgar yn ymwthio rhwng ei ddannedd. Ymatebodd yn awchus i'r gusan gan lapio'i freichiau am yr hudoles a'i thynnu tuag ato. Yna gwthiodd hi oddi wrtho'n chwyrn a holi'n sarrug: 'Be oedd hyn'na? Gwobr gysur?'

Siglodd Sulwen ei phen a rhyw dynerwch serchus, dieithr yn ei threm. 'Ffor o ddeud diolch, Gwyndaf,' meddai.

'Diolch?' holodd yntau'n ddryslyd. 'Am be?'

'Am beidio'n siomi i,' atebodd Sulwen yn syml ac eistedd ar ei lin. 'Am ddangos bod gin ti glamp o asgwrn cefn.'

Ar amrantiad roeddynt yn cusanu eto a'u breichiau am ei gilydd. Llithrodd Gwyndaf ei law o dan ei blows wen a mwytho llyfnder ei chefn cyn mentro ymhellach a'i gosod dros gwpan perffaith ei bron am ddau eiliad perlesmeiriol nes i Sulwen estraddodi'r llaw droseddol gyda siars chwareus.

'Hei, hei!' Cofia be gytunon ni pan ddechreuis i weithio yma! "Dim hanci-panci'n y Ffatri".'

'Chdi ddechreuodd,' ebe Gwyndaf gan gyrchu eto tua'r parthau gwaharddedig.

'Wn i,' atebodd Sulwen a chodi oddi ar ei lin yn sionc.

'O, Sulwen,' ochneidiodd y gŵr ifanc yn druenus. 'Pryd cawn ni . . . ?'

'Wn i bod hi'n galad . . . '

'Fel haear Sbaen!'

'Gwyndaf!'

'Sori!'

'Tydan ni ddim wedi dyweddïo hyd yn oed.'

'Be am neud hynny pnawn 'ma? Biciwn ni i'r dre i brynu modrwy a . . .'

'Cyplu fel ciaridýms yng nghefn y car ar y ffor adra? Hynny wt ti isio?'

'Fasa'n well na dim,' ebe Gwyndaf yn bwdlyd, dan ei anadl.

'Gwyndaf!'

'Sori.'

Tosturiodd Sulwen wrth y gŵr ifanc rhwystredig. Cydiodd yn ei law a'i chusanu, gweithred a barodd i ias drydanol lifo'n felys arteithiol trwy ei gorff blysiog. 'Dw' inna'n teimlo'n bod ni'n agosach at 'yn gilydd rŵan na fuon ni rioed,' cyfaddefodd Sulwen. 'A dwi isio inni ddyweddïo. Ond nid nes byddwn wedi achub y Ffatri. Dyna'r flaenoriaeth rŵan. Rhaid i'n holl feddwl a'n hegnïon ni, bob dim rydan ni'n deimlo at 'yn gilydd hyd yn oed, gael eu sianelu i'r cyfeiriad hwnnw nes bydd y drefn newydd yn ei lle. Mi wyt ti yn cytuno, twyt?'

Nid atebodd Gwyndaf, a anadlai'n drwm drwy ei geg, ac ailofynnodd Sulwen ei chwestiwn. 'Mi wyt ti'n cytuno, Gwyndaf, mai achub y Ffatri ydi'n blaenoriaeth ni ar hyn o bryd, a chymaint yn y fantol, ac nid boddhau'n chwanta hunanol ni'n hunain?'

'Ydw,' atebodd Gwyndaf yn fyngus a chodi'n straffaglus o'i gadair. 'Esgusoda fi.'

Croesodd y Prif Weithredwr y stafell at y drws hanner-gwydr â'i enw a'i deitl ar y chwarel.

'Lle wt ti'n mynd?' holodd Sulwen.

'Dim ond i'r lle chwech,' ebe Gwyndaf dros ei ysgwydd wrth agor y drws.

'Paid â bod yn hir yno,' siarsiodd Sulwen. 'Ma arna i isio ichdi atab llythyr Mr Price.'

Yr Ateb

Brethynfa
Cwmbrwynog
Gwynedd
Tachwedd 2il

Annwyl Mr Price,

Diolch ichi am eich llythyr caredig ac am eich cydymdeimlad didwyll a werthfawrogir yn fawr iawn gan fy mam, Mrs Lowri Huws, a minnau.

Diolch ichi hefyd am eich diddordeb yn Ffatri Wlân Cwmbrwynog a'ch awydd i ysgwyddo'r baich o ddiogelu ei dyfodol.

Erbyn hyn, cerddodd y cynllun cydweithredol ymhell iawn, gyda chefnogaeth unfrydol yr ardal a Chymru benbaladr. Nid oes troi'n ôl i fod i'r hen drefn gyfalafol a fu ond y dim a gwneud amdani, nid, hyd yn oed, fel cocosen fechan ym mheirianwaith enfawr ICAC. Felly, tra fy mod yn diolch ichi am eich diddordeb, ni allwn dderbyn eich cynnig hael.

Edrychaf ymlaen at eich cyfarfod yn ystod eich ymweliad â Chwmbrwynog ac at drafod ymhellach, efallai, y pynciau diwylliannol ac ieithyddol hynny sydd o ddiddordeb inni'll dau.

Yr eiddoch yn gywir

Sulwen Huws

'Braidd yn oeraidd,' oedd sylw Sulwen wedi iddi ddarllen y ddalen wen a osododd Gwyndaf o'i blaen ar ei desg.

'"Rwbath ffurfiol heb fod yn anghwrtais" ddeudist ti,' atebodd Gwyndaf. 'Chdi ydi'r llenor. Sgwenna di o, os wt ti isio rwbath mwy ffansi.'

'Na. Mae o'n iawn,' ebe Sulwen a llofnodi'r llythyr. 'Tydw i ddim yn edrach ymlaen at ei gwarfod o'n Swpar a Dawns y Capal,' ochneidiodd.

Cododd Gwyndaf y ddalen oddi ar y ddesg, ei phlygu'n ddestlus a'i dodi yn yr amlen a gyfeiriwyd eisoes ganddo. 'Ofn pechu'r Ianc s'gin ti?' holodd yn wamal ond i bwrpas gan graffu ar wyneb pryderus y ferch ifanc.

'Jest bod Llewelyn C. Price IV yn ddyn pwerus iawn, sy wedi arfar cael ei ffor ei hun,' eglurodd Sulwen fymryn yn hunangyfiawn.

'Gafodd o hi pan euthoch chi am bicnic?'

'Be?' ebychodd y bengoch a'i natur yn codi.

'Gath o fynd i mewn i Ogo Twm Siôn Cati gin ti?' heriodd Gwyndaf.

Cododd Sulwen ar ei thraed, wedi ei chythruddo. 'Mae Llew'n ŵr bonheddig,' meddai a'i llais fel cyllell. 'Sy'n fwy nag y medra i ddeud am amball i lo cors fagwyd yn y pen yma!'

Croesodd Sulwen ei swyddfa'n fân ac yn fuan a mynd allan gan glepio'r drws â'r fath nerth nes i'r stafell grynu. Syllodd Gwyndaf ar ei hôl ac yna ar y llythyr at Llewelyn C. Price IV oedd yn ei law, a gwên fuddugoliaethus ar ei wyneb.

Pennod 4

Unwaith eto 'Nghymru Annwyl

Deffrodd Llewelyn C. Price IV wrth i'r Cadillac du â'r ffenestri tywyll sïo dros y ffin rhwng Cymru a Lloegr ar hyd yr hen briffordd A5.

'Ble'r ydym ni?' gofynnodd i Myfanwy di Chianti a eisteddai gydag ef yng nghefn y car mawr, pwerus. Roedd y rhan honno o gorff hir y cerbyd yn swyddfa fechan a chwaraeai bysedd chwim y P.A. dros allweddellau'r cluniadur ar y ddesg o'i blaen. Ni chododd hi ei golygon oddi ar y sgrin fechan, loyw wrth ateb:

'Ar gyrion pentre'r Waun.'

Ymledodd gwên dros wyneb heulfelyn yr Americanwr a honnodd fod 'rhyw reddf gyntefig wedi hysbysu 'nghyfansoddiad 'mod i'n ôl yn yr Hen Wlad'.

'Y blydi troeada 'ma sgytwodd chdi, Bòs,' awgrymodd Gerallt O'Toole o sedd y gyrrwr.

'Cau dy geg fawr, philistaidd, O'Toole!' ebe'r meistr, nid yn angharedig, cyn troi at ei Gynorthwy-ydd Personol i holi a oedd yr adroddiad y gofynnodd iddi ei baratoi yn barod.

Gwasgodd Myfanwy di Chianti y botwm priodol ar y cyfrifiadur ac ymddangosodd dalen o grombil yr argraffydd a ffitiwyd i'r ddesg fel drôr. Dilynwyd y ddalen gyntaf gan dair arall. Stwfflodd Ms di Chianti hwy a chynnig y daflen i'w chyflogwr.

'Darllen o imi,' gorchmynnodd Llewelyn Price gan ddylyfu gên.

Dadwregysodd Myfanwy ei hun o'i chadair ysgrifenyddol ac eistedd wrth ymyl y teicŵn ar ledr meddal y sedd gefn. Croesodd ei choesau siapus a darllen yr adroddiad canlynol:

'"SYMUDWYR AC YSGYTWYR CWMBRWYNOG

Y grŵp mwyaf dylanwadol, ar hyn o bryd, yw LIASSS (Loyalist Incoming Anglo-Saxon Settlers' Society), yn enwedig y Cadeirydd, Group-Captain B. N. P. Gryphon, Tŷ'n y Gorchudd Farm and Pony Trekking Centre, y Cyd-Ysgrifenyddion, J. & N. Frogthorpe, perchenogion y Brwynog Arms, a'r Trysorydd, Bill Grimely, Swyddfa'r Post a Siop y Pentref . . . '"

'Gaiff O'Toole ddelio efo nhw,' meddai Llewelyn Price gan amneidio tua sedd y gyrrwr.

'Diolch, Bòs. Dwi'n edrach ymlaen,' ebe'r Gwarchodwr, wedi ei blesio'n arw.

'Awn ni ymlaen at y brodorion 'te,' ebe Myfanwy di Chianti, 'yn nhrefn y wyddor:

"GWYNDAF AP SIÔN, Prif Weithredwr Ffatri Wlân Cwmbrwynog, 28 mlwydd oed. Gŵr ifanc gwlatgar ac ymroddgar o alluoedd cymedrol (gradd 2.2 mewn Astudiaethau Busnes ym Mhrifysgol Prestatyn). Enynnodd ei frwdfrydedd heintus a'i ddidwylledd amlwg gefnogaeth gref yn lleol a ledled Cymru i'r ymgyrch i droi'r Ffatri'n fenter gydweithredol. Diddordebau amser hamdden: Cwrw a Rygbi – mae'n fachwr i ail dîm Clwb Rygbi Cwmbrwynog. Arwyr: Gwynfor Evans, Che Guevara a Robbie McBryde.

SULWEN HUWS",' darllenodd Ms di Chianti gan droi at ei chyflogwr gyda gwên ar ei gwefusau sgarlad eithr nid yn ei llygaid duon. Murmurodd yn awgrymog: 'Ond rwyt ti'n gwybod popeth ti'n moyn amdani hi eisoes. 'Rôl eich *tête-à-tête* yn y coed?'

Tywyllodd wyneb y Biliwnydd. 'Darllen!' gorchmynnodd.

'OK,' cydsyniodd yr Ysgrifenyddes dan ffugio sirioldeb. 'Gan fod diddordeb mor danbaid a mor bersonol gen ti yn Miss Huws, mae fy sylwadau'n cynnwys rhai manylion na fyddai'r ferch ifanc, o bosib, am iti eu gwybod.

'Cymer ofal,' rhybuddiodd Llew a'i lygaid yn culhau.

'A tithe, Bòs,' meddai Myfanwy di Chianti'n ymorolgar. 'Rhag i'r Cymry hyn fanteisio ar yr hen galon sentimental yna . . . '

'Darllen!' gorchmynnodd y Biliwnydd.

'Â phleser,' meddai'r Eidales, ei llygaid yn dal i'w herio, a mynd rhagddi:

'"SULWEN HUWS, *merch ac etifedd diweddar berchennog y Ffatri Wlân, Cybi Huws a'i wraig, 'Madam' Lowri Huws* aka *Telynores Brwynog ac weithiau Eos Brwynog. Wedi iddi lwyddo, trwy ymdrech galed yn hytrach na dawn a deallusrwydd, i ennill gradd dosbarth cyntaf yn y Gymraeg ym Mhrifysgol Llansteffan-Dyffryn Teifi, ymgymerodd â thraethawd Ph.D. ar* Wŷr Llên Cwmbrwynog o'r Bedwaredd Ganrif ar Ddeg hyd at yr Unfed Ganrif ar Hugain . . . "'

'Tipyn o goflaid,' sylwodd Llewelyn Price yn edmygus.

'Ddim cyment â 'ny,' atebodd Myfanwy di Chianti yn sbeitlyd. 'Fel mae'r Adroddiad yn dweud:

"Rhwng Iolyn Foel ap Idris Frwynog (fl. 1342), un o brydyddion mwyaf clogyrnaidd Oes yr Uchelwyr, a Culfor (1937-) (gw. isod), dim ond dau lenor o bwys a gynhyrchodd yr ardal:

1. Yr anterliwtiwr, Huw Fudur (1702-1799). Mae'r unig enghreifftiau o'i waith a erys, sef Ercwlff ap Echblyg, yr Eunuch Llon *a* Gonareira, Brenhines Macedonia, *mor anllad fe'u cedwir dan glo mewn coffr dur yn Ystafell Ddu y Llyfrgell Genedlaethol yn Aberystwyth, er diogelwch y cyhoedd.*

2. Yr emynydd, William Williams, Pantycelyn Isaf (1716-1790), awdur:

> *Rhyw ddiwrnod aeth yr Iesu*
> *Am dro dros donnau'r môr,*
> *I ddangos i'w ddisgyblion*
> *Mai ef oedd Mab yr Iôr.*
> *Fe atgyfododd lawer*
> *O gyrff o farw'n fyw*
> *I brofi unwaith ac am byth*
> *Mai ef oedd gwir Fab Duw."'*

Cipiodd y Biliwnydd y ddalen o ddwylo ei Gynorthwy-ydd gyda'r cerydd: 'Mae adrodd emyn gyda'r fath goegni'n agos iawn at gabledd, Signorina. Ddarllena i'r gweddill fy hun. Anfon dithau e-pistol at *Arthur Andersen Associates* a threfnu iddyn nhw ddod draw i'r Pencadlys am awr neu ddwy'r wythnos nesa i fwrw golwg dros gyfrifon blynyddol ICAC.'

Dychwelodd Myfanwy di Chianti at ei desg gan fesur i'r filimedr y tro dirmygus ar ei gwefusau: digon i gythruddo'r Bòs ymhellach heb ennyn cosb lymach na'i wg.

Darllenodd Llewelyn Price weddill yr adroddiad:

JOHN JONES, aka *Jac Goch/Jac Sowth, 57, tad Gwyndaf ap Siôn (gw. uchod), 'ciaridým', bwli, meddwyn, yr uchaf ei gloch bob amser ymhlith slotwyr bar y Brwynog Arms; undebwr rhonc, aelod o'r Blaid Lafur a'i ddaliadau'n waeth na 'hen' – maent yn gyntefig! Wedi blynyddoedd o labro ledled y D.U., cafodd waith fel glöwr yng Nghymoedd Morgannwg, lle y daeth dan ddylanwad eithafwyr asgell chwith. Collodd ei swydd pan y'i cafwyd yn euog o regi plismon a geisiai ei restio am bicedu anghyfreithlon yn ystod Streic 1984-85. Chwalodd ei briodas tua'r un pryd, gan i'w wraig Rita (Miss Penrhywkhyber 1969) ddechrau perthynas gyda Larry Parry, Trotscïydd tanbaid ar y pryd sy nawr yn A.S. ac yn Weinidog y Goron (Anifeiliaid Anwes a Pharciau Cyhoeddus). Dyna pryd y dychwelodd Jac Sowth i'r Gogledd gyda'i fab ieuengaf, Gwyndaf. Arhosodd y mab arall, Arfon, yn y De gyda'i fam ac y mae nawr yn ddyn busnes llwyddiannus.*

Y PARCH. D. CULFOR ROBERTS, B.A., B.D., O.B.E., Y.H., 65, Gweinidog Eglwysi Sodom, Pwllmawnog a Gommorah, Cwmbrwynog, Cynghorydd Sirol, Uwch-Arch-Pen-Pelican Cyfrinfa'r Brythoniaid Brenhinol, bardd toreithiog a enillodd Goron yr Eisteddfod Genedlaethol am ei bryddest 'Cerrig'. Yn ôl edmygwyr Mr Roberts, ef yw bardd mwyaf Cymru (6' 7", 24 st.), ond honna rhai beirniaid sy'n dymuno bod yn ddienw na fuasai 'Y Bugail Da' wedi ei alw i lwyfan y Brifwyl yn Comins Coch oni bai ei bod hi'n flwyddyn wan a'r tri beirniad yn Seiri Rhyddion.

Dychwelodd Llewelyn Price y daflen i'w Gynorthwy-ydd

Personol heb unrhyw sylw, estynnodd ei goesau, gollyngodd ei gorff i foethusrwydd sedd gefn y Cadillac a chaeodd ei lygaid.

Trodd Myfanwy di Chianti ei phen ddigon i allu tremio'n ochelgar ar wyneb ei chyflogwr, a ymddangosai mor ddigyffro â lagŵn trofannol ar ddiwrnod teg. Eithr adwaenai Myfanwy'r wyneb a'i berchennog yn ddigon da i wybod fod cerrynt a phyllau chwyrn a pheryglus yn llifo ac yn troelli yn nyfnderoedd tywyll ei enaid ac anghenfilod rheibus yn llechu yno.

Pennod 5

O Deuwch, Ffyddloniaid!

Daeth cynrychiolaeth deilwng o gynulleidfaoedd Sodom, Pwllmawnog a Gommorah, Cwmbrwynog ynghyd yng ngwesty'r *Brwynog Arms* nos Wener, Tachwedd 8fed, i fwynhau noson Swper a Dawns flynyddol y ddwy eglwys. Dyma'r pumed achlysur o'r fath i'w gynnal, ac mae'n mynd o nerth i nerth – prawf digamsyniol o lwyddiant polisi goleuedig y Parch. D. Culfor Roberts o ddilyn cyfarwyddyd yr Efengyl trwy 'fynd allan i'r priffyrdd a'r caeau', 'rhodio ymhlith publicanod a phechaduriaid' ac 'eistedd yn eisteddfa'r gwatwarwyr', a thrwy hynny ddymchwel y muriau artiffisial rhwng Byd ac Eglwys a rhwng Cristnogion pybyr a phobl sy'n meddwl mai pêl-droediwr Gwyddelig oedd Joseph O'Arimathea.

Y Gweinidog, wrth reswm, ofynnodd i'r Hollalluog fendithio'r wledd a'r miri a'i dilynai. Gwnaeth hynny gyda'r eneiniad a'r awdurdod addfwyn sydd mor nodweddiadol o un a fydd ymhen blwyddyn arall wedi llafurio yn y gornel hon o winllan yr Arglwydd am ddeugain mlynedd – camp y bydd y ffyddloniaid yn ddiau am ei dathlu'n deilwng, maes o law:

'Deuwn ger dy fron, O Arglwydd y Lluoedd, mewn ysbryd o addoliad ac o ymddarostyngiad i ofyn dy fendith ar y wledd a ddarparwyd ar ein cyfer gan Jamie a Nigella – and may I take this opportunity of thanking you both and your staff for your usual, warm welcome. Diolch o galon – from the heart – as we say in the language of Heaven . . .

'Cwrs Cyntaf – segmentau grawnffrwyth neu gawl cennin. Fel un a gâr ei wlad ac sy'n trigo ynddi, teimlaf ddyletswydd i ddewis y cawl. Mae'r Ail Gwrs, sef Boeuf Stroganoff neu Gig Oen Cymru, yn gosod cwestiwn moesol anodd gerbron y sawl a fagwyd yn y traddodiad Anghydffurfiol Cymreig. Byddai rhai'n dadlau'n gryf dros anfon bustach estron i'r lladdfa yn hytrach nag oen bach diniwed a fagwyd ar lethrau'r Cwm, ond dichon yr anghytunai'r amaethwyr yn eich plith. Y Trydydd Cwrs: Gateau'r Fforest Bygddu, neu Jeli Coch a Blwmonj Pinc à la Festri Capal, neu Teisan Fwyar Duon Nain. Penbleth astrus arall i'r gourmet Cristnogol ac felly rydw i'n meddwl y cymra i fymryn o'r tri.

'Mae'th gyfarwyddyd parthed diodydd alcoholaidd, O Arglwydd, yn gwbl ddiamwys: "Nac yf ddŵr yn hwy," oedd cymhelliad yr Apostol Paul yn y drydedd adnod ar hugain o'r bumed bennod o'i Epistol at Timotheus, "eithr arfer ychydig win er mwyn dy gylla a'th fynych wendid".

'"Clywch, clywch", meddwn innau. Oni wnest Ti, yn y briodas yng Nghanna Galilea, droi'r dŵr yn win? Boed i ninnau, felly, droi cymaint o win ag y gallwn yn fawl i'th Enw Sanctaidd ac yn elw i'th Achos Tragwyddol.

'Wrth derfynu, O Arglwydd trugarog, erfyniwn arnat i gofio trueiniaid y Trydydd Byd. Amen.'

Llond bol

Ar ôl dwyawr o loddesta dygn a chydwybodol, gwelwyd wyneb cyfarwydd yn codi ar ei draed. Cyfeirio yr ydys at Mr Gwyndaf ap Siôn, sydd newydd ei benodi'n Brif Weithredwr y Ffatri Wlân, yn dilyn blynyddoedd o brentisiaeth o dan y diweddar berchennog, o annwyl goffadwriaeth, Cybi Huws. (Congrats i Gwyndaf a heddwch i lwch Cybi.)

Fel cynifer o'i genhedlaeth, gorfu i Gwyndaf adael ei fro

enedigol i ddilyn cwrs addysgol ond, yn wahanol i'r rhelyw, er disgleiried y cymwysterau y mae bellach yn meddu arnynt, ni allodd ddianc rhag hon, ac y mae'n awr yn ôl yn ein plith ac yn arwain yr ymgyrch lew i gadw i'r oesoedd a ddêl y Ffatri a fu – ymgyrch sydd wedi ennill cefnogaeth o bob cwr o Gymru Fach a dod â bri rhyngwladol i'r hen Gwm annwyl.

Braint ac anrhydedd Gwyndaf oedd cyflwyno Gwestai Arbennig y noson, gorchwyl a gyflawnodd yn bwrpasol ac yn ddidwyll dros ben, fel a ganlyn:

'Oherwydd fod y Parch. Culfor Roberts yn f'ystyried i'n dipyn o ddiwydiannwr y gofynnodd o, mae'n debyg, imi ddeud ychydig eiria wrthach chi am ein gŵr gwadd. Diwydiannwr, ymhlith petha eraill, ydi Mr Llewelyn C. Price IV. Un dipyn mwy na fi. A'r ymerodraeth ddiwydiannol, fasnachol ac ariannol y mae o'n bennaeth arni dipyn mwy na hen Felin Wlân Cwmbrwynog.

'Fe ymddengys fod ein hymwelydd goludog o'r Unol Daleithiau'n ymfalchïo yn ei dras Gymreig a'i gariad at Gymru. Rydw i'n mawr obeithio, felly, y clywn ni'r Bonwr Price yn cydnabod gwerth cwmnïau a mentrau bychain, cydweithredol a sefydlwyd yn unswydd i wasanaethu cymunedau Cymraeg a Chymreig yn hytrach nag i ychwanegu at gyfoeth enfawr yr elît gorfreintiedig sy'n llywodraethu'r byd cythryblus rydan ni'n byw ynddo heddiw, ac yn cyfrannu cymaint, felly, at ei wneud o'n le peryclach a mwy annheg bob dydd.'

Sêr Dieithr yn Ffurfafen y Cwm

Roedd llawer o'r Chwiorydd yn gweld Mr Llewelyn C. Price IV yn rhyfeddol o debyg i'r actor Americanaidd, Robert Redford, pan oedd yr eicon sinematig hwnnw ym mlodau ei ddyddiau. Gwnaeth Mr Price argraff ffafriol ar y Brodyr, yn ogystal, gyda'i osgo tywysogaidd, ei ymarweddiad boneddigaidd, ei Gymraeg coeth, ei ymresymu cadarn, ei wlatgarwch eirias a'i *evening jacket* asur (yr un lliw â'i lygaid treiddgar).

Camwedd anfaddeuol fyddai hepgor o'r adroddiad hwn

gyfeiriad at ddau o gyfeillion a chydweithwyr Mr Price, yr ychwanegodd eu presenoldeb siriol gymaint at lwyddiant y noson. Cyfeirio yr ydys at Miss Myfanwy di Chianti, a lonnodd ein calonnau mewn gwisg symudliw, dryloyw, gwta, gynnil ei thoriad, beiddgar, efallai, pryfoclyd hyd yn oed, ond hynod chwaethus; a'r cawr addfwyn, Mr Gerallt O'Toole, gŵr y gallech yn hawdd ei ddychmygu, mewn lifrai ddu a gwyn draddodiadol, yn eich hebrwng o glwb nos – petaech yn digwydd mynychu lle o'r fath ac mor ffôl â chamymddwyn yno – gyda braich gyfeillgar am eich ysgwydd a gair o gyngor caredig, yn hytrach na hergwd a rheg.

'Foneddigesau a boneddigion . . . Gyd-Gymry . . . ,' meddai Mr Llewelyn C. Price yn dra theimladwy ei oslef. 'Diolch i chi, ac i'r Parch. Culfor Roberts, yn enwedig, am eich croeso twymgalon. Diolch i chithau'r Bonwr ap Siôn, am eich cyflwyniad huawdl ac am yr awgrym oedd ymhlyg yn eich sylwadau dadleuol y gall Cymro alltud fel fi chwarae rhan allweddol yn natblygiad economaidd yr ardal hon.

'Rydym ni Gymry Americanaidd yn cael ein cyhuddo'n aml iawn o fod yn ordeimladwy ynglŷn â Hen Wlad ein Tadau. Wel, mae hwn yn gyhuddiad yr ydw i'n falch, ie yn falch iawn, o bledio'n euog iddo!

'Pan oeddwn blentyn, fe'm trwythwyd yn iaith, diwylliant a chrefydd Cymru a bu tynfa gyfriniol y Famwlad yn ddylanwad aruthrol bwerus arna i gydol f'oes. Bu Cymreictod yn rym deinamig yn fy mywyd i ac ym mywydau fy nhad, fy nhaid a'm hen-daid o 'mlaen i. Os bûm i a 'nheulu yn llwyddiannus yn yr Unol Daleithiau, i'r dreftadaeth Gristnogol Gymreig mae'r diolch am hynny, lawn cymaint ag i'r ysbryd "can-do" Americanaidd.

'Gadawodd fy hen-daid Gymru yn fachgen tlawd. Rydw i'n dychwelyd yn . . . weddol gefnog. Ac wedi fy nhanio gan awydd i ddefnyddio'r golud a ddaeth i'm rhan trwy lafur caled ac ymdrech deg, er lles Cymru.

'Nid wyf yn meddwl y byddwn yn camliwio daliadau'r gŵr ifanc dawnus a'm cyflwynodd trwy awgrymu ei fod o'r farn fod yr hyn sy'n fach yn brydferth. A phwy feiddiai anghytuno â'r gosodiad hwnnw â'i lygaid ar y ferch ifanc dlos sy'n eistedd nesaf ato? Ond cofiwch, syr, a chithau gydwladwyr hoff, na raid i'r mawr fod yn hyll, ac y gall gwlad fawr fel Unol Daleithiau'r Amerig, a chorfforaeth fawr fel ICAC, nid yn unig fod yn ddeniadol ond yn ymwybodol hefyd, yr un pryd, o'u dyletswydd foesol i warchod y bychan, egwan, hardd, ynghyd â democratiaeth, hawliau dynol a holl fendithion y farchnad rydd, ddilyffethair.'

Pawb yn Mopio

Cododd y gynulleidfa fel un gŵr ar derfyn araith ysbrydoledig Mr Llewelyn C. Price a pharodd y gymeradwyaeth frwd a'r banllefau soniarus am rai munudau. Wedyn, cliriwyd y byrddau ar gyfer y dawnsio a ddilynodd, tan oriau mân y bore, i gyfeiliant cyfoes, cyffrous y Big Weeds (Y Brwyn, gynt). Llongyfarchwn yr hen hogia ar lwyddiant eu sengl ddiweddaraf, 'I really love you, baby! Yeah!', a ddringodd i rif 153 yn y Siartiau Prydeinig rai misoedd yn ôl.

Diweddglo Teilwng

Daeth noson fythgofiadwy i ben yn y modd traddodiadol pan ymunodd y rhai oedd yn abl i sefyll ar eu traed ag aelodau o Gôr Meibion y Brwynogiaid dan arweiniad Madam Lowri Huws i ganu 'I'm a Yankee Doodle Dandy' a 'Hen Wlad fy Nhadau'.

D.C.R.

Pigion y Prancio

Twist: Mr Roberts a Mrs Huws

'Rydw i'n teimlo'n reit euog, Mr Roberts, a deud y gwir yn onast wrthach chi, yn dŵad yma heno a phrin ddeufis er pan gladdis i Cybi.'

'Cofiwch anogaeth Llyfr y Llyfrau, Mrs Huws, yn y drydedd bennod o Lyfr y Pregethwr, yr adnod gyntaf a'r bedwaredd adnod: "Y mae amser i bob peth, ac amser i bob amcan dan y nefoedd. Amser i eni, ac amser i farw, amser i wylo ac amser i chwerthin, amser i alaru ac amser i ddawnsio".'

'Rydach chi'n un mor dda am ffendio cwôt o'r Beibil at bob achlysur, waeth gin i ddim be arall ddeudith neb amdanach chi fel Gweinidog, Mr Roberts bach. Pwy bynnag oedd y prygethwr hwnnw, roedd o'n llygad ei le. Er cymaint dwi'n colli'r hen Gyb, thâl hi ddim edrach fel taswn i newydd lyncu dôs o asiffeta a phawb arall yn enjoio'i hun. Wel, pawb ond Sulwen a Gwyndaf. Sbïwch arnyn nhw wir-ionadd i! Fel dau fejiterian mewn lladd-dy!'

Y Ddafad Gorniog: **Mr ap Siôn a Miss Huws**

'Dda gin i pan fydd hyn drosodd.'

'Diolch yn fawr, Sulwen!'

'Nid sôn am ddownsio efo chdi ydw i, gwirion! Noson Swper a Dawns Sodom a Gommorah.'

'Fasa pump awr mewn Cymanfa Bregethu yn gwrando ar Culfor yn paldaruo'n brofiad difyrrach. Mae *o* i'w weld wrth ei fodd yma.'

'Mr Roberts?'

'Dy Fêt o'r Stêts. A'i lefran. Cheuthon nhw rioed rotsiwn hwyl.'

'Mae perthynas Llew a Myfanwy'n un gwbwl broffesiynol.'

'A fetia i fod o'n cael gwerth pob dolar! Prin basa'i ffrog hi'n gneud hancas i chwiw.'

'Rwyt ti'n ffansïo hi, twyt?'

'Tasa gin i lai o fol, mwy o fronna, ac yn siefio 'nghoesa . . . '

'Nid y ffrog. Myfanwy di Chianti.'

'Dim 'y nheip i yntôl.'

'Be ydi dy deip di?'

'Wyddost ti'n iawn, Sulwen: "Ti, dim ond ti. Dim ond ti i fi!", chwadal Edward H.'

'Wir yr?'

'Cris-croes. Wt ti'n ei ffansïo *fo*?'

'Pwy?'

'Llewelyn y Pedwerydd.'

'Nac'dw. Mae 'na rwbath yn mynd drwydda i bob tro fydd o'n sbio arna i.'

'Rho hannar tsians i'r sglyfath, gei di fwy na "rwbath".'

'Gas gin i siarad cwrs fel'na, Gwyndaf!'

'Sori.'

'Dwi'n teimlo reit euog, os oes raid iti wbod.'

'Am be ddigwyddodd yn Ogo Twm Siôn Cati?'

'Ddigwyddodd dim byd! Faint o weithia raid imi ddeud wrthat ti? Teimlo inni fod ar fai'n gwrthod cynnig Llew i'n helpu ni, mewn ffor mor ffwr-â-hi. Mae o'n ddiffuant iawn, Gwyndaf. Ar dân i neud ei ora dros Gymru a'r Iaith a bob dim sy mor agos at 'yn clonna ninna. Tasat ti fymryn llai rhagfarnllyd a gwrth-Americanaidd, ffendiat ti bod gynnoch chi lot yn gyffredin. Mae o'n ddyn ffeind ofnadwy. Wyddost ti'i fod o wedi mynnu talu am bob dim fyton ac yfon ni heno a bob diferyn eith dros y bar?'

'Grêt! Werthwn ni'n treftadaeth am bowliad o jeli a llond cratsh o gwrw! Tydi hi ddim rhy hwyr, Sùl.'

'I be?'

'I chdi a dy fam werthu'r Ffatri i Llewelyn C. Price IV am ddigon o ddoleri i'ch cadw chi'n gysurus am weddill 'ych dyddia. Ac anghofio am y freuddwyd o greu mentar gydweithredol fydd yn cynnig gwaredigaeth nid yn unig i'r Cwm ond i'r Gymru Gymraeg os llwyddwn ni i greu rhwydwaith o ffatrïoedd, busnesa, siopa, tafarna . . . '

'Olreit! Olreit! Paid â dechra pregethu neu mi a' i adra!'

'Ddo i hefo chdi.'

'Fasan ni 'mond yn gneud sôn amdanan. Tyd. Steddwn ni.'

'Drycha ar Culfor yn glafoerio dros y Chianti! Blydi rhagrithiwr!'

Tango (Yr olaf yng Nghwmbrwynog): Mr Roberts a Ms di Chianti

'Mae Mr Llewelyn Price yn ddyn ffodus iawn, iawn, Miss di Chianti.'

'Mae llawer yn meddwl 'ny.'

'Fyddai hi ddim yn weddus i Was yr Arglwydd genfigennu wrth gyfoeth Mr Price, nag wrth y grym, yr awdurdod, y dylanwad a'r carisma sy'n deillio o'i olud bydol, ond rhywbeth arall yn hollol yw tybio y byddai fy ngweinidogaeth ar ei hennill yn ddirfawr petai gen i Gynorthwy-ydd Personol mor ddawnus, mor ymroddedig ac, os ca i ddeud, mor ddeniadol â chi.'

'So Mrs Roberts yn helpu chi 'te?'

'Fawr ddim, ysywaeth.'

'Odi hi 'ma heno?'

'Nac ydi, Miss di Chianti. Am ddau reswm. Yn gynta, nid dyma *scene* Mrs Roberts, fel y bydda hi'n deud wrtha i, mor amal, am weithgaredda'r Capal yn gyffredinol. Ac yn ail, am ei bod hi, ar hyn o bryd, yng Nghanolbarth America, yn codi helynt efo aelodau eraill TRAISSS (*Teroristas Revolucionarios Armados Insurgentes Socialistas de San Salvador*).'

'So 'na'r math o beth chi'n erfyn 'da gwraig gweinidog ife?'

'Nid gwraig gweinidog gonfensiynol mo Buddug, Miss di Chianti. Er imi feddwl pan briodon ni ei bod yn meddu ar yr holl gymwysterau angenrheidiol. Merch i deulu parchus o Gymry Llundain. Astudio Cymraeg ac Ysgrythur ym Mhrifysgol Cymru mewn adrannau'n llawn o ramadegwyr sych ac Efengylwyr cul. Meddwl y byd ohona i. Byth yn codi'i llais nac yn anghytuno. Gwario dim ar ffal-di-rals fel dillad a cholur. Ond mi ddaeth y chwiw brotestio o rywle. Cymdeithas yr Iaith Gymraeg i ddechra. Wedyn: Comin Greenham, Streic y Glowyr, Treth y Pen, Sinn Fein, Cymorth Cristnogol a chenfaint o fudiada erill sy'n herio Cyfraith a Threfn.'

'Rhai fel'ny yw Cymorth Cristnogol?'

'Y giwad berycla, Myfanwy, 'nghariad i. Wrthi nos a dydd, ym mhob rhan o'r byd, yn gneud eu gora glas i ddymchwel Democratiaeth a rhoid trefn Gomiwnyddol yn ei lle. A hynny'n enw Crefydd! Nhw lygrodd 'ngwraig i. Nhw cymrodd hi oddi arna i!'

'Odych chi'n meddwl daw hi'n ôl?'

'Fel Buddug i botas! Ond dyna ddigon amdana i a 'mhroblema bach pitw. Soniwch wrtha i amdanach chi, Myfanwy, ac, fel Gweinidog yr Efengyl, ma'n rhaid imi ofyn hyn ichi: ydach chi'n berson moesol?'

'Odw. Ond heb fod yn eithafol.'

'"Cymedroldeb ym mhopeth" ydi f'arwyddair inna. A fyddai perthynas gyfeillgar efo dyn priod a'i wraig wedi'i adal o, fwy neu lai, yn anathema llwyr ichi?'

'Rhyw ddiwrnod, sbel fach yn ôl, benderfynes i roi'r gore i botshian 'da dynion priod.'

'Cymeradwy iawn, os ca i ddeud.'

'Diwrnod diflasa 'mywyd i. Newides i'n feddwl drannoeth.'

'Tewch!'

'Pwy yw'r fenyw 'co sy'n danso 'da O'Toole? Shgwlwch! Ma hi mor fach ma'i phen hi'n bwrw'n erbyn ei benlinie fe.'

'Mrs Lowri Huws . . . '

'*The Merry Widow!*'

Foxtrot: **Mr O'Toole a Mrs Huws**

'Ydach chi'n briod, Mr O'Toole?'

'Nag'dw. Hen lanc, fath â 'nhad.'

'Rydw i newydd golli 'ngŵr.'

'Yn lle? Naci. Ers pryd?'

'Rhyw ddau fis.'

'Gymrith fis arall ichdi ddŵad atat dy hun.'

'Be'n union ydi'ch gwaith chi?'

'Edrach ar ôl y Bòs.'

'Mae Mr Price i weld yn ddigon tebol i edrach ar ôl ei hun.'

'Mae 'na lot fowr o ddynion drwg yn y byd, Lowri. Dynion sy ddim yn lecio'r Bòs ac isio'i hambygio fo.'

'I be ma'r byd yn dŵad, 'dwch, y basa neb isio brifo dyn mor neis â Mr Price?'

'Lle felly ydi o, Low. Hei. Sgiwsia fi am funud, cyw. Ma 'na go newydd ddilyn Bòs i lle chwech. A' i i sefyll tu allan, jest rhag ofn . . . '

Pisiad i ddau: **Mr Price a Mr ap Siôn**

'Noswaith dda, Mr ap Siôn.'
   'Mr Price. Esgusodwch fi am beidio ag ysgwyd llaw efo chi.'
   'Popeth yn iawn. Ga i ymuno â chi?'
   'Siŵr iawn.'
   'Noson fythgofiadwy . . . '
   'Welis i well.'
   ' . . . sydd wedi ychwanegu at f'awydd i wneud popeth yn fy ngallu i warchod a datblygu treftadaeth ddiwylliannol gyfoethog Cwmbrwynog.'
   'Dda gin i glywad.'
   'Gan mai dyna'ch delfryd chithau, dydych chi ddim yn meddwl y dylem ni gydweithio?'
   'Trwy adal i ICAC lyncu'r Ffatri Wlân?'
   'Chi ddrafftiodd lythyr Sulwen ata i?'
   'Fwy neu lai.'
   'Roeddwn i'n amau. Wel, Gwyndaf, wna i ddim ceisio dileu'ch rhagfarnau chi'n erbyn y Farchnad Rydd yn ystod ymgom a fydd, o reidrwydd, yn un gwta. Ond rydw i'n gobeithio y medra i'ch argyhoeddi 'mod i'n cefnogi'ch amcanion chi, tra'n gwrthwynebu'ch dulliau, ac yn dymuno pob llwyddiant i'ch ymdrechion i achub Ffatri Wlân Cwmbrwynog a'r gymdeithas sy'n dibynnu arni. Fel ernes o'm hewyllys da, rydw i am gynnig pecyn hyfforddiant cynhwysfawr i weithlu a thîm rheolaeth y Ffatri, a hynny'n hollol ddiamod. Yn eich achos chi, y Prif Weithredwr, byddai'n golygu chwe mis o hyfforddiant ym mhencadlysoedd ICAC yn Chicago, L.A., Beijing, Singapore, Hong Kong a dinasoedd eraill ar bum cyfandir. Yn ystod y cyfnod hwnnw, fe fyddwch chi'n derbyn yr un cyflog sylweddol ag un o Is-lywyddion y Gorfforaeth ac yn aros mewn gwestai moethus, chwe seren, yn

rhad ac am ddim.'

'Bechod na fasa Culfor yma.'

'Rydw i'n tybio y byddai Mr Roberts yn eich annog i dderbyn.'

'Ama dim. Gofyn iddo fo roid "Paid â 'nhemtio i'r diawl" yn iaith y Beibil faswn i.'

'Rydach chi'n fy ngweld i fel y Diafol a chi'ch hun fel . . . ?'

'Cymro gwerinol sydd am weld ei gydwladwyr yn magu digon o asgwrn cefn i fentro llywio'u tyngad eu hunain, chwadal na dibynnu'n dragywydd ar bobol o'r tu allan.'

'Pan aiff yr hwch ddiarhebol drwy'r Ffatri . . . '

'Eith hi ddim. Ma raid inni lwyddo. A mi nawn. Ma'r Cwm tu ôl inni, a Chymru, y Cynulliad, y WDA, a'r Bancia. A *Basdas*. Ar sail ordor anfarth gin *Basdas*, rydan ni wedi denu benthyciada sy wedi'n galluogi ni i foderneiddio'r Ffatri o'i chwr.'

'Rhaid imi hawlio peth o'r clod fod *Basdas* wedi ymddiried cytundeb mor werthfawr ichi.'

'Cer i grafu.'

'Roedd Joe Basda a fi yn Yale a'r Havard School of Business efo'n gilydd. Synnwn i petai 'nghlywed i'n canu clodydd Cymru, yno ac yn seiadau'r North American Round Table of Industrialists, heb ddylanwadu rhywfaint ar Joe. Coeliwch fi neu beidio, Gwyndaf, rydw i'n dymuno'r gorau ichi, ond os yr aiff petha o chwith, mi fydda i mor barod ag yr ydw i rŵan i groesawu Ffatri Wlân Cwmbrwynog i gorlan fawr, fyd-eang ICAC.'

'Defaid sy'n byw mewn corlan.'

'Fyddech chi'n gwrthwynebu imi ofyn i Miss Huws am ddawns?'

'Jest cofia olchi dy ddwylo gynta.'

Waltz: **Mr Price a Miss Huws**

'Tydach chi ddim yn flin efo fi?'

'Pam y dylwn i fod, Sulwen?'

'Am y llythyr. Yn gwrthod 'ych cynnig i'n helpu ni.'

'Rydw i'n deall mai Gwyndaf oedd yr awdur.'

'Rydw inna'n cytuno efo be oedd yn'o fo. Bob gair.'

'Wna i ddim edliw hynny ichi pan ddilysir fy rhybuddion.'

'Tydan ni ddim yn mynd i fethu, ylwch.'

'Rydw i'n edmygu'ch ysbryd chi . . . '

'Diolch yn fawr, Mr Price.'

' . . . ond allwch chi ddim herio'r Farchnad.'

'Ma'n rhaid inni. Ac ennill. I achub, nid yn unig Cwmbrwynog, ond Cymru, a'r byd!'

'Pob lwc ichi.'

'Tydach chi ddim yn meddwl hyn'na.'

'Ydw. Oherwydd . . . Wel . . . Waeth imi gyfadda'r gwir. Esgus oedd fy llythyr i atoch chi. Nid y cydymdeimlad a fynegwyd atoch chi a'ch mam, wrth gwrs. Ond y sylwadau ynglŷn â'r Ffatri. Sgrifennais i'r rheini, Sulwen, er mwyn cael esgus dros ddod yma i'ch gweld chi eto. A siarad efo chi.'

'Pam oeddach chi isio 'ngweld i? Be sy gynnoch chi i ddeud wrtha i sy mor bwysig?'

'Roeddwn i am eich gweld chi eto oherwydd mai chi yw'r ferch hardda, anwyla a welais i erioed. A'r hyn rydw i eisio'i ddeud ydi 'mod i'n eich caru chi.'

'Nag'dach! Peidiwch â siarad yn wirion!'

'Ydw. A ddywedais i erioed ddim byd callach yn fy nydd.'

'Pam oedd raid ichi ddeud ffasiwn beth, a difetha'r noson?'

'Am ei fod o'n wir. Doedd dim golwg rhy hapus arnoch chi beth bynnag.'

'Faswn i tasach chi ddim yma.'

'Ydych chi'n fy nghasáu i?'

'Ydw!'

'Gynted ag y daw'r ddawns i ben, mi a' i o'ch golwg chi am byth.'

'Naci!'

'Sut?'

'Peidiwch â mynd. Tydw i ddim yn 'ych casáu chi. Rydw i'n teimlo mor gymysglyd.'

'Fel roeddech chi – fel roeddwn i – pan aethon ni at Ogof

Twm Siôn Cati. Oni bai am y neges drist gawsoch chi am eich tad, mi fyddwn wedi datgelu 'nheimladau'r pnawn hwnnw. Wedi mentro dweud 'mod i'n eich caru chi â'm holl galon. Wedi mentro, Sulwen, oherwydd 'mod i'n synhwyro nad oeddwn i'n hollol annymunol yn eich golwg chi.'

'Stopiwch. Stopiwch rŵan. Neu mi a' i adra.'

'Ga i ofyn un cwestiwn?'

'Un.'

'Ydych chi'n caru Gwyndaf?'

'Rydw i'n meddwl y byd ohono fo . . . '

'Wrth gwrs.'

'Mae o yn 'y mharchu i.'

'Dda iawn gen i glywed.'

'Neith o rwbath drosta i a Mam – er ei bod hi'n mynd ar ei nerfa fo. A finna, reit amal, rhaid imi gyfadda. Mae Gwyndaf a fi wedi dŵad yn agos iawn, iawn at 'yn gilydd yn ystod yr wsnosa dwytha, a ninna wedi bod yn cydweithio gystal . . . Mr Price . . . '

'Llew . . . '

'Rydw i a Gwyndaf yn mynd i ddyweddïo, Llew. Unwaith byddwn ni wedi cael trefn go lew ar betha tua'r Ffatri.'

'Diolch ichi, Sulwen, am ateb gonest. Mi dewa i rŵan ac ymgolli yn y pleser nefolaidd o waltsio a'r ferch landeg rwy'n ei charu yn fy mreichiau.'

Pennod 6

Noson Fawr Arall

'Ac Entrepreneur Cymraeg Ifanc y Flwyddyn yw . . . '

Agorodd y Prif Weinidog yr amlen euraid yn hamddenol a thynnu ohoni'n ara deg iawn ddalen o'r unlliw.

'Wel . . . ' meddai'r gwleidydd henffel gan bryfocio'r dorf hwyliog ei hysbryd, destlus ei diwyg a oedd wedi ymgynnull yng ngwledd-dy gwesty'r Hulton, Caerdydd, ar gyfer Noson Wobrwyo Menter a Busnes Cymru. 'Odi hwyaden â dwy aden yn hedfan yn well na hwyaden â dim ond un? Odi dou bownd o dato am brish un yn fargen? Odi, gwlei, os taw'r ddwy daten yw . . . Sulwen Huws a Gwyndaf ap Siôn, o Ffatri Wlân Cwmbrwynog, yng Ngwynedd!'

Ffrwydrodd cymeradwyaeth oddi amgylch yr enillwyr wrth iddynt godi ar eu traed, eu hwynebau'n disgleirio'n wynfydus yn fflachiadau camerâu'r wasg a llifoleuadau cwmni Teledu Orji. Cofleidiodd a chusanodd y ddau ei gilydd i gymeradwyaeth uwch y dorf.

''Dan ni wedi'i gneud hi, Sùl!' bloeddiodd Gwyndaf uwch y banllefau.

'Do, diolch i dy weledigaeth di!' atebodd Sulwen yn angerddol.

'Felly . . . gawn ni . . . ddyweddïo?' ymbiliodd Gwyndaf.

'Cawn!' cydsyniodd hithau â'i holl galon.

'Pryd?' holodd y macwy eiddgar.

'Gora po gynta,' sibrydodd Sulwen yn ei glust a tharo cusan arall ar ei foch. 'Ond nid yn fan hyn,' ychwanegodd gan dynnu ei law chwyslyd oddi ar foch ei phen-ôl. 'Tyd! Ma'r ddau foi 'cw'n aros amdanan ni ar y stêj.'

Y bonheddwyr a'u croesawai i'r llwyfan oedd Prif Weinidog tal ac Arlywydd byr y Cynulliad Cenedlaethol. Ysgydwodd y cyntaf law â Sulwen a Gwyndaf a'u llongyfarch yn galonnog. Mynegodd yr ail ei lawenydd trwy gusanu Sulwen deirgwaith, yn y dull Ffrengig, a chynnig ei law i Gwyndaf.

'Cha inna ddim sws gin ti'r sglyfath?' crechwenodd y gŵr ifanc.

'Fi fydda'r ola i wahaniaethu ar sail rhyw,' ebe'r Arlywydd yn addfwyn gan synnu'r buddugwr a'r dorf trwy weithredu'n unol â'i ddaliadau.

I ragor o gymeradwyaeth, cyflwynodd y Prif Weinidog siec am fil o bunnau a'r Arlywydd lwy garu o risial ceiniaf Waterford i 'Entrepreneurs Ifainc Cymraeg y Flwyddyn' a gwahoddodd y Prif Weinidog Sulwen i annerch y gynulleidfa eiddgar.

Trosglwyddodd Sulwen y tlws tryloyw i ofal tyner Gwyndaf a chymryd dau gam nerfus at y meic a glwydai ar grib y ddarllenfa ar ganol y llwyfan.

'F'Arglwydd Arlywydd, fy Mhrif Weinidog, ac annwyl gyfeillion . . .'

Dechreuodd Sulwen yn grynedig ond cynyddodd ei hyder wrth iddi fynd rhagddi gan ddiolch i'r ddau wladweinydd am eu geiriau caredig, i'r panelwyr a oedd wedi anrhydeddu Ffatri Wlân Gydweithredol Cwmbrwynog ac i'r gynulleidfa am ei chymeradwyaeth gymeradwy.

'Tydi Gwyndaf a fi ddim yn edrach ar y tlws bendigedig yma fel gwobr i ni'll dau'n bersonol,' meddai Sulwen yn wylaidd, 'yn gymaint ag yn gydnabyddiaeth i haid o bobol nath lwyddiant y fentar yn bosib. Fy nhad i, y diweddar Cybi Huws, yn gynta, am ei waith calad a chydwybodol tra bu o wrth y llyw. Mam, Madam Lowri Huws, Telynores Brwynog, a fu'n gymaint o gefn iddo fo. Tîm rheolaeth presennol y fenter. Gweithwyr y Ffatri a'r ardalwyr sydd wedi cefnogi'r drefn newydd efo'u ceinioga prin. A defaid Cwmbrwynog, wrth gwrs. Heb eu cyfraniad unigryw nhw, mi fydda hi'n fain iawn arnan ni.

'Ma 'na un rydw i heb ei enwi, sy'n haeddu clod arbennig gin i. Mae o yma wrth f'ochor i – Gwyndaf ap Siôn, achubwr Ffatri Wlân Cwmbrwynog. Mae ardal gyfa'n ddiolchgar iddo fo am ddiogelu ei bywoliaeth a'i diwylliant. Rydw i'n hun yn bersonol yn nylad y dyn anhygoel yma, roddodd gyfeiriad newydd i 'mywyd i, a chyfle unigryw i wasanaethu fy mro enedigol a'i threftadaeth ddiwylliannol gyfoethog. Yn fwy na dim, am i Gwyndaf ddeffro yndda i ddawn greadigol a fyddai wedi bod ynghwsg am byth, efallai, oni bai am ei gyffyrddiad o . . .'

Â dagrau o lawenydd yn llifo i lawr ei gruddiau, trodd Sulwen oddi wrth y meic a lapio'i breichiau'n dra serchus am wddf gwrthrych swil ei sylwadau. Cododd storm o gymeradwyaeth eto wrth iddo ef ei hebrwng at y bwrdd lle'r eisteddai'r cystadleuwyr eraill yn curo'u dwylo'n orfrwdfrydig.

Bu ond y dim i Sulwen golli'r noson fythgofiadwy hon. Ymateb greddfol Gwyndaf i'r geiriau *Achlysur tei ddu* oedd: 'A' i ddim yno'n edrach fel ffwcin pengwin i blesio'r ffwcin crachach.'

Ateb Sulwen oedd:

'A' inna ddim ar gyfyl Hulton Caerdydd efo dyn mewn siwt sy'n cael ei chadw dan din y ci!'

Gan na fynnai Gwyndaf hepgor y cyhoeddusrwydd a'r clod a ddeilliai o gyrraedd rownd olaf cystadleuaeth Entrepreneur Ifanc Cymraeg y Flwyddyn – mwy fyth petaent yn ennill – wedi llawer o daeru, ildiodd, yn anewyllysgar iawn, a mynd gyda Sulwen i Landudno i hurio'r lifrai fwrgeisaidd, ddu-a-gwyn.

Yr un prynhawn, prynodd Sulwen y ffrog a wisgai heno. Un nid annhebyg i honno yr ymwthiai Myfanwy di Chianti ohoni yn Swper a Dawns y Capel ddeufis ynghynt, eithr yn llai dadlennol am gorff meinach, ieuengach yr eneth o Gwmbrwynog.

Roedd Mrs Lowri Huws wedi gwirioni lawn cymaint â'i merch pan glywodd am y gwahoddiad – hyd nes iddi ddeall nad oedd hwnnw'n ei chynnwys hi.

'Fyddwn i'n mynd i bob dim felly hefo dy dad, Sulwen,' achwynodd. 'Ddyla'r Ffÿrm dalu, 'tai hi ddim ond o barch ato fo.'

'Mae petha wedi newid, Mam,' esboniodd Sulwen. 'Fedrwn ni ddim helpu'n hunain o'r *petty cash* neu dalu am betha efo siecia'r Ffatri fel bydda Tada'n gneud.'

'Dyna un rheswm pam o'n i'n erbyn yr hen "drefn gydweithredol" 'ma,' edliwiodd Mrs Huws. 'Fasa ni gymaint elwach tasan ni wedi gwerthu'r Ffatri i Mr Price a fynta'n cynnig pris mor dda. Gaet titha fynd yn d'ôl i'r Coleg i orffan dy Ph.D. a phrodi proffesor, ella, a finna fyw'n gysurus ar log y siârs gynigiodd Mr Price imi.'

'Tydw i ddim isio bod yn Ddoctor Huws na phrodi proffesor, Mam!' meddai Sulwen yn chwyrn. 'Dwi wrth 'y modd fel rydw i rŵan, wrthi fel lladd nadroedd o fora gwyn tan nos yn gweithio dros y Ffatri a'r Cwm a thros Gymru!'

'Be amdana i?' holodd Mrs Huws yn ddagreuol.

'Hen ddynas hunanol iawn ydach chi!' ebe Sulwen gan edifarhau gynted ag y clywodd ebychiad torcalonnus ei mam:

'O, Sulwen! Sut medri di fod mor gas efo fi?'

'Sori, Mam. Sori,' ymddiheurodd Sulwen. 'Ofynna i i Gwyndaf.'

'Ia. Fo ydi'r Bòs rŵan, 'te?' ebe Mrs Huws yn chwerw. 'Fo ydi'n Bòs ni i gyd.'

Roedd ateb Gwyndaf yn ddiflewyn-ar-dafod.

'Na. No wê, Ho-sê! Byth bythoedd! Nefar in Iwrop na Chwmbrwynog!'

'Fasa'n gneud byd o les iddi . . . '

'Ama dim. Ond 'yn noson ni fydd hon, Sulwen. Gwobr am waith calad y misoedd dwytha. Ddeudon ni basan ni'n mynd i ffwr' i rwla am benwsnos efo'n gilydd ar ôl cael trefn go lew ar betha. Dyma jans inni rŵan, a rhywun arall yn talu. A gwerth miloedd o gyhoeddusrwydd am ddim i'r Ffatri 'run pryd.'

'Fydd Mam mor siomedig.'

'Cerwch chi'ch dwy 'ta.'

'Paid â bod yn wirion! Be tasa Mam yn talu drosti'i hun?'

'Os medar hi fforddio mil am ddwy noson yn yr Hulton a chanpunt arall am frecwast . . . '

Y Gynulleidfa Ddigidol

Gorfu i Mrs Lowri Huws fodloni ar wylio darllediad byw o *Noson Wobrwyo Entrepreneur Ifanc Cymraeg y Flwyddyn* ar S4C Digidol yng nghlydwch ei chartref a chwmni'r Parch. D. Culfor Roberts.

'Chwara teg i'r hen blant am ddod â'r fath glod i'r Cwm,' meddai'r Gweinidog.

'Chwara teg iddyn nhw am neud sôn amdanyn yn gyhoeddus o flaen cannoedd o bobol, heb sôn am amball i wyliwr digidol. Os ydyn nhw'n swsian ag yn byseddu'i gilydd rŵan, sut bydd hi erbyn hannar nos 'sgwn i? Dwi'n synnu na fasach chi, Mr Roberts, fel Gweinidog Sulwen, wedi deud wrthi peth mor hyll ydi iddi hi a Gwynfor aros yn yr un hotel a nhwtha heb engejio hyd yn oed. Er bod hi'n deud bod gynnyn nhw stafelloedd ar wahân, ma nhw'n dal dan yr un to. Be ŵyr hi na neith o drio fforsio'i hun i mewn ati hi ganol nos? Ddylach chi fod wedi bygwth ei thorri hi allan o'r Seiat, Mr Roberts. Dyna fasan nhw wedi neud esdalwm.'

'Fuo 'na ddim Seiat yn Sodom na Gomorrah ers blynyddoedd,' ochneidiodd y Gweinidog.

'Bai pwy 'di hynny, 'sgwn i?' edliwiodd y fam bryderus.

'Hen hogyn iawn ydi Gwyndaf,' awgrymodd y bugail boliog.

'Dyna'r argraff mae o'n lecio'i roid i bobol ddiniwad fel chi,' oedd ateb parod Mrs Huws. 'Ond cofiwch mai mab Jac Sowth ydi o. "Anodd tynnu dyn oddi ar ei dylwth", Mr Roberts.'

'"Hysbys y dengys y dyn
    O ba radd y bo'i wreiddyn."'

'"Cyw a fegir yn uffern, yn uffern y myn fod."'

'"Cynt y cwrdd dau ddyn na dau fynydd,"' ebe'r Gweinidog yn gymodlon.

'Yn hollol!' cytunodd Mrs Huws gan rythu ar sgrin y teledydd lle y gwelid ac y clywid cyflwynydd y rhaglen yn holi ei merch:

'Fe sonioch chi gynne am Gwyndaf yn deffro eich creadigrwydd chi, Sulwen,' ebe'r cyfryngi clên. 'Heb fod yn fusneslyd nac yn rhy bersonol, ga i ofyn beth oeddech chi'n olygu?'

'Roedd Gwyndaf wedi sylwi ers dipyn go lew fod 'na fynd mawr ar giltiau Cymreig ymhlith Cymry-ar-Wasgar a chefnogwyr y tîm rygbi cenedlaethol,' meddai Sulwen, 'A dyma fo'n gofyn imi am syniada ynglŷn â phatryma. Wel, mi es ati i ddyfeisio sgotsh-plod ar gyfar teuluoedd fel Jôs, Ifas, Wilias, Defis. A wir i chi, mi euthon fel slecs!'

'*Slacks?*'

'Slecs: lot fawr mewn byr o amsar. Wedyn, mi ofynnodd Gwyndaf imi gynllunio ystod o ddillad hamdden – crysa-ti, crysa chwys, tracwisgoedd, ac ati – a mi fu rheini'n llwyddiannus iawn hefyd.'

'Diolch i logo sydd braidd yn ddadleuol?' awgrymodd yr holwr gyda gwên slei.

'Wel, wn i ddim wir pam bod rhei pobol wedi codi'r fath stŵr!' chwarddodd Sulwen. 'Eff. W. Ec. ydi prif lythrenna Ffatri Wlân Cwmbrwynog. Os oes 'na rei'n mynnu gweld rhyw ystyr gudd y tu ôl i'r llythrenna, matar iddyn nhw ydi hynny.'

'Ac i gloi, ga i droi atoch chi, Gwyndaf, a gofyn ichi am air o gyngor i Gymry ifainc sy'n meddwl mentro i fyd busnes?'

'Gorau gwaith, cywaith,' ebe'r diwydiannwr ifanc yn hyderus.

'Sa' i'n siŵr faint ohonyn nhw fydd yn deall hyn'na,' ebe'r holwr. 'Sa' i'n deall e'n hunan, a bod yn onest, ond mae'r cloc wedi'n trechu ni a rhaid imi ffarwelio â chi o *Seremoni Wobrwyo Entrepreneur Cymraeg Ifanc y Flwyddyn*. Nos da.'

Mabinogi

Powliodd y rhestr gydnabod yn chwim dros y sgrin gan ddiweddu gyda: *Cyfarwyddwr: Rocky Roberts . . . Cynhyrchiad* **ORJI** *ar gyfer S4C.*

'Drychwch, Mrs Huws,' ebe'r Gweinidog. 'Siŵr gin i fod y

mab 'cw tua'r Hulton heno.'

'Dyna be mae o'n alw'i hun rŵan?' meddai Lowri Huws gan rythu i lawr ei thrwyn ar y sgrin.

'Mi fasa "Caledfwlch ap Culfor" yn burion enw tasa'r hogyn wedi dilyn ei dad i'r Weinidogaeth ac i lwyfan y Brifwyl, fel yr oeddwn i wedi gobeithio, ond llond ceg, braidd, i'r bobol mae o'n byw ac yn gweithio yn eu plith ar hyn o bryd. Wel. Mi fydd 'na hen hel atgofion rhyngddo fo a Gwyndaf heno. Roeddan nhw'n dipyn o lawia pan oeddan nhw'n hogia.'

'Rhei drwg iawn, hefyd, os dwi'n cofio,' meddai Lowri Huws wrth dywyllu'r teledydd.

'Direidus, Mrs Huws,' awgrymodd y Cennad.

'Faswn i'n galw llosgi Mans Capal Sodom yn fwy na "direidi",' haerodd gweddw diweddar ben blaenor yr addoldy hwnnw. 'A be am y trip Ysgol Sul hwnnw i Abardesach? Pan ddwynon nhw iot, a dengid i Werddon?'

'Fyddwn i ddim, am funud, yn ceisio esgusodi gweithredoedd oedd, rhaid cyfadda, braidd yn anghyfrifol. Ond ifanc oeddan nhw, ac roedd . . . '

'Un ar bymthag.'

' . . . y cymhelliad yn un gwlatgarol, heb unrhyw amheuaeth. Bwriad y bechgyn, fel y cofiwch chi, oedd sefydlu cangen o Feibion Glyndŵr yn y pentra. Yn anffodus, mi aeth 'na arbrawf efo cloc larwm a chian petrol yng nghegin y Mans o chwith. Mi gofiwch mai dyna pryd y symudon ni, fel teulu, i Dŷ Capal Gommorah, Pwllmawnog.'

Ochneidiodd y pregethwr porthiannus wrth ddadlwytho'i gyffes:

'Rydw i'n teimlo 'mod i'n rhannol gyfrifol am be ddigwyddodd yn Abardesach. Tydi o ddim y lle mwya deniadol i hannar cant o blant a phobol ifanc ar bnawn Sadwrn gaeafol, ddechra Mehefin, heb fawr ddim i'w wneud ond chwara rownders yn y glaw a thaflu cerrig at y gwylanod. Ac ar ben hynny, roedd ymholiadau'r Heddlu ynglŷn â'r tân wedi peri peth pryder i'r bechgyn. Mi ofynnodd yr Inspector imi faswn i gystal â beio Meibion Glyndŵr am y digwyddiad. Wrthodis i, wrth gwrs, am fod hynny'n rhy agos at y gwir. Ond mi feddyliodd Caledfwlch a Gwyndaf fod y Glas ar eu hola nhw. Dyna pam yr hwylion nhw i Iwerddon a gofyn am loches wleidyddol yno.'

Lawr yn y Ddinas, y Ddinas fawr ddrwg . . .

Roedd y gwahaniaeth corfforol rhwng y Parch. D. Culfor Roberts a'i fab Caledfwlch *aka* Rocky yn drawiadol. Y tad, un o gewri'r pulpud Cymraeg, yn fwy na llond ei groen, a'r mab droedfedd yn fyrrach nag ef ac yn denau fel pric. Oherwydd yr annhebygrwydd hwn, a'r ffaith i Mrs Buddug Roberts ymweld â Fietnam lai na blwyddyn cyn geni ei baban triphwys â'r llygaid dwyreiniol eu slent, honnai clepgwn y Cwm – rhai yn aelodau eglwysig, ysywaeth – nad y Gweinidog oedd 'tad iawn' y bachgen. Serch hynny, cytunai pawb fod y ddau 'yn meddwl y byd o'i gilydd' a bod Mr Roberts 'wedi gneud joban reit ulw dda' o fagu Caledfwlch/Rocky a'i chwaer Gwenffrewi/Gwenno 'dan amgylchiada anodd ar y naw'.

Er mor anghydnaws â syberwyd yr achlysur oedd jîns a siaced ledr ddu Rocky Roberts, a'r crys-ti treuliedig â'r geiriau *Shit Happens!* ar y frest, nid oedd wedi gwyro ymhell oddi wrth y llwybr a arfaethodd Rhagluniaeth ar gyfer Meibion y Mans: diogi a chambihafio yn yr ysgol, crafu i mewn i'r Brifysgol trwy ddylanwad ei dad, graddio'n druenus mewn Astudiaethau Cyfryngol, gweithio am ddim i'r BBC, cyflwyno rhaglenni plant, sgrifennu, cyfarwyddo, ffilmio a chyflwyno rhai rhad ofnadwy ar gyfer y Gwasanaeth Digidol, sefydlu cwmni cynhyrchu annibynnol gyda'i chwaer, Gwenno, a gafodd affêr yn Cannes gydag un o bendefigion y Sianel, yr hyn a'i galluogodd i flacmêlio o groen y gŵr priod hwnnw y sioe gwis noethlymun boblogaidd, *Porcyn!*

Gynted ag y daeth ei ddyletswyddau proffesiynol am y noson i ben, aeth Rocky i chwilio am ei ffrind gorau o ddyddiau maboed. Daeth o hyd i Gwyndaf ap Siôn ar ei ben ei hun wrth fwrdd ar gwr y rhialtwch.

'Pam wt ti'n edrach mor ddiflas, cwd?' holodd Rocky. 'Y

fodan wedi d'adal di'n barod?'

Llonnodd wyneb Gwyndaf wrth iddo godi i ysgwyd llaw â'i hen gyfaill. Lapiodd hwnnw ei freichiau amdano a'i wasgu'n dynn.

'Gwllwn fi'r cont!' arthiodd Gwyndaf. 'Wt ti wedi troi'n hoyw?'

'Jest arferiad ers dwi'n y Busnas, *suppose*,' eglurodd y cynhyrchydd annibynnol. 'Sut wt ti?'

'Wedi cael llond bol ar y blydi lle yma, crachach Cymraeg Caerdydd, a'r piso dryw ma nhw'n alw'n siampên,' ebe Gwyndaf. 'Oes 'na rwla agos fedrwn ni fynd am beint?'

'So'r *Hen Arcêd Newydd* yn bell,' awgrymodd Rocky.

'A' i i ddeud wrth Sulwen bod ni'n mynd. Fydd well gynni hi aros yma.'

'Slipa inne i'r bòg am snort.'

'Pisiad 'ta cachiad ydi hynny?'

'Rhech. Ble ti'n byw?'

'Cwmbrwynog siŵr dduw.'

'Siŵr dduw.'

Tra bu Rocky yn y toiled aeth Gwyndaf i gyffiniau'r bar lle y safai Sulwen, seren y noswaith, ynghanol torf o gwangocratiaid, ACau o bob plaid, uwch-gyfryngis, cyfarwyddwyr Mentrau Iaith ac entrepreneurs eraill. Gwenodd Gwyndaf. Roedd pob edrychiad serchus a sylw smala a ddihidlai Sulwen ar yr edmygwyr pwerus a chefnog hyn yn werth canpunt o P.R. i'r Ffatri. Cododd ei law i dynnu ei sylw a gwneud arwydd 'Dwi'n mynd am beint' gan wincio. Winciodd Sulwen yn ôl. Lledodd y wên ar wyneb Gwyndaf. Y fath gyd-ddealltwriaeth, y fath ymddiriedaeth oedd rhyngddo ef a'i gariad bellach! Argoel fod pethau gwych i ddyfod.

Dychwelodd Rocky o'r tŷ bach a pharablu'n ddi-baid yr holl ffordd o'r gwesty i'r dafarn am ei brosiect nesaf, sef drama gyfres wedi ei seilio ar nofel enwog Daniel Owen, *Gwen Tomos*:

'Boi yn byw ar y ffin oedd Daniel Owen,' esboniodd Rocky. 'Y ffin rhwng Cymru a Lloegr, y Gymraeg a'r Saesneg, y bywyd gwledig a *the Industrial Revolution*, crefydd henffasiwn a *modern progressive ideas. Typical Frontiersman, in other words.*

Dyna pam rwy'n mynd i ffilmio'r *series* mewn du a gwyn, fel tasa hi'n *Western Classic – High Noon* neu *Stagecoach*. Bydd y *shoot* yn cymryd lle yn Sbaen, lle ffilmion nhw'r holl *spaghetti Westerns fantastic* hynny.'

'Tydw i ddim wedi darllan *Gwen Tomos* er pan o'n i'n rysgol . . .' ebe Gwyndaf a thinc o amheuaeth yn ei lais.

'*Me neither,*' ebe'r cyfarwyddwr-gynhyrchydd. 'A nag o'n i am, rhag i *Daniel Owen's antiquated novelistic conventions* inhibitio'r *cinematic values I'm trying to realise.* Ges i Dad i sgwennu *synop* bach a *character notes on the main characters* a bydda i a'r *actors* yn developo'r sgript o hynny. Beth sy'n *really great* yw so i'n gorffod talu'r Hen Foi, *just* addo *walk-on part* iddo fo fel *old-timer, trapper* neu *snake-oil merchant* mae Gwennie a'i gŵr yn gwrdd â pan ma nhw'n mynd *way out West.*'

'Ga i ofyn rwbath ichdi, Cal?' meddai Gwyndaf wrth ei gyfaill, a hwythau'n eistedd o boptu un o fyrddau bar cefn, gorlawn, swnllyd y dafarn; Rocky â G&T mawr o'i flaen a Gwyndaf â pheint o 'Tywyll Heno' (fel y galwai'r *Brains Dark*).

'Rocky,' cywirodd y llall ef. "Na'r *moniker* rydw i'n iwsio nawr.'

'Dim jest dy enw wt ti wedi'i newid,' meddai Gwyndaf. 'Pam na siaradi di Gymraeg iawn?'

'*When in Hwntwstan, speak the Hwntw spoke,*' gwamalodd y cyfryngi.

'Oes raid i bob yn ail air fod yn Seusnag?'

'*Policy,*' mynnodd Rocky.

'Polisi pwy?' holodd Gwyndaf yn ymosodol.

'*The Powers that be,*' eglurodd ei gyfaill. 'S4C, BBC, HTV, Bwrdd yr Iaith *et al.* Daeth y *Big Chiefs* i gyd at ei gilydd cwpwl o flynydde'n ôl i benderfynu sut 'yn ni, *at the eleventh hour,* yn mynd i achub yr iaith Gymraeg, *and I'm as much in favour of that as the next guy. Christ, man, my livelihood depends on it!* Ta beth. Daethon nhw i'r *conclusion* taw'r ffordd ore ymlaen oedd gneud i'r Gymraeg swno mor debyg i'r Saesneg nes bod pawb yng Nghymru'n deall hi a'r *viewing figures, which are, at the moment, frankly, abysmal,* yn mynd *Sky-high, if you'll excuse the pun! If the strategy succeeds,* a ma rhaid iddo fe, allwn ni ddweud wrth

Central Government and the Assembly bod boutu *three million Welsh-speakers* yng Nghymru a rhoi taw *at the same time and once and for all* ar *the anti-Welsh elements in the Labour Party* bydde'n lico gweld S4C yn paco lan.'

Fel yr aeth y sgwrs yn ei blaen a rhagor o'r cwrw tywyll a'r jin gloyw i lawr y ddwy lôn goch, adferwyd graen cynhenid Cymraeg Rocky Roberts a'r hen gyfeillgarwch rhyngddo ef a 'Bonso' (glasenw Gwyndaf yn yr ysgol). Ymddiddorodd y cyfarwyddwr-gynhyrchydd yn y datblygiadau a oedd ar gerdded yn Ffatri Wlân Cwmbrwynog ac addo gwneud cais am gyllid i wneud cyfres 'cleren ar y pared' arni.

Wedyn, trowyd at faterion mwy personol, gyda Rocky'n brolio am ei garwriaethau lluosog gyda chyfryngeist ac actoresau a holi ei gyfaill ynglŷn â'i berthynas ef â Sulwen Huws.

'Ydach chi'n neud o, Bons?' holodd yn flysiog.

'Be wt ti'n feddwl, Rock?' meddai'r dyn mwyaf cŵl yng Nghwmbrwynog.

'Nag'dach.'

'Dyna fasat ti'n lecio feddwl, cwd.'

'Dipyn o *goody-goody* oedd Sulwen yn 'rysgol. Er . . . '

'Be?'

'Wt ti'n cofio'r trip Ysgol Sul hwnnw i Abardesach estalwm? Ges i hi i ddŵad efo fi i ryw hen gwt cychod. 'Sat ti'n synnu . . . '

Gwylltiodd Gwyndaf yn gacwn. 'Dwi'm isio clwad!' gwaeddodd. 'Dwi a Sulwen yn mynd i ddyweddïo cyn bo hir iawn, a phriodi a chael plant. Toes arna i ddim isio meddwl am yr un o dy hen fysadd sglyfaethus di'n ei thwtshad hi'r bastad budur!'

Gwaeddodd y barman y geiriau tyngedfennol: ''*Aven't you gents got 'omes to go to? Let's be 'avin' you, please!*'

Edrychodd Gwyndaf ar ei oriawr: 'Hannar awr wedi un ar ddeg! Laddith Sulwen fi.'

'Dan y fawd yn barod, Bonso!' crechwenodd Rocky Roberts. 'Tyd efo fi, was. A' i â chdi i glwb yn Grangetown lle ma 'na *live show*!' addawodd, gan wneud arwyddion aflednais i ddisgrifio'r adloniant a gyflwynid.

'Pam faswn i'n mynd i weld rywun arall yn neud o'n Grangetown yn lle'i neud o'n hun yn yr Hulton?' holodd Gwyndaf.

'Rho un iddi drosta i,' ebe Rocky gyda phwniad chwareus i fol ei gyfaill. 'Ma hi wedi bod yn grêt dy weld di eto, Bons. Yn ôl yn y Cwm yn ffilmio chi tro nesa!'

Carlamodd Gwyndaf nerth ei esgidiau newydd yn ôl i'r Hulton, trwy'r cyntedd oedd gymaint â changell cadeirlan ac i'r neuadd hardd lle y cynhaliwyd y Seremoni Wobrwyo. Roedd honno'n wag, heblaw am ddyrnaid o ddarlledwyr hwyliog yn mwynhau un rownd olaf o siampên cyn gyrru yn eu BMWs, Audis a Volvos i faestrefi hawddgaraf Caerdydd a'r Fro. Brasgamodd Gwyndaf yn ôl i'r cyntedd ac at y llifftiau. Ond, â'i fys ar fotwm, ymbwyllodd.

Roedd tymer ar y gochen a esgeuluswyd ganddo am awr go dda. Gwell iddo fod yn saff o'i groeso cyn mentro i'r oed. Efallai bod rhyw ddiawl arall wedi bachu ei gyfla ac yno efo hi? Na! Byth! Roedd Sulwen mor driw. Mor egwyddorol. Mor ddiniwed. Mor bur. Rhy blydi pur! Ond gallai fod wedi cymryd ei pherswadio i fynd i barti gyda rhyw wleidydd rhagrithiol neu gyfryngi dan-din a hwnnw'n rhoid rhywbath yn ei diod hi. Gwasgodd Gwyndaf rifau rhif ffôn symudol Sulwen ar ei un ef.

Atebwyd ei alwad o fewn dau ganiad:

'Helô . . . '

'Sulwen!'

'Chdi!'

'Pwy oeddat ti'n ddisgwl?'

'Rywun ond chdi! Lle wt ti? Yn ryw bỳb efo hogyn y Gweinidog, m'wn! Rydw i 'di'n siomi, Gwyndaf, yn ofnadwy, wir. Fedri di ddim jest mynd am un peint. O na! Rhaid i chdi neud sesh ohoni bob tro.'

'OK. Sori. Feddylis i ddim basa'r miri'n darfod mor gynnar.'

'Mi nath reit fuan ar ôl ichdi ddiflannu efo dy fêt. Ddengis inna i 'ngwely rhag i ddau A.C., Tori ac un Plaid Cymru, 'yn llusgo i i ryw glwb nos yn Grangetown.'

'Dwi'n ôl rŵan. Yn y cyntedd. Be am imi alw acw am neitcap bach o'r mini-bar efo chdi?'

'Twyt ti ddim wedi slotian digon am un noson?'
''Swn i'n lecio sgwrs am sut ath hi heno, a ballu.'
'Bora fory, dros frecwast.'
'Sulwen!' protestiodd Gwyndaf. 'Feddylis i . . . '
'Be?'
'Dim byd,' ochneidiodd Entrepreneur Cymraeg Ifanc y Flwyddyn. 'Wela i chdi fory.'

Trugarhaodd Sulwen. 'Jest am ryw bum munud 'ta,' meddai. 'Fydd y drws ar agor.'

Pwyodd Gwyndaf fotwm un o'r lifftiau a llamu i mewn iddo pan gyrhaeddodd. Roedd wedi cynhyrfu gymaint nes iddo wasgu'r botwm â'r rhif 5 arno er fod ei stafelloedd ef a Sulwen ar y trydydd llawr. Agorwyd a chaewyd drysau'r lifft ar y pumed ac esgynnodd i'r seithfed lle yr ymunodd dwy ferch ifanc eithriadol o dlws â Gwyndaf. Cofiodd iddo'u gweld yn rhwbio yn erbyn un o sêr y tîm rygbi cenedlaethol yn gynharach. Fel arfer, buasai wedi dyfalu pa chwarae a fu rhwng y tri yn y cyfamser, a sut yr effeithiai hynny ar berfformiad eilun ei genedl ar faes y gad drannoeth.

Ond nid heno. Sbydodd Gwyndaf ap Siôn dros garped trwchus coridor hir y trydydd llawr fel petai'n gwibio dros Gymru yn y Chwaraeon Olympaidd a stopio'n stond o flaen stafell 379. Rhythodd ar y rhif tra oedd yn cael ei wynt ato a'i nwydau dan ryw fath o reolaeth.

Oedd, roedd y drws yn gilagored ond y stafell yn dywyll.

Cnociodd Gwyndaf yn ysgafn a sibrwd: 'Fi sy 'ma, Sùl. Ga i ddŵad i mewn?'

Sibrydodd Sulwen hithau ei hateb:

'Cei. Ond paid â rhoid switsh on i'r gola. Tyn amdanat a tyd ata i i'r gwely 'ma.'

Camodd Gwyndaf i mewn i'r stafell a chau'r drws ar ei ôl. 'Be ddeudist ti?' myngialodd yn anghrediniol.

Ailadroddodd Sulwen ei gorchymyn. Rhwygodd Gwyndaf ei ddillad oddi amdano fel petaent wedi eu heintio â DIC (Diffyg Imiwnedd Cyffredinol). Hyrddiodd ei hun drwy'r gwyll at ddüwch dwysach y gwely mawr a phlymio i'w feddalwch moethus at Sulwen a orweddai'n noeth dan y *duvet*.

Gynted ag y lapiodd Gwyndaf ei freichiau am lyfnder perlesmeiriol ei gywely a sodro'i wefusau tanbaid ar ei gwefusau hi, fferodd ei waed a phylodd ei awch. Roedd misoedd meithion o huddo dyheadau a llesteirio greddfau wedi caledu'n atalnwyd.

'Be sy?' holodd Sulwen yn bryderus.

'Jest . . . Dim byd . . . Toes 'na ddim brys nagoes? Gynnon ni drw nos,' ebe Gwyndaf gan ddiolch na allai hi weld y pryder ar ei wyneb.

'O, 'nghariad i,' murmurodd Sulwen. 'Wt ti mor annwyl a meddylgar. Dallt mor nerfus ydw i!'

O dipyn i beth, wrth iddynt ail-fyw uchelfannau'r Seremoni Wobrwyo, ailadrodd y sylwadau canmoliaethus a wnaed amdanynt gan bobl enwog, a rhag-weld y bendithion a ddeilliai o'u llwyddiant, aildwymodd y gwaed coch, cyfan, Cymreig a lifai drwy wythiennau Gwyndaf ap Siôn. Ailgododd ei awch, wedi ei felysu'n awr gan y cariad dwfn a'r edmygedd didwyll a deimlai at Sulwen. Cusanodd hi. Cusanodd hithau ef yn ôl – yn betrus i ddechrau ac yna'n orffwyll. Wrth i Gwyndaf fwytho ei chorff newynog, cripiodd hi ei gefn yn ddidrugaredd-gariadus. Lledodd Gwyndaf lwynau parod ei gariadferch yn fuddugoliaethus. Roedd y freuddwyd a'i meddiannodd gyhyd, nos a dydd, ar fin ei gwireddu! Ymbaratoai i drywanu ei gledd i wain oedd yn awr cyn lleithed a chyn boethed â chors drofannol ar ynys heulog yn y Caribî pan ferwinwyd ei glustiau gan ddatganiad electronig o *Rhyfelgyrch Gwŷr Harlech*.

''Yn ffôn i!' ebychodd Sulwen.

'Ffwcio dy ffôn di!' rhuodd Gwyndaf gan geisio gwneud hynny i Sulwen. Ymwrengiodd hithau o'i afael ac ymbalfalu am y teclyn tramgwyddus ar y bwrdd ymbincio wrth erchwyn y gwely, er fod Gwyndaf yn cyrchu tua'r nod o gyfeiriad annisgwyl.

'Rho'r gora iddi!' erchodd Sulwen â phwniad egr i'w stumog â'i phenelin. 'Ella bod rwbath wedi digwydd i Mam!'

Goleuodd Sulwen y lamp ddarllen ger y pen-gwely, rhoi taw ar gerddoriaeth ansoniarus y ffôn ac ateb yr alwad. 'Mam!' ebychodd.

Trodd Gwyndaf ar wastad ei gefn gan lowcio aer i'w sgyfaint, mor siomedig â rhedwr a faglodd a thorri ei goes ac yntau ar fin croesi llinell derfyn ras farathon yn fuddugoliaethus. Cysur bychan oedd clywed Sulwen yn ramtamio'i mam:

'Deudwch hyn'na eto! . . . Pwy ffoniodd chi? . . . Rywun sy'n aros yn yr hotel 'ma? . . . Ofynnoch chi ddim? . . . Chlywis i rioed ffasiwn lol! Dyn dienw'n 'ych ffonio chi i ddeud ei fod o wedi gweld dyn arall yn dŵad i mewn i'n llofft i . . . Sut gwydda fo pwy ydw i? Sut gwydda fo i'ch ffonio chi? Am na cheuthoch chi ddŵad hefo ni 'dach chi'n gneud hyn 'te? . . . Ia'n Tad . . . Dwi'n siomedig iawn, bod gynnoch chi gyn lleiad o dryst yn'a i, a bod gin i fam mor wenwynllyd, yn gneud ei gora glas i ddifetha noson bwysica 'mywyd i hyd yn hyn . . . Peidiwch â smalio crio. Weithith o ddim . . . Ylwch. Dwi'n mynd i ddiffodd y ffôn 'ma rŵan a tydw i ddim isio clwad yr un gair gynnoch chi eto nes do i adra! Nos dawch!'

Fel y diffoddodd Sulwen y ffôn, dododd Gwyndaf ei freichiau amdani eto. Gwthiodd hithau ef oddi wrthi'n ymddiheurol: 'Fedra i ddim rŵan, cariad, mae'n ddrwg gin i . . . '

'Medri,' taerodd Gwyndaf. 'Roeddat ti'n gneud mor dda gynna!'

'Na, wir, Gwyndaf,' mynnodd Sulwen. Llithrodd o'r gwely a dodi'r *négligé* Calvin Klein a orweddai ar lawr dros ei chorff ifanc, lluniaidd. O weld yr olwg druenus ar wyneb ei chariad tosturiodd wrtho ar unwaith. 'Nos fory,' addawodd. 'Cheith neb na dim ddifetha nos fory. Ella dylan ni fod wedi 'matal tan hynny, beth bynnag, gan mai fory byddwn ni'n dyweddïo.'

Cydsyniodd Gwyndaf yn anewyllysgar. Rowliodd yn llesg o'r gwely a gwisgo'i drowsus gydag anhawster. Gwthiodd ei draed i'w esgidiau, gwnaeth belen fawr, flêr o'i 'ddillad pengwin' a chyda 'Nos dawch 'ta' swta dros ei ysgwydd gadawodd y stafell.

Eisteddodd Sulwen ar y gwely a beichio wylo.

Aeth Gwyndaf i'w lofft ei hun, diosgodd ei drowsus a'i esgidiau, cymerodd bob un botel a rhywfaint o alcohol ynddi o'r mini-bar, aeth i'r stafell ymolchi ac eistedd dan y gawod oer hyd nes bod y poteli'n wag.

Y Dyweddïad

Pan ddeffrodd Gwyndaf ap Siôn fore trannoeth teimlai'n anhraethol lawen. Roedd ef a Sulwen, ar y cyd, wedi ennill gwobr Entrepreneur Ifanc Cymraeg y Flwyddyn. Cafodd sesh ddifyr gyda'r hen gyfaill, Rocky Roberts. Ac, i goroni'r cwbl, diweddodd y noson yng ngwely'r eneth harddaf, anwylaf a wisgodd fronglwm erioed.

Parodd ei wynfyd ychydig eiliadau.

'O! O! O!'

Gwaeddodd Gwyndaf nerth ei ben dolurus wrth i slepjan-ddwbl ei golbio: effeithiau goryfed ychaidd y noson cynt ac atgof o'i fethiant i groesi trothwy Porth y Nef. Gwasgodd obennydd ar ei wyneb i atal ei anadl am byth. Methiant arall. Trodd ar ei ochr, swatio ac ewyllysio mynd yn ôl i gysgu. Gwyddai na fuasai hynny'n tycio hyd yn oed cyn i'r ffôn wrth erchwyn y gwely ganu.

Bachodd Gwyndaf y derbynnydd i dewi'r sŵn yn hytrach nag i gyfathrebu ag aelod arall o'r hil ddynol. Yn enwedig yr un a holai'n bryderus:

'Helô. Fi sy 'ma. Wt ti'n iawn?'

'Ydw. Teimlo'n grêt! Be wt ti'n feddwl, Sùl?'

'Sori, 'nghariad i! Sori . . . Dw' inna'n siomedig hefyd. Fydd bob dim yn iawn heno. Dwi'n gaddo, Gwyndaf. Cod rŵan. Gynnon ni lot o betha i' gneud hiddiw. Petha difyr.'

'Dwn 'im?'

'A rwbath sbeshal i edrach ymlaen ato fo heno.'

'Wir yr?'

'Wir yr.'

Roedd Gwyndaf ap Siôn, fel Alun Mabon yn ei ddydd, yn fachgen cryf a heini. Ar ôl straffaglio o'i wely, carthu'r gwenwyn o'i gorff, ymolchi dan gawod gynnes, eillio, rhoi dillad glân amdano, claddu brecwast Cymreig ac un Cyfandirol, a chlywed Sulwen yn ymbil am faddeuant drosti hi a'i mam wrth iddi fwytho ei glun o dan y bwrdd, awchai am gyffroadau'r Brifddinas ar ddiwrnod gêm ryngwladol.

Prynu modrwy oedd y gorchwyl cyntaf wedi gadael y gwesty. Mewn siop gemydd yn Heol Fair, a thorfeydd o gefnogwyr Cymru yn eu capiau a'u sgarffiau coch a gwyn yn cyniwair y tu allan, dewisodd Sulwen glwstwr o ddiemwntiau'r Congo wedi eu gosod ar rimyn cain o aur Cymru.

I Sain Ffagan wedyn, yn y 4x4 coch a *Ffatri Wlân Cwmbrwynog* mewn llythrennau breision coch, gwyrdd a gwyn ar ei ddrysau a'i foned.

Cyraeddasai adeilad y Cynulliad Cenedlaethol a Stadiwm y Mileniwm restr fer o fannau symbolaidd lle y gellid cynnal y ddefod ddyweddïol, ond gan mai prin fu llwyddiannau gwleidyddion Cymru yn y naill le a'i chwaraewyr rygbi yn y llall, ym Melin Wlân Llanonco (18g), a goffâi gyfraniad y diwydiant gwehyddol i hanes a diwylliant ein gwlad, y gofynnodd Gwyndaf yn ffurfiol i Sulwen ei briodi, y cydsyniodd hithau ac y dododd yntau'r fodrwy aur ar ei bys.

Wedi cinio ysgafn o gawl Cymreig a brechdanau bara lawr yn ffreutur yr Amgueddfa Werin, dychwelodd y ddau i'r Brifddinas, gadael y cerbyd ym maes parcio'r gwesty a phlymio law-yn-llaw i ganol y llif gwlatgarol, afieithus a'u dug i'r Stadiwm.

Yno, am y tro cyntaf erioed, wynebai'r tîm cenedlaethol wrthwynebwyr o Casacstan. Cafwyd gêm gyffrous, llawer mwy cyfartal nag yr awgryma'r sgôr terfynol – Cymru 89, Casacstan 53. Yn wir, roedd yr ymwelwyr ddeg pwynt ar y blaen pan anfonwyd chwech o'u chwaraewyr oddi ar y maes – tri Christion a thri Mwslim – am ymladd â'i gilydd, chwarter awr cyn yr olaf bib.

Wedi'r gêm, aeth Sulwen 'rownd y siopa' a Gwyndaf i'r *Hen Arcêd Newydd*, i ddathlu'r fuddugoliaeth yn y modd traddodiadol gyda chyd-aelodau o Glwb Rygbi Cwmbrwynog. Diolchodd Gwyndaf fod cannoedd o Gymry swnllyd eraill yn y gyfeddach. Buasai Emrys *Penglog Bach*, Dei *Cae Maip Duon* ac Idris *Bigynogyn* wedi ei holi'n dwll yn rhywle tawelach ond oherwydd y rhialtwch ni fu raid iddo roi ateb manylach nag 'Anhygoel, hogia! Anhygoel!' i'r cwestiwn 'Sut hwyl gest ti ar Sulwen neithiwr, Bons?' Ac oherwydd gwasgfa'r dorf, medrodd sleifio o'r dafarn yn ddigerydd, ar ôl dim ond pedwar peint, i gadw'r oed yn yr Hulton.

Roedd Sulwen wedi newid i flows led-dryloyw lwyd â smotiau-polca gwyrdd golau drosti, sgert ddu gwta â'i godre ddwy fodfedd yn uwch na'i phengliniau, sanau duon ac esgidiau â sodlau stileto. Roedd yn gorffen ymbincio trwy ddodi ar ei gwefusau finlliw a gydweddai â'r farnais porffor ar ei hewinedd pan gnociodd Gwyndaf ar ddrws ei stafell.

'Diolch byth!' ebychodd Sulwen wrth agor y drws. 'Feddylis i'n siŵr basat ti hefo'r rafins 'na am y noson, yn slotian. Dyna fasa chdi'n lecio, 'te?'

'A cholli tshans i fynd allan efo'r pishyn dela yng Nghaerdydd?' meddai Gwyndaf gan estyn ei freichiau i'w chofleidio. 'Well gin i chdi na llond cratsh o Frêns, Sùl!'

'Gwatsha ddifetha 'ngholur i!'

Bu raid i wefusau blysiog Gwyndaf fodloni ar sws fechan dwt wrth i Sulwen ei wthio oddi wrthi a'i annog i fynd i newid tra byddai hi'n ffonio am dacsi.

Dychwelodd Gwyndaf i'w stafell, diosg y jîns a'r siwmper wlân, frodorol a fu amdano gydol y dydd a dodi yn eu lle y dillad yr oedd Sulwen, fel rhan o'i hymgyrch i wareiddio ei darpar ŵr, wedi ei berswadio i'w prynu 'run pryd ag yr huriwyd y 'dillad pengwin': crys claerwyn, tei sidan las golau a siwt las tywyll o doriad Eidalaidd.

Cyrhaeddodd y tacsi'n brydlon a'u cludo mewn byr o dro i fwyty *Le Galeux*. Croesawodd y perchennog hynaws a'i staff siriol hwy'n gynnes. Felly hefyd nifer o'r cwsmeriaid a fuasai'n bresennol yn y Noson Wobrwyo – darlledwyr, gwleidyddion a chwangocratiaid a gyflogid gan sefydliadau a chanddynt gownt yn y bwyty Ffranco-Gymreig enwog.

Er mai dyn 'stêc a sglods' a 'findalŵ poeth, poeth a lager oer, oer' oedd Gwyndaf, cyfaddefodd fod yr amheuthunion cyfandirol a arlwywyd ger eu bronnau'n 'reit flasus, chwara teg'. Mwynhaodd hefyd y Château Pontcannes 2003, 'Gwin ifanc, ffraeth, diflewyn-ar-dafod a ddaw â gwên i wyneb y *connoisseur*', yn ôl y fwydlen.

Wrth i Sulwen a Gwyndaf adael y bwyty, fraich ym mraich, a chamu at y tacsi, fe'u cyfarchwyd gan Amasones ifanc mewn dillad moto-beic. Beth bynnag a honnid am ei brawd, ni ellid amau tadolaeth Gwenffrewi/Gwenno Roberts – dwylath o fenywdod lluniaidd ag Affro dudew'n ychwanegu troedfedd at ei thaldra.

'Haia, Sùl! Haia, Gwyndaf!' bloeddiodd Gwenno a gwasgu pennau'r ddau ar fynwes lydan ei siaced ledr. 'Grêt, neithiwr! *Fantastic. You kids really put the old* filltir sgwâr *on the map!* Welis i Rocky am *pre-match drinkies* a dwi'n *really, really* edrach ymlaen at neud *fly-on-the-wall* yn y Ffatri!'

'Be 'di hynny, Gwenno?' holodd Sulwen.

'Ddeudith Gwyndaf wrtha chdi, blodyn,' meddai'r ddarlledwraig a sylwasai drwy ddrws gwydr *Le Galeux* ar dri o Gomisiynwyr S4C yn slotian a hel eu boliau: *'Lovely to see you kids! Bye!'*

Disgrifiodd Gwyndaf brosiect arfaethedig Teledu Orji wrth i'r tacsi, â llawfeddyg disgleiriaf Ethiopia wrth y llyw, eu cludo'n ôl i'r Hulton. Ond pallodd y sgwrs wrth i'r gwesty ac uchafbwynt tyngedfennol, hirddisgwyliedig, anochel y penwythnos agosáu. Disgynasant o'r tacsi a cherdded yn fud, law yn llaw, at y gwesty, drwy'r porth llydan ac ar draws y cyntedd marmor at y lifft. Rhywle rhwng yr ail a'r trydydd llawr, holodd Sulwen gyda chwerthiniad nerfus, 'Dy le di 'ta'n lle i?'

''Yn lle i am tshênj?' awgrymodd Gwyndaf yn nerfus.

Y sŵn nesaf a glywyd o enau Sulwen oedd gwich o bleser pan gamodd i mewn i stafell Gwyndaf a chanfod, ynghanol ehangder carpedog y stafell, fwrdd coffi ac arno dusw anferth o rosod cochion mewn llestr crisial, a photeleid o siampên mewn pwced arian â'i llond o rew.

'O, Gwyndaf!' llefodd Sulwen gan luchio'i breichiau am ei wddf a'i gusanu'n draserchus. 'Hen beth rhamantus a sentimental wt ti dan y *façade* ffug-werinol yna!'

'Hei! Howld on!' cellweiriodd Gwyndaf. 'Rhag imi ddifetha dy golur di!'

''Di'r ots am hynny rŵan!' chwarddodd Sulwen gan lusgo ei chariad at y soffa isel ger y bwrdd coffi ac ychwanegu'n floesg a digywilydd wrth gydio yn y botel siampên: 'Tyd inni roid clec i hon a gneud be 'dan ni'll dau wedi bod jest â marw isio'i neud ers misoedd!'

Enynnodd yr hylif euraid, byrlymus gusanu mwyfwy tanbaid ac anwesu mwyfwy beiddgar hyd nes i Gwyndaf godi Sulwen oddi ar y soffa y lled-orweddent arni a'i chario at y gwely mawr, ymerodrol.

'Bath gynta,' mynnodd Sulwen yn feddw.

'Ia!' ebychodd Gwyndaf gan droi ar ei sawdl a brasgamu tua'r stafell ymolchi.

'Aros!' gorchmynnodd Sulwen a llithro o'i freichiau wrth i Gwyndaf sefyll ar hiniog y baddondy. 'Chdi'n fan hyn a finna'n 'y math i o'n i'n feddwl,' eglurodd.

'O!'

Ochneidiodd Gwyndaf ei siom.

'Wn i bod cylchgrona merchaid yn deud bod hi'n beth da i gariadon gael bath efo'i gilydd,' ymddiheurodd Sulwen. 'Ond faswn i'n teimlo'n swil. Tro cynta . . . '

'OK,' cydsyniodd Gwyndaf yn anewyllysgar. 'Ond reit handi ia?'

Roedd Gwyndaf dan y gawod boeth yn seboni ei gorff cyn i Sulwen adael ei lofft.

Munud i ymolchi. Munud i sychu. Munud i wisgo'r baddon-ŵn gwyn, swmpus ag H goch wedi ei brodio ar y frest a stwffio allwedd-gerdyn ei stafell i un boced a phaced o dri condom – 'ddyla hynny fod yn ddigon tro cynta' – i'r llall. Brasgamu'n droednoeth, heb hidio pwy a'i gwelai, i stafell Sulwen. I mewn drwy'r drws a adawyd yn gilagored eto heno, clep iddo ar ei ôl, camu i'r llofft a chynhyrfu'n saith gwaeth o weld blows, sgert, bronglwm a phantis Sulwen rywsut-rywsut hyd y llawr. Cnocio ar ddrws y stafell ymolchi a holi'n eiddgar: 'Wt ti jest yn barod, Sùl?'

'Jest yn barod?' chwarddodd y llais anwylaf yn y byd. 'Newydd fynd i'r bath ydw i!'

'Ga i ddŵad ata chdi, Sulwen? Plîs?' ymbiliodd y macwy rhwystredig.

'Bydda'n amyneddgar,' gorchmynnodd y gariadferch greulon. 'Fydda i ddim yn hir.'

Aeth Gwyndaf i orwedd ar ei fol ar y gwely ac ail-fyw uchelfannau'r gêm rhwng Cymru a Casacstan mewn ymgais i huddo'i nwydau rhag iddynt fynnu rhyddhad cynamserol. O'r baddondy, i'w arteithio, deuai llais contralto cyfoethog Sulwen yn datgan addasiad o eiriau'r unawd enwog o opera'r Dr Joseph Parry, *Hywel a Blodwen*:

'Gwyndaf, beth ti'n geisio yma?
Mae ngha-alon yn eiddo i Gwyndaf erioed!
I Gwyndaf erioed! I Gwyndaf erioed!
I Gwyn-daaf, eee-rioed!'

Sbonciodd Gwyndaf oddi ar y gwely, waldiodd ddrws y stafell ymolchi a bytheirio: 'Be wt ti'n drio'i neud imi, Sulwen? Tyd, nei di!'

'Olreit, olreit! Dwi'n dŵad,' atebodd hithau'n dalog.

'Fydda i wedi dŵad os na frysi di,' myngialodd Gwyndaf.

'Be ddeudist ti?'

Agorwyd drws y stafell ymolchi. Camodd Sulwen i mewn i'r llofft â chwa o ager persawrus i'w chanlyn. Gwisgai hithau'r baddon-ŵn gwyn ag *H* goch ar ei fynwes ac roedd ei gwallt cringoch wedi ei sythu a'i dywyllu gan y drochfa. Gwenai Sulwen arno'n hudolus. Gwenodd yntau arni'n hurt. Safasant felly am ysbaid faith hyd nes i Sulwen ddatod gwregys y baddon-ŵn. Llithrodd y dilledyn oddi ar lyfnder ei chorff godidog ac ymffurfio'n bedestal tonnog o amgylch ei thraed.

Syfrdanwyd Gwyndaf gan feiddgarwch y weithred a chan geinder alabastr pinc a gwyn y weledigaeth y rhythai'n anghrediniol arni. Fe'i hatgoffwyd o ddarlun rhyw Eidalwr o dduwies Serch noethlymun yn sefyll ar gragen ac un llaw swil, fel un Sulwen yn awr, yn cuddio'i thrysor pennaf.

'Be sy? Tydw i ddim yn plesio?' cellweiriodd Sulwen.

Ateb Gwyndaf oedd codi Sulwen oddi ar ei thraed, ei gollwng ar y gwely a chusanu pob modfedd felys, feddal o'i chorff; o'r wyneb annwyl, cyfarwydd i'r mannau dirgel a welai am y tro cyntaf. Griddfanodd Sulwen ei gwynfyd ac ymbaratôdd Gwyndaf, am yr eildro o fewn pedair awr ar hugain, i sefyll yn y bwlch a mentro i'r dwfn.

'Brrrrrrrrrrrrrrrrrrr-ing! Brrrrrrrrrrrrrrrrrr-ing!'

Drylliwyd y foment berlesmeiriol yn yfflon gan gnul arswydus y larwm tân.

'Be 'di hyn'na?' ebychodd Sulwen mewn braw a gwthio Gwyndaf oddi arni.

'Ryw ffŵl yn chwara o gwmpas efo'r larwm tân,' atebodd Gwyndaf mor ddi-daro ag y gallai a cheisio ailfarchogaeth. Yn ofer. Mynnodd Sulwen ei fod yn mynd i weld beth oedd ar gerdded. Agorodd Gwyndaf ddrws y stafell. Gwelodd ddegau o westeion yn eu dillad nos a'u dillad isaf yn gorymdeithio'n bryderus i gyfeiriad y grisiau drwy'r mwg a lenwai'r coridor.

'Ffôls alarm!' cyhoeddodd Gwyndaf â chlep ar y drws.

'Naci ddim!' anghytunodd Sulwen. Neidiodd o'r gwely, gwisgo ei baddon-ŵn a dodi ei sliperi am ei thraed. 'Glywis i ogla mwg!'

'Dychmygu nest ti,' haerodd Gwyndaf.

Gwrthbrofwyd hynny gan guro nerthol ar ddrws y llofft a llais awdurdodol yn taranu: 'Dowch o'na'r diawlad gwirion, neu mi losgwch yn lludw!'

'Cachu mot!' melltithiodd Gwyndaf gan wisgo ei faddon-ŵn yntau a dilyn Sulwen i'r coridor. O'u blaenau gwelent gefn ac ysgwyddau llydain y sawl a'u rhybuddiodd yn prysuro tua phen draw'r coridor.

Fel yr ymunodd Gwyndaf a Sulwen â'r dorf ofidus o westeion a staff a oedd wedi ymgynnull o flaen y gwesty, cyrhaeddodd tri o gerbydau coch a melyn y Frigâd Dân, eu seirenau'n diasbedain a'u troell-oleuadau'n fflachio. Rhuthrodd rhai diffoddwyr i mewn i'r adeilad tra y dadlwythai eraill offer oddi ar y cerbydau a'i gyweirio ar gyfer y gorchwylion peryglus a'u hwynebai.

Dechreuodd Sulwen wylo'n hidl ac oni bai fod Gwyndaf yn teimlo dyletswydd i'w chysuro, buasai yntau wedi gwneud yr un modd.

'Cosb ydi hyn,' igiodd Sulwen drwy ei dagrau.

'Nam ar y lectrics mewn stordy sy'n cael y bai gin y boi 'na'n ei drôns sy'n sefyll tu ôl inni,' meddai Gwyndaf.

Anwybyddodd Sulwen y sylw: 'Duw sy'n cosbi ni am feddwl gneud be oeddan ni'n feddwl neud a'n stopio ni jest mewn pryd!' mynnodd.

'Paid â malu cachu!' arthiodd Gwyndaf.

'Paid ti â siarad fel'na efo fi, Gwyndaf ap Siôn!' meddai Sulwen ac ymryddhau o'i afael. 'Fasa hyn ddim wedi digwydd 'blaw bo chdi . . . mor . . . mor . . . gymaint o hen gi! Mam oedd yn iawn!'

Enynnodd cri hysterig Sulwen ddiddordeb rhai o'r ffoaduriaid eraill yn y ddramodig yr esgorodd yr argyfwng arni. Dododd Gwyndaf ei freichiau am ysgwyddau ei ddyweddi drachefn gan furmur yn gymodlon: 'Isht, isht . . . Paid â chymryd atat . . . Fydd bob dim yn iawn. Gei di weld . . . '

'Ydi'r boi 'ma'n achosi traffath ichi, Miss?'

Gofynnwyd y cwestiwn gan gawr o ddiffoddwr tân yn ei lifrai las a melyn, a miswrn ei helm anferth yn cuddio'i wyneb.

'E?' ebychodd Gwyndaf a throi ar y dieithryn: 'Meindia dy fusnas, Sam Tân! Dos i neud y jòb rwt ti'n cael dy dalu i'w gneud, inni gael mynd yn ôl i'n gwlâu!'

Â holl rym ei gorff enfawr yn yriant i'r dwrn manegog, pwyodd y diffoddwr tân Gwyndaf ym mhwll ei stumog. Cwympodd y truan i'r palmant fel y sachaid datws ddiarhebol a'r geiriau olaf a glywodd cyn i flaen dur un o esgidiau trymion ei ymosodwr gyrraedd ei geilliau a thywyllu ei ymwybyddiaeth oedd:

'Cad dy facha oddar hon! Ma hi'n rhy dda o lawar i sinach fel chdi!'

Teg edrych tuag adref

Ychydig o Gymraeg a fu rhwng Sulwen a Gwyndaf yn ystod y siwrnai hirfaith o Gaerdydd i Gwmbrwynog. Bu'r ddau yn ail-fyw digwyddiadau'r ddeuddydd blaenorol yn eu meddyliau;

eithr dehonglent eu harwyddocâd yn wahanol.

'Wt ti'n meddwl, o ddifri,' gwatwarodd Gwyndaf gan bwyso'i droed ar sbardun y 4x4 ar ôl gadael goleuadau traffig olaf y Brifddinas, 'bod Duw wedi mynd i'r draffath o gynna tân mewn hotel fawr, a pheryglu bywyda cannoedd o bobol, jest i'n stopio ni'n dau rhag neud rwbath cwbwl naturiol?'

'Tydi o ddim yn naturiol. Dyna'r pwynt,' fflachiodd Sulwen.

'Wrth gwrs bod o. Ne fasa chdi na fi ddim yma,' atebodd Gwyndaf.

'Wel tydi o ddim yn iawn, a dwi ddim isio clwad sôn eto am fynd i ffwr' efo'n gilydd i aros mewn hotel tan 'yn mis mêl.'

'Iawn neu beidio. Os nad oes gin y Bod Mawr rwbath gwell i neud efo'i Dragwyddoldeb na sbeio ar bobol a sdopio'u hwyl nhw . . . '

'Paid â chablu!'

'Sut medra i gablu rwbath dwi ddim yn gredu yn'o fo?'

'Tydan ni ddim yn dallt y petha 'ma – fel bydd Mr Roberts Gweinidog yn deud wrthan ni mor amal. Ffitiach imi fod wedi gwrando arno fo a Mam.'

'Ma 'na lot fawr tydw i ddim yn ddallt,' cyfaddefodd Gwyndaf yn chwerw. 'Pwy gnociodd ar y drws a gweiddi arnan ni i ddwad allan? Yn Gymraeg? Sut bod Sam Tân yn siarad Cymraeg hefyd? Pam leiniodd o fi? Dwi'n dechra meddwl bod rhywun wedi ffonio dy fam di, nos Wenar . . . '

'Rwt ti'n paranoid.'

'Well gin i hynny na bod yn ofergoelus.'

Tynnodd Sulwen y fodrwy newydd oddi ar ei bys, ei dodi mewn blwch bychan melfed, coch, siâp calon a dychwelyd hwnnw i'w hanbag. 'Soniwn ni 'run gair wrth neb 'yn bod ni wedi dyweddïo,' meddai, 'nes bydd hynny'n golygu rwbath. Am 'yn bod ni wedi penderfynu priodi. Neith pobol ddim ond hel meddylia a busnesu.'

'Siwtio fi'n iawn,' atebodd Gwyndaf.

Pwdodd y ddau a thewi hyd nes i Gwyndaf ddatgan, wrth iddo yrru'n ofalus drwy Gaersws, na fyddai yn y gwaith drannoeth, sef dydd Llun. Roedd am fynd i Brestatyn, i siarad â'i diwtor.

Oherwydd prysurdeb aruthrol y misoedd diwethaf yn y Ffatri, meddai Gwyndaf, roedd wedi esgeuluso ei draethawd M.A., gan beri i awdurdodau'r Brifysgol holi a oedd am barhau i astudio ar gyfer gradd uwch ai peidio. Dywedodd wrth Sulwen ei fod wedi penderfynu dal ati yn y gobaith y cadwai hynny ei feddwl oddi ar bynciau a ystyriai hi'n 'afiach, annaturiol ac anfoesol'.

Pennod 7

Gosteg cyn drycin

Teimlai Sulwen yn swp sâl wrth fynd i'r gwaith y bore dydd Mawrth hwnnw. Ychydig o gwsg a ddaethai i'w hamrannau y noson cynt a'r noson cyn honno. Fe'i cadwyd ar ddihun gan euogrwydd a chywilydd: am fynd mor bell ac am fod yn ormod o fabi i fynd yr holl ffordd; am ymdrybaeddu mewn trythyllwch gyda'i dyweddi ac am wrthod boddhau'r chwantau yr oedd hi ei hun wedi eu hennyn ynddo. Surwyd atgofion melys am y Seremoni Wobrwyo, y dyweddïad rhamantus, buddugoliaeth ryfeddol tîm rygbi Cymru, a'r swper Ffranco-Gymreig bendigedig gan argyhoeddiad dwfn ei bod wedi pechu yn erbyn ei Duw a'i dyweddi. Yr Anfeidrol yn unig a wyddai sut y byddai Ef yn ei chosbi. Mewn cydweithrediad â Gwyndaf, o bosib, trwy beri i hwnnw gyfarfod â merch arall, lai egwyddorol (neu lai cul, piwritanaidd a henffasiwn), a gadael Sulwen a'r Ffatri am borfeydd mwy gwelltog. Beth ddeuai ohoni hi a'i mam a Chwmbrwynog wedyn?

Bu bron i'r atgnofeydd hyn lethu Sulwen. Hir yr oedodd cyn mentro cnocio'n betrus ar ddrws swyddfa'r Prif Weithredwr. Croesodd yr hiniog dan ymddiheuro: 'Ddrwg gin i 'mod i'n hwyr, Gwyndaf. Chysgis i ddim yn rhy dda neithiwr . . . '

'Pum munud wedi naw ydi hi, Sulwen,' oedd ateb siriol Gwyndaf. 'Roeddat ti yma drw dydd ddoe, a finna'n galifantio tua Phrestatyn.'

Cywilyddiwyd Sulwen gan y fath serchogrwydd. Roedd wedi disgwyl i Gwyndaf fod fymryn yn biwis, o leiaf, yn ôl ei

89

arfer wedi i'w caru ddiweddu'n anorffenedig. 'Nid "galifantio" ydi studio ar gyfar M.A. ar ben swydd mor gyfrifol,' mynnodd y ferch ifanc.

'Os wt ti'n deud,' ebe Gwyndaf yn ddiymhongar. 'Sut ath hi ddoe?'

Roedd dau gant o giltiau Cymreig a ddylasai fod yn hedfan dros yr Iwerydd i Gymanfa Ganu Gogledd America yn dal yn y Ffatri gan fod tryblith emosiynol Sulwen wedi ei hatal rhag canolbwyntio ar ei dyletswyddau. Disgwyliai gerydd llym gan y Prif Weithredwr. Yn lle hynny cymeradwyodd ei phwyll a'i gofal wrth ddelio ag archeb mor bwysig. Ni chanfu Sulwen yr un tinc edliwgar yn ei sylwadau wrth iddynt drafod yr ohebiaeth a'r ymholiadau a ddaethai i law yn ystod ei absenoldeb, a'r tasgau oedd i'w cyflawni'r diwrnod hwnnw.

Lleucu Lloyd, ysgrifenyddes Gwyndaf, fyddai'n mynd â phaned a bisgedi iddo i'w swyddfa adeg te deg fel arfer. Mynnodd Sulwen weini arno'r bore hwnnw. Dododd fŵg a thun bisgedi ar ddesg y Prif Weithredwr a chusan ar ei dalcen. 'Diolch,' murmurodd dan fwytho'i ben.

'Am be?' holodd Gwyndaf gyda gwên ddiniwed.

'Am fod mor . . . dda,' meddai Sulwen yn deimladwy. 'Dwi'n meddwl y byd ohona chdi, wsdi.'

Cusanodd Sulwen ef eto, ar ei wefusau'r tro hwn.

'Hei!' protestiodd Gwyndaf dan chwerthin. 'Cofia be gytunon ni! Dim hanci-panci'n y Ffatri!'

'Mi wt ti'n sant!' ebe Sulwen a chariad lond ei llais a'i llygaid.

'Alwodd neb fi'n hynny o'r blaen!' addefodd Gwyndaf.

'Ro'n i wedi disgwl ichdi fod mor flin efo fi,' eglurodd Sulwen. 'Welwn i ddim bai arna chdi, Gwyndaf. Fus i mor gas. Deud petha ofnadwy. A finna gymaint ar fai am be ddigwyddodd â chdi. Nei di fadda imi?'

Cododd Gwyndaf o'i gadair a lapio'i freichiau'n dyner am Sulwen. 'Fi ddyla ofyn i chdi fadda i mi,' meddai.

'Naci, naci!' llefodd Sulwen. 'Gad inni brodi reit handi, Gwyndaf! Fydd bob dim yn iawn wedyn.'

'Dwi braidd yn brysur bora 'ma,' cellweiriodd Gwyndaf.

'Gin titha ordor mawr i'w yrru i'r Stêts. Fory, ryw ben?'

'Dwi o ddifri, Gwyndaf,' meddai Sulwen. 'Dwi isio inni fod yn ŵr a gwraig, a phob dim ma hynny'n olygu – bob dim! – yn fwy na dim yn y byd. Ond mi oedd profiada'r penwsnos mor drawmatig fedra i ddim meddwl am . . . wsdi be . . . cyn priodi. Mi wt titha'n dal isio inni . . . briodi?'

'Siŵr iawn,' atebodd Gwyndaf. 'A mis mêl gwerth chweil wedyn. Ond ma 'na gimint i neud yma, Sùl. Fiw inni feddwl am wylia nes bydd y Ffatri wedi cael ei thraed dani'n iawn.'

'Rwyt ti mor gry ac egwyddorol, Gwyndaf,' ebe Sulwen. 'Yn arwain drwy esiampl. A' i i weld os ydi'r ciltia i gyd wedi'u pacio a tsiecio wedyn lle ma'r gennod arni efo ffrogia *Basdas*.'

Gwridai Gwyndaf wrth i Sulwen frysio o'i swyddfa â'i llygaid yn llawn dagrau.

Cu yw cymod cariadon.

Deuddydd yn unig y parodd y tro hwn, ysywaeth.

Dechrau gofidiau

'Basdads!' bloeddiodd Gwyndaf ar dop ei lais.

'Be ddeudist di?' holodd Sulwen dan waredu.

Bore dydd Iau, a hithau newydd gamu i mewn i Swyddfa'r Prif Weithredwr ar ôl ymweliad â'i deintydd yng Nghaerfenai.

'Basdads!' gwaeddodd Gwyndaf.

'Pwy sy dan dy lach di bora 'ma?' holodd Sulwen yn ddiamynedd.

'*Basdas!*' taranodd Gwyndaf.

Gwylltiodd Sulwen. Meddai'n siort: 'Nei di beidio, plîs, ailadrodd yr hen air hyll yna? Wyddost ti mor gas gin i ydi araith felly. Rŵan. Deud wrtha i pwy sy wedi dwyn dy uwd di.'

Gostyngodd Gwyndaf ei lais hanner desibel wrth egluro'i dymer wyllt: '*Basdas* ydi'r basdads, Sulwen,' meddai. '*Basdas*, yr archfarchnad. Ma nhw'n bygwth dwyn mwy na'n huwd ni. Darllan hwn.'

Estynnodd Gwyndaf lythyr a deipiwyd ar bapur swyddogol

Basdas UK, oddi wrth Syr Julian St. John-Cholmondley, Prif Weithredwr y cwmni hwnnw. Darllenodd Sulwen y llythyr ar ei sefyll. Unwaith, eildro ac eistedd ar un o'r ddwy gadair a wynebai ddesg fawr fahogani'r Prif Weithredwr.

Caeodd Sulwen ei llygaid am ysbaid hir. Agorodd hwy eto. Darllenodd epistol St.John at y Brwynogiaid y drydedd waith, gan obeithio iddi gamddeall ei neges arswydus. Na. Yr un ydoedd. Yr un mor ffurfiol. Yr un mor ddiawledig o boléit:

Gresynai Syr Julian oherwydd nad oedd modd i *Basdas* adnewyddu'r cytundeb chwe mis gyda Ffatri Wlân Cwmbrwynog pan ddeuai ei dymor i ben ymhen ychydig wythnosau, heb ostyngiad o 50% ym mhris y dillad a'r carthenni *exclusive* a gyflenwai FF.W.C. i'r archfarchnad. Oni allai FF.W.C. dderbyn yr amodau newydd, gorfodid *Basdas* i ymddiried y gwaith i ffatri yn un o wladwriaethau cynsofietaidd Canolbarth Asia, lle'r oedd costau cynhyrchu gymaint llai. Gobaith diffuant Syr Julian ydoedd y llwyddai FF.W.C. i ymateb i'r her. Onide, ymddiheurai am unrhyw anhwylustod a ddeilliai o'i benderfyniad anorfod. Roedd yn siŵr y deallai Mr ap Siôn fod rheidrwydd arno i gydymffurfio â chymhellion y Farchnad er mwyn sicrhau'r telerau gorau posibl i Fwrdd, cyfranddalwyr a chwsmeriaid *Basdas*.

'Cyn ichdi ofyn,' meddai Gwyndaf. 'Toes 'na ddim gobaith eu cael nhw i newid eu meddylia, nag o dderbyn disgownt llai. Ffonis i gyntad darllenis i'r llythyr, a dyna ddeudwyd wrtha i gin hogan bach yn galw'i hun yn *'secretary to the C.E.O's P.A.'s P.A.'* Dangos gin lleiad o barch sy gin y ffernols atan ni.'

'Sut mae'r ffatri 'ma o ffwr' mor gystadleuol?' gofynnodd Sulwen yn ddigalon wrth ddychwelyd y llythyr i Gwyndaf.

'Talu punt y mis i'w gweithwyr,' atebodd Gwyndaf.

'Rydan ni yn y Gorllewin mor faterol tydan?' sylwodd Sulwen. 'A'n gweithwyr ni – yng Nghymru a Chwmbrwynog hyd yn oed – mor farus o'u cymharu efo rhei'r gwledydd llai breintiedig, sy'n medru byw'n hapus iawn ar nesa peth i ddim. A hyd yn oed tasa gweithwyr y Ffatri'n fodlon ar lai o gyflog, er mwyn arbad eu swyddi, fasa'r Undab ddim yn gadal iddyn nhw. Biti garw ichdi adal i dy dad sefydlu cangen yn y Ffatri.

Roedd Tada, heddwch i'w lwch, yn hollol yn erbyn y peth. "Mae ymyrraeth swyddogion undab rhwng gweithiwr a'i gyflogwr yn anfoesol, yn Anghymreig ac yn Anghristnogol", fydda'i bregath o bob amser. Ella mai camgymeriad oedd troi'r Ffatri'n fentar gydweithredol, Gwyndaf, ac y dylan ni fod wedi derbyn cynnig Llewelyn Price. Dyna farn Mam, beth bynnag. Twyt ti ddim yn meddwl . . . ?'

'Nag'dw!' oedd ateb pendant iawn Gwyndaf. '"Brawd mygu yw tagu", chwadal yr Hwntws. Sglyfaethod o'r un brid ydi ICAC a *Basdas*. Cyn lleiad o barch at y bobol ma nhw'n gyflogi â dyn sychedig at gian o *coke*. Wedi iddyn nhw sugno pob diferyn o elw o'n crwyn ni, i'r doman â ni.'

'Wel, be 'dan ni'n mynd i neud 'ta?' holodd Sulwen yn flin.

'Dwi'n mynd i Gaerdydd,' cyhoeddodd Gwyndaf. 'Disgwl ichdi ddŵad yn d'ôl oeddwn i.'

Am hanner awr gyfan wedi'r alwad ffôn seithug at *Basdas*, bu Gwyndaf ap Siôn yn eistedd yn ddiymadferth wrth ei ddesg, â'i ben yn ei ddwylo. Teimlai ei fod yn boddi. Eithr nid ei orffennol a ymddangosai o flaen ei lygaid caeedig, ond ei ddyfodol – y dyfodol y bu'n ei gynllunio mor ddygn, cyhyd, ac y bu'n llafurio mor ddiarbed i'w wireddu:

Y Ffatri a'r fenter gydweithredol yn mynd o nerth i nerth, yn dod â llewyrch economaidd a diwylliannol newydd i'r hen Gwm, yn ennill cydnabyddiaeth genedlaethol a rhyngwladol. Priodi Sulwen. Magu teulu. Lledu efengyl Cydweithrediad trwy Gymru benbaladr a hithau'n dod yn glodwiw ymhlith y gwledydd oherwydd iddi arloesi trefn ddiwydiannol flaengar, gynaliadwy a fyddai'n sylfaen i fyd mwy cyfiawn . . .

Yna, ar amrantiad, y cyfan yn diflannu fel y tarth oddi ar wyneb Llyn Crafog ar fore o haf. Y weledigaeth a'r gobaith yn edwino, yn crebachu, yn darfod. Oherwydd penderfyniadau dau neu dri archgyfalafwr yn Llundain, Efrog Newydd ac L.A. Dynion annynol, pwerus, hunanol, didrugaredd.

Troes anobaith Gwyndaf yn ddicter cyfiawn at y Sais haerllug, uchelwrol a'r anferthedd corfforaethol Americanaidd a wasanaethai. Esblygodd ei gasineb yn awydd eirias i wrthryfela a tharo'n ôl. Ond sut? Mynd i Lundain, prynu gwn a saethu St. John-Cholmondley? Rhoddai hynny foddhad personol aruthrol, hyd yn oed pe câi garchar am oes, ond faint elwach fyddai pobol Cwmbrwynog? Roedd yn colli arni. Beryg iddo wneud rhywbeth hollol hurt. Fel taflu ei hun o ben Pigyn y Bwncath i ganol Llyn Crafog a gadael nodyn ar ei ddesg yn rhoi'r bai ar *Basdas*. Neu yrru'r 4x4 dros ddibyn Cnec-y-Bugail fel 'rhen Gybi pan aeth byd busnes yn drech nag ef. Sut wedyn y teimlai'r crachach fu mor uchel eu cloch am lwyddiant y Ffatri ac mor hael eu canmoliaeth iddo ef a Sulwen yn Seremoni Entrepreneur Cymraeg Ifanc y Flwyddyn? Y Prif Weinidog a'r Arlywydd, er enghraifft? Diawlad dauwynebog!

'Hei, hei! Howld on, washi! Rho jans i'r cnafon, cyn lladd arnyn nhw!' meddai un llais call ynghanol y corws aflafar, hysterig a daerai â'i gilydd ym mhenglog Gwyndaf ap Siôn. Ymbwyllodd. Gwrandawodd eto ar y llais call. Rheolodd ei deimladau. Gwastrododd ei ofnau. Ymwrolodd. Ffoniodd y Cynulliad Cenedlaethol a gofyn am gael siarad â'r Prif Weinidog.

Gobeithiai Gwyndaf allu perswadio rhyw was sifil i drefnu i'r Prif Weinidog a'r Arlywydd gyfarfod â dirprwyaeth o Gwmbrwynog i drafod yr argyfwng a chynnig dulliau o liniaru effeithiau mwyaf enbydus colli cytundeb *Basdas*. Trosglwyddwyd galwad Prif Weithredwr Ffatri Wlân Cwmbrwynog o adran i adran ac o swyddfa i swyddfa am rai munudau. Yna, er mawr syndod iddo, clywodd lais cyfeillgar, cyfarwydd y Prif Weinidog ei hun yn ei gyfarch ac yn ei longyfarch, unwaith eto, ar ei lwyddiant y nos Wener flaenorol.

Gyda chryn chwerwedd, eglurodd Gwyndaf pa mor goeg oedd y teitl 'Entrepreneur Cymraeg Ifanc y Flwyddyn' mwyach. Cymharodd ganlyniadau methdaliad Ffatri Wlân Cwmbrwynog ar yr ardal ag effeithiau cau pyllau glo a gweithfeydd dur ar gymunedau mwy poblog yn y De, a datgan yn ddiflewyn-ar-dafod fod dyletswydd ar y Cynulliad Cenedlaethol i weithredu ar fyrder.

'Itha reit, bachan!' ebe'r Prif Weinidog. 'Dere lawr 'ma i 'ngweld i, gynted galli di. Rwy wedi bod yn whilo siawns i brofi bo fi'n Weinidog dros North Wêls yn ogystal â Phrif

Weinidog a dengos nagyw popeth yn mynd tsha Caerdydd.'

'Well imi roid caniad i'r Arlywydd hefyd?' gofynnodd Gwyndaf.

'Y cwbwl nele'r rodni 'na fydde dod lan 'co i gynnal cwrdd gweddi a hala rhyw fardd talcen-slip i sgrifennu englyn i Harddwch Cwmbrwynog. Paid wasto d'amser, Gwyndaf. Dere i'n Swyddfa i erbyn naw bore fory a sorta i rhywbeth mas iti.'

Siriolodd Sulwen drwyddi wedi iddi glywed am addewid y Prif Weinidog. Ymddiheurodd am fod mor feirniadol pan glywsai gyntaf am frad *Basdas*. 'Ddyla bod gin i fwy o ffydd yn'a chdi,' addefodd. 'Mi wt ti'n fwy o foi na'r basdads i gyd!'

'Llai o'r araith 'na!' chwarddodd Gwyndaf a chodi ar ei draed. 'Dwi am ei chychwyn hi am Gaerdydd rŵan hyn, os nad ydi'r ots gin ti.'

Cylchodd Sulwen y ddesg, cofleidio Gwyndaf ac edrych i fyny i'w wyneb. 'Leciat ti imi ddŵad hefyd?' gofynnodd yn swil.

'Faswn i wrth 'y modd,' meddai Gwyndaf a chusanu'r gwefusau gwahoddgar, pinc. 'Ond ma gin i joban bwysig i'w gneud bora fory yn Swyddfa'r Prif Weinidog. Beryg basa fy meddwl i ar rwbath arall tasat ti'n y llofft drws nesa imi heno!'

'Rwyt ti mor gry ac egwyddorol,' murmurodd Sulwen a'i wasgu'n dynnach, dynnach.

Cusanodd Gwyndaf hi eto a mentro mwytho bron fechan, berffaith a waharddwyd iddo ers bron i wythnos.

'O, 'nghariad i! Dwi 'di bod mor gas efo chdi,' ochneidiodd Sulwen. 'Gei di'r wobr rwyt ti mor deilwng ohoni pan fyddi di wedi setlo'r broblam ddiweddara 'ma.'

Llamodd calon Gwyndaf ynghyd ag ambell organ arall. 'Ga i?' holodd yn daer. 'Ga i go-iawn?'

'Cei, 'nghariad i,' addawodd Sulwen a dwyster yn ei llais. Ymryddhaodd yn araf o'i freichiau. 'Well ichdi fynd rŵan,' sibrydodd, fel petai dan ddylanwad rhyw gyffur tawelyddol, grymus, 'neu yma byddwn ni . . . '

'Ia,' cytunodd Gwyndaf yn gryg a chydio yn y briffces lledr du a orweddai ar ei ddesg. 'Tyd efo fi at y car.'

Simsanodd Sulwen a Gwyndaf o'r Swyddfa ac ar draws y

maes parcio at y 4x4. Un gusan olaf. Agorodd Gwyndaf ddrws y cerbyd a dringo'n drwsgl i gaban y gyrrwr. Caeodd y drws a thanio'r modur. Gwenodd Sulwen ac yntau ar ei gilydd. Yna agorodd Gwyndaf y ffenestr a siarsio Sulwen i beidio â sôn gair wrth neb am drafferthion diweddaraf y Ffatri rhag creu panig a wnâi'r dasg o'u goresgyn yn anos.

'Ga i ddeud wrth Mam?' holodd Sulwen.

Petrusodd Gwyndaf cyn ateb:

'Well ichdi beidio. Rhag iddi boeni.'

Caeodd Gwyndaf ffenest y car, bibio'r corn ddwywaith ac ymaith ag ef tua'r De.

Lobsgows

'Fyddwn i ddim yn galw Borus Owen yn Fardd Mawr,' meddai'r Parch. D. Culfor Roberts rhwng llwyeidiau o lobsgows.

Eisteddai Gweinidog Sodom a Gommorah ar un pen i'r bwrdd mawr, pren yng nghegin Brethynfa, gyferbyn â gwraig y tŷ a eisteddai'r pen arall, gyda'r ferch yn y canol. Roedd y gegin yn un helaeth a chlyd a'r bwrdd a'i gadeiriau, y llawr llechi a'r Aga oll yn ganrifoedd oed, ac yn hanu o'r Llechgi Isaf, y ffermdy unig ar lethrau Moel y Bwncath lle y ganed Mrs Huws.

Roedd Mr Roberts ar uchelfannau'r maes, fel y byddai bob tro y câi'r pleser o gladdu pryd amheuthun mewn amgylchiadau cysurus ac yng nghwmni aelodau o'r rhyw deg.

'Mi glywis amball un yn ama oedd o'n fardd o gwbwl, cofiwch,' meddai awdur *Ceinion Culfor*. 'Ond o gofio amball i delyneg fach ddigon swynol o'i eiddo, mae hynny, o bosib, fymryn yn annheg. Bai penna Borus oedd ei fod o'n gollwr gwael. Fel y dangosodd y llythyra dienw, ffiaidd fuo fo'n eu hanfon at *Y Faner* am fisoedd ar ôl dŵad yn ail i mi ar y Bryddest yng Nghomins Coch.'

'Toedd o ddim yn Ficar Llandrybeiliog pan fuo fo farw?' holodd Mrs Lowri Huws a sychu smotyn o gawl o gornel ei cheg â'i napcyn.

'Oedd,' atebodd y Gweinidog a rhoi'r gorau i lowcian am ysbaid. 'Ond toedd gynno fo ddim enw rhy dda yn fan'no chwaith. Braidd yn or-hoff o'i wely oedd 'rhen Borus, mae arna i ofn. Yn enwedig ar fora Sul, a fynta'n gorfod codi'n blygeiniol i fynd drwy'i rigmarôl Anglicanaidd yn Eglwys y Plwy. Wyddoch chi be fydda fo'n neud yn yr ha? Taro'i wenwisg drosd ei byjamas, i lawr i'r Llan â fo ar ei feic, crawcian neu lafarganu hannar dwsin o weddïa set, ac yn ôl adra i'w wely o fewn chwartar awr i pan adawodd o fo.'

'Mae hi'n braf iawn ar bersoniaid o'u cymharu efo rhywun fel chi, Mr Roberts, sy'n gorfod paratoi pregath a gweddïa newydd sbon danlli grai bob Sul,' meddai Mrs Huws. 'A meddwl am jôcs i gadw intres y gynulleidfa ar ben hynny.'

'Yn tydi, Sulwen?'

'Y? O. Ydi. Ma Borus Owen yn fardd mawr iawn,' meddai Sulwen yn ddryslyd fel petai'n deffro o drwmgwsg.

'Tydi Mr Roberts ddim yn meddwl ei fod o,' meddai Lowri Huws yn flin. 'A sôn am y cradur fel person plwy, yn cymryd gwasanaetha yn ei byjamas, rhag cwilydd iddo fo, oedd Mr Roberts rŵan.'

'Ha ha ha!'

Chwarddodd Gweinidog Sodom a Gommorah yn galonnog am rai munudau, gan beri i'r ddwy fenyw syllu arno braidd yn syn.

'Maddeuwch i mi,' ymesgusododd Mr Roberts yn y man, gan sychu ei lygaid. 'Cofio nes i am dro braidd yn ddigri yng ngyrfa eglwysig y Prifardd Borus. Un Saboth, nid ei wenwisg roddodd o drosd ei ddillad nos ond coban ei wraig. Peidiwch â gofyn imi pam nad oedd honno am Mrs Owen ar y pryd! Ond dychmygwch syndod a braw y gynulleidfa dena yn Eglwys Sant Trybeiliog y bora hwnnw, wrth weld Gwas yr Arglwydd mewn "gwisg gannaid sidanwe, laes at ei draed, a ruban ar ei frest mor wridog â'r gwaed"!'

'Cesyn ar y naw!' meddai Mrs Huws gan adleisio chwerthiniad iach ei gweinidog. 'Yntê, Sulwen?'

'Y? O. Ia. Doniol iawn,' atebodd Sulwen heb arlliw o wên ar ei hwyneb gwelw.

'Wyt ti'n iawn, Sulwen?' holodd ei mam, braidd yn siarp.

'Ydw, Mam.'

'Dim byd ar 'ych meddwl chi, 'ngenath i?' gofynnodd Mr Roberts yn garedig.

'Dim byd o bwys, Mr Roberts,' atebodd Sulwen yn ddiargyhoeddiad.

Wrth ffarwelio â Gwyndaf yn gynharach y prynhawn hwnnw, llanwyd Sulwen â ffydd yn ei chariad a gobaith y llwyddai i arbed y Ffatri rhag y bygythiad diweddaraf. Eithr fel y gadewai'r 4x4 coch, gwyn a gwyrdd y maes parcio, treiodd yr ewfforia a llifodd llanw du o amheuon a phryderon i'w henaid.

A ddichon unrhyw dda ddod o Gaerdydd? Ni chostiodd ei eiriau teg, y llwy garu grisial, na hyd yn oed y siec am fil o bunnau yr un ffadan beni i'r Prif Weinidog. Byddai buddsoddi yn nyfodol Ffatri Wlân Cwmbrwynog dipyn drutach. "Hael yw Hwntw ar bwrs y wlad." Gawn ni weld. Ai naïfrwydd oedd delfrydiaeth Gwyndaf? Ai diniweidrwydd oedd ei hymddiried hi a'i mam ynddo? Petaent wedi derbyn cynnig Llewelyn C. Price IV, hwyrach na fyddai eu bywoliaeth hwy ill dwy, gweithwyr y Ffatri a'r ardal gyfan mewn peryg. Ni roddwyd gwrandawiad, hyd yn oed, i'r Cambro-Americanwr cefnog. Roedd mor ddelfrydgar â Gwyndaf, ond mewn ffordd wahanol, a'i gariad at Gymru a'r Gymraeg lawn mor danbaid. Roedd gweledigaeth Gwyndaf yn un arwrol. Beidio bod un Llew yn fwy ymarferol yn y byd sydd ohoni?

Ac eto. Roedd ganddi amheuon ynglŷn â'r Biliwnydd bonheddig. A mymryn o'i ofn. Ofn be, Sulwen? Ei bŵer aruthrol a'i egni di-ball. Ei natur benderfynol a'i ewyllys unbenaethol. A'r ffaith ei fod o'n goblyn o bishyn! Paid â bod mor blentynnaidd ac arwynebol, hogan! A bywoliaeth pobol ac einioes cymuned Gymraeg yn y fantol!

Plagiwyd Sulwen gan y meddyliau hyn gydol y prynhawn, a phenderfynodd dreulio'r min nos yn ei stafell gyda'i chluniadur a'i ffôn symudol; y naill declyn i argyhoeddi ei mam ei bod wedi dod â gwaith adref gyda hi a'r llall i gyfathrebu â Gwyndaf yn y gobaith y byddai ei ffydd ddi-ball a'i benderfyniad di-ildio yn ei hysbrydoli a'i gwroli.

Suddodd ei chalon pan welodd y BMW gwyn, rhif cofrestru DCR 007, yn y rhodfa o flaen Brethynfa, a phlymiodd i waelodion ei bod pan gamodd i'r lolfa at ei mam a'i gweinidog a chlywed Mrs Huws yn datgan fod Mr Roberts wedi derbyn ei gwahoddiad i 'aros am damad o swpar chwaral efo ni, gan mai lobsgows sy ar y meniw a fynta'n sgut am lobsgows'.

Roedd Sulwen yn meddwl y byd o'i gweinidog. Fel arfer, buasai wrth ei bodd yn gwrando arno'n traethu ei farn gytbwys, ddiwylliedig ar gwrs y byd, uno'r enwadau, Liverpool F.C. a drygau'r oes, neu'n tynnu ar ei stôr dihysbydd o hanesion difyr am rai o gymeriadau'r ardal a mawrion y Genedl (e.e. y Prifardd Borus). Ond nid heno.

Ac felly, gynted ag y gorffennodd Sulwen ei phowlaid blasus, cododd oddi wrth y bwrdd. 'Newch chi'n esgusodi i, Mr Roberts? Roedd hi fel ffair yn y Ffatri 'cw hiddiw a dwi 'di dŵad â thoman o waith adra hefo fi. Petha raid imi'u gneud erbyn fory.'

'Petha fel sgwennu at *Basdas* i grefu arnyn nhw i beidio â dŵad â'u cytundab i ben?' awgrymodd Mrs Huws.

'Be ddeudoch chi?' holodd Sulwen yn syfrdan.

'Glywist ti fi'n iawn,' meddai ei mam. 'Pam na fasa chdi wedi deud wrtha i ar unwaith?'

'Rhag ichi boeni.'

'Dwi'n poeni'n saith gwaeth rŵan.'

'Pwy ddeudodd wrthach chi am *Basdas*, Mam?'

'Deud ti wrtha i be wt ti a Gwyndaf yn feddwl neud ynglŷn â'r sefyllfa; ddeuda inna sut ces i wbod.'

Esboniodd Sulwen wrth ei mam a Mr Roberts fod Gwyndaf wedi cysylltu â'r Prif Weinidog gynted ag y daeth llythyr *Basdas* i'w law a bod gwleidydd mwyaf pwerus Cymru wedi addo gwneud popeth yn ei allu i arbed y Ffatri Wlân rhag methdaliad.

'Hm!' ebychodd Mrs Huws gyda dirmyg. 'Toes gin i'r un llwchyn o ffydd yn y dyn, hyd yn oed ar ôl iddo fo dorri'i wallt. Fu gin i rioed.'

'Wel mae gin i, Mam,' gwrthymosododd Sulwen. 'Roedd o mwya clên hefo ni'n y Seremoni Wobrwyo noson o'r blaen. A nid yn unig mae o wedi gaddo helpu ond mi ofynnodd i Gwyndaf fynd i lawr i Gaerdydd am sgwrs. Mi aeth Gwyndaf tuag amsar cinio a mi welith y Prif Weinidog bora fory. Gewch chitha weld.'

'Gyn lleiad o les neith hynny,' meddai Mrs Huws. 'Roedd dy dad yn hollol yn erbyn "Diafolwsion" fel bydda fo'n ei alw fo. Fu gynno fo rioed air da i'r hen Asembli 'na.'

'Rydw i wedi deud wrthach chi sut 'dan ni'n mynd i ddatrys y broblam,' meddai Sulwen yn ddiamynedd. 'Deudwch chitha rŵan sut clywsoch chi amdani.'

'Gin Mr O'Toole,' meddai ei mam yn ddidaro.

'Mr O'Toole!' ebychodd Sulwen, wedi'i syfrdanu.

'Cyfaill Mr Llewelyn C. Price IV,' eglurodd y Parch. Culfor Roberts.

'Wn i pwy ydi o, Mr Roberts,' meddai Sulwen yn swta a syllu'n heriol i fyw llygaid ei mam. 'Ond leciwn i wbod pam ei fod o wedi ffonio Mam.'

'Mi fydd yn gneud o bryd i'w gilydd,' esboniodd Lowri Huws dan wrido mymryn, sylwodd ei merch. 'I holi sut ydan ni'n dŵad yn 'yn blaena'n yr hen Gwm. Enjoiodd o'i hun gymaint yn Swper a Dawns y Capal mae o wedi gaddo daw o i'n gweld ni cyfla cynta geith o. Ond mae o mor brysur yn edrach ar ôl Mr Price ac yn gorfod mynd efo fo i lefydd fel Kuwait, Israel, Indonesia, weithia heb eiliad o rybudd . . . '

'Dyna pam ffoniodd o hiddiw?' gwatwarodd Sulwen. 'I ddeud wrthach chi gymaint o feddwl sy gynno fo ohonan ni ac i le fydd o'n mynd nesa?'

'Naci, Sulwen,' atebodd Mrs Huws gan gymryd ati. 'Y rheswm ffoniodd Gerallt . . . Mr O'Toole . . . bora 'ma oedd i ddeud bod Mr Price wedi clwad y newydd drwg am *Basdas* a Ffatri Wlân Cwmbrwynog ac isio gwbod oedd 'na rwbath fedra fo'i neud.'

'Pam na fasa fo wedi ffonio'r Ffatri?' holodd Sulwen.

'Am fod Mr Price yn gwbod cradur mor bengalad ac anniolchgar ydi Gwyndaf ap Siôn, faswn i'n meddwl. Ddeudodd Mr O'Toole ei hun mo hynny ond dyna snwyris i a mae o'n iawn hefyd. Mae Gwyndaf yn medru bod yn reit fwchaidd ar adega.'

'Rhowch gora i ladd ar Gwyndaf, Mam,' gorchmynnodd Sulwen. 'A fynta wedi gneud gymaint drostach chi! Peidiwch chi, o bawb, â meiddio'i alw fo'n anniolchgar! Be arall ddeudodd O'Toole?'

'Bod Mr Price yn siomedig iawn, iawn pan wrthodist ti a Gwyndaf ei gynnig blaenorol o, ond nad ydi o ddim dicach, a bod y cynnig "yn dal ar y bwr", chwadal fynta. Mae gin Mr Price dipyn o feddwl ohona chdi, Sulwen . . . '

Gwgodd Sulwen. Gwenodd Mrs Lowri Huws yn slei a mynd rhagddi: 'Dwi'n meddwl bod gin hynny rwbath i neud efo'i ddiddordab o'n y Ffatri, a deud y gwir yn onast. Beth bynnag, mae Mr Price isio ichdi fynd i Lundan i'w weld o, i drafod rhoid ei blania fo ar waith. Ddeudis i basat ti ar y trên cynta o Clagwy Junction i Euston, ben bora fory. Pob parch i Gwyndaf ac i'r Prif Weinidog, ond go brin cewch chi gynnig cystal o Gaerdydd.'

Ffrwydrodd Sulwen. 'Be ddeudoch chi wrth y llabwst O'Toole, Mam?' holodd.

'Os ydi Mr O'Toole yn fawr, mae o'n ddigon o ŵr bonheddig, dallda di,' ebe Lowri Huws yn amddiffynnol, 'ac mae ynta wedi gaddo gneith o . . . '

'Tydi'r ots gin i be mae o wedi'i addo ichi!' fflamiodd Sulwen. 'A' i ddim i Lundan i'w weld o na'i fistar, fory nag unrhyw ddwrnod arall! Nid heb drafod y matar efo Gwyndaf, o leia.'

'A mi wyddost yn iawn be ddeudith o. Rwyt ti dan ei fawd o, Sulwen. A mae o'n manteisio arna chdi!'

'Mae Gwyndaf a fi'n dallt 'yn gilydd i'r dim,' meddai Sulwen. 'Felly peidiwch chi â busnesu'n 'yn perthynas ni, nac yng ngwaith y Ffatri. Petha wyddoch chi affliw o ddim amdanyn nhw!'

'O, Sulwen,' llefodd Mrs Huws yn ddagreuol. 'Sut medri di fod mor gas hefo dy fam? A hitha wedi gneud ei gora glas drosta chdi er pan wyt ti'n hogan bach? Deudwch rwbath wrthi, Mr Roberts.'

'Rydw i'n siarad efo chi rŵan, Sulwen, nid fel eich cymydog, eich gweinidog, eich athro carate, na hyd yn oed fel bardd,' meddai'r Parch. Culfor Roberts, 'ond fel cyfaill eich diweddar, annwyl dad . . . '

Chwythodd y Cennad ei drwyn, sychodd ddeigryn anweladwy o gil ei lygad a mynd rhagddo'n ddwys a theimladwy:

'Ei gyfaill penna fo – ac eithrio'ch mam, wrth gwrs. Mêt, y medra 'rhen Cybi droi ato fo i roi'r byd yn ei le a thrafod pynciau sydd o fythol bwys i ddyn: Athrawiaeth yr Iawn, Liverpool F.C., *Stocks & Shares* ac yn y blaen.

'Ac felly, 'mechan i, y cwestiwn rydw i'n ofyn i mi fy hun ydi: "Pa lwybr fyddai Cybi am i'w ferch dramwyo yn y cyfwng presennol?" Mae'r ateb i'w gael, goelia i, yn un o hoff adnodau eich tad: "Profa bob peth a glŷn wrth yr hyn sydd dda". Petai Cybi Huws yn ein plith ni heddiw, Sulwen, mi fydda'n cymeradwyo penderfyniad Gwyndaf i ddyrchafu ei lygaid tua'r Cynulliad. Ond mi fyddai hefyd, mewn ysbryd eciwmenaidd, yn eich annog chitha i fynd i Lundain. A phwy a ŵyr? Efallai y daw gwaredigaeth o'r ddau le. Oblegid, hyd y gwn i, tydi'n Prif Weinidog ni ddim yn elyn i gorfforaethau estron sy'n dymuno buddsoddi yng Nghymru fach. I'r gwrthwyneb yn wir! Ewch i Lundan, Sulwen, er mwyn y Ffatri oedd mor annwyl i'ch tad, er mwyn y gweithwyr oedd mor agos at ei galon o ac, yn anad dim, er mwyn pobol y Cwm!'

Maes o law, wedi cryn dipyn o daeru ac edliw rhwng y fam a'r ferch ac o golli dagrau hallt gan y ddwy, llwyddodd Mr Roberts i'w cymodi a chydsyniodd Sulwen i deithio drannoeth i brifddinas Lloegr. Eithr ar yr amod nad oedd Gwyndaf i wybod am hynny. Petai'n ffonio'r noswaith honno roedd Mrs Huws i'w hysbysu fod Sulwen yn ei gwely gydag andros o gur pen – yr hyn oedd yn wir. Pe rhôi ganiad yn ddiweddarach byddai gofyn i'w mam ddefnyddio ei dychymyg.

Pennod 8

Yn y Bae

'Rwy gyment Sosialydd bob tamed â'r bois hyn tu cefen ifi,' meddai'r Prif Weinidog gydag amnaid dros ei ysgwydd at y portreadau a addurnai bared ei swyddfa eang, olau – cewri'r Mudiad Llafur Cymreig o Keir Hardie, James Griffiths a Nye Bevan i Neil Kinnock, Alun Michael a Paul Murphy. 'Ond rwy'n digwdd byw'n y byd rial, Gwyndaf, a gorffod ifi weud wrthot ti taw yffach o gamgymeriad oedd gwrthod *takeover bid* Llewelyn Price. Golloch chi gyfle bendigedig i roi Cwmbrwynog ar y map fel cartref ICACEwrop. Twpdra o'r mwya, os ca i weud, oedd meddwl gallech chi gystadlu ar y farced fyd-eang yn erbyn dynon Casactstan, er mor dlawd yw Cymru.'

Suddodd calon Gwyndaf ap Siôn. Difarodd ei enaid iddo deithio ar hyd yr A470 ddiffaith, treulio noson ddi-gwsg mewn sach-gysgu ar soffa galed, gul yn nhŷ blêr Rocky Roberts a dod yn ei flaen ar fore dydd Gwener glawog i'r hylltod brics hwn ar lan bae artiffisial, ym mhrifddinas ffuantus, fradwrus ei wlad druenus.

Roedd gwaeth i ddod.

'Casacstan?' holodd Gwyndaf yn hurt.

'Wyddet ti ddim taw'r Casacsteiniaid ddwgodd gontract *Basdas* 'ddarnoch chi?' ebe'r Prif Weinidog ac egluro nad chwaraewyr rygbi *bona fide* a heriai Gymru yn Stadiwm y Mileniwm y dydd Sadwrn cynt ond 'dirprwyeth o ddynon busnes Casacstani *in disguise*, yn whilo am fuddsoddiade o'r wlad hyn.

"Na shwt whalodd eu disgybleth miwn ffordd mor amhroffesiynol ddiwedd yr ail hanner ac enillodd Cymru mor rhwydd,' ebe'r gwleidydd. 'Diolch byth am 'ny! Meddylia mor ddiflas fydde colli i un o benbylied y byd rygbi.'

'Nhw enillodd odd'ar y cae,' meddai Gwyndaf yn chwerw.

'Falle taw e,' cydsyniodd y Prif Weinidog, 'ond paid becso am *Basdas*. Caiff Ffatri Wlân Cwmbrwynog ail frathiad ar y geiriosen.'

'Un geiriosan rhwng hannar cant o weithwyr,' cwynodd Gwyndaf.

'Bydd hon yn mega-ceiriosen, gwboi,' haerodd y Prif Weinidog. 'Anferth. Aruthrol. Enfawr. Ffatri Wlân Cwmbrwynog fydd canolbwynt y datblygiad twristaidd mwya welodd Gogledd Cymru 'ddar i Edward y Cyntaf godi Castell Caernarfon.'

Gofynnodd Gwyndaf pam na allai'r Cynulliad ddeddfu fod dyletswydd ar Gynghorau a chyrff cyhoeddus eraill i gyflenwi eu swyddfeydd â llenni, llieiniau a nwyddau cyffelyb a gynhyrchwyd yn lleol a mynnu bod lifrai disgyblion yr ysgolion dan eu rheolaeth o'r un gwneuthuriad.

'Hyd yn oed pe bydde'r pwere 'na 'da ni,' eglurodd y Prif Weinidog, 'fydde dim un parti'n y lle hyn yn cefnogi polisi sy'n mynd yn groes i egwyddorion masnach rydd, yn wrth-Ewropeaidd a falle'n hiliol. Mae dyddie diwydianne cynhyrchu wedi darfod yng Nghymru,' cyhoeddodd yn awdurdodol. 'Twristiaeth yw'r ffordd ymlaen i ni fel cenedl, gan gynnwys Cwmbrwynog. Paid siglo dy ben. Byddi di'n cytuno pan gwplith *Basdas* yn Casacstan a rhoi'r contract i rywle hyd yn oed tlotach. Byddi di'n diolch ifi, Gwyndaf.'

'Am be'n union?' holodd Gwyndaf yn sinigaidd.

'Am dy gyflwyno di i berchennog dege o westai, bwytai a chlybie yma'n y De sy'n erfyn ehangu – ecspando – 'i ymerodraeth i ranne eraill o Gymru. Shwt mae e'n bwriadu gneud 'ny? Weda i wrthot ti. Sheep-o-Rama. "Treftadaeth y Ddafad" yng Nghwmrâg Gorsedd y Beirdd a "Mê-Mê-o-Rama" yn un Bwrdd yr Iaith. *Theme park* i ddathlu cyfraniad y Diwydiant

Gwlân i fywyd Cymru. Fel y rhai ar safleoedd pylle glo a gweithie dur wedi caead. Ar hyn o bryd, mae'r bachan hyn, Arfon Jones, yn whilo lle i sefydlu'i fenter. 'Nas *Basdas* ffafar â ti, Gwyndaf. Allet ti ddim fod wedi dod 'ma ar adeg well. Ffona i Arfon nawr. Wedes i wrtho fe am ddisgwl galwad 'rôl ifi gael gair 'da ti, a thithe gytuno i ffurfio partnerieth 'da fe.'

'Tydw i ddim wedi cytuno!' protestiodd Gwyndaf.

'Nawr grinda arno i, gwboi,' sgyrnygodd y Prif Weinidog, a gwg yn aflunio'i wyneb golygus. 'Shwt bydde well 'da ti adel y swyddfa hyn? 'Da addewid o filiyne o arian y Cynulliad ac Amcan Un, neu 'da cic yn dy din a bygyr-ôl?'

'Wel . . .'

'Reit. Ffona i Arfon!'

Cododd y Prif Weinidog dderbynnydd y teleffon gwyn ar ei ddesg, gwasgu un o'i fotymau ac erchi i'w ysgrifenyddes roi caniad i 'Arfon Jones, *Guto's Bar-Brasserie & Casino*, Cwm Du Bach'. Gwenodd yn hynaws ar Gwyndaf. 'Paid dishgwl mor ddiflas,' meddai. 'Byddi di ac Arfon yn dod ymlaen fel Gareth Edwards a Barry John.'

'Ydi'r boi 'ma'n digwydd bod yn lysfab i Larry Parry sy'n Aelod Seneddol dros rwla'n y De 'ma?' gofynnodd Gwyndaf.

'Odi,' meddai'r Prif Weinidog. 'Wyt ti'n nabod e?'

''Mrawd i ydi o.'

'Dy frawd di?'

'Gwaetha'r modd.'

'Arfon Jones . . . Gwyndaf ap Siôn. Fe'n Sioni, tithe'n Gog . . . ?' meddai'r Prif Weinidog yn ddryslyd.

'Gymreigis i'n enw wedi imi symud efo Nhad i Gwmbrwynog, pan wahanodd o a Mam. Rhosodd 'mrawd yn Sowth efo hi.'

'Mae 'na'n ffantastig!' bloeddiodd y gwleidydd.

'Paid â chymryd dy siomi,' crechwenodd Gwyndaf – wrth i'r Prif Weinidog gael ei hysbysu y gallai siarad â Mr Arfon Jones.

'Bore da, Arfon!' llefodd y Prif Weinidog i enau'r ffôn. 'Ac mae'n fore da iawn yng Nghwm Du Bach a Chwmbrwynog heddi, on'd yw hi? . . . Pam Cwmbrwynog? Achos bo fi wedi penderfynu taw partner *Valleyboy Entertainment* yn Nhreftadaeth y Ddafad/Sheep-o-Rama fydd Ffatri Wlân Cwmbrwynog . . . Ie. Rwy'n deall bod tylwth 'da ti lan 'co . . . Mae'n flin 'da fi glywed 'na, Arfon, achos mae un ohonyn nhw'n digwdd bod 'da fi man hyn . . . Dyle fod cwilydd 'da ti weud shwt beth am dy dad dy hunan, Arfon, a dy frawd di yw e, ta p'un . . . Ie, Gwyndaf . . . Achos taw fe yw Prif Weithredwr y Ffatri . . . '

Roedd hi'n amlwg i Gwyndaf nad oedd ei frawd yn ymateb yn gadarnhaol i'r 'newydd da'. Tywyllwyd wyneb y Prif Weinidog gan guwch bygythiol. Ciliodd ei wên radlon fel heulwen haf o flaen storm. Fflachiodd mellt o'i lygaid wrth iddo daranu:

'Cia dy ben, Arfon! Rwy wedi grindo digon ar dy hen nonsens di . . . Na. Grinda di nawr arno i . . . Paid sôn am yr arian roddest ti i'r Parti. Cofia cyment o ffafre sy arnot ti i ni . . . Clyw. Nage ti yw'r unig ddyn busnes sy'n folon helpu, ac os na nei di fel rwy'n gweud, bydd dim gobeth 'da ti am sedd yn y Cynulliad heb newid dy secs! A naf i'n siwr cei di mo'r opereshon ar yr N.H.S.! . . . Nawr cia hi. So i'n mynd i adel i ddwli ideolegol dy frawd na dy ragfarne teuluol di'n stopo i i ddod â *world-class* swyddi i North Wêls. Felly, Arfon, pan gwrddwch chi, rwy'n erfyn bo chi'n shiglo llaw, anghofio cwerylon y gorffennol a whado bant i lunio cynllun busnes deche. Mor gynted ag y bydd hwnnw ar 'nesg i, hala i bob o filiwn atoch chi . . . Feddyles i lecet ti 'na! Reit. Bydd Gwyndaf lan'co am gino. Treta fe i'r stecen ore s'da ti. Bore da!'

Trawodd y Prif Weinidog y derbynnydd i'w grud yn sarrug ond pan droes ei olygon at Gwyndaf ap Siôn roedd yn gwenu. 'Glywest ti 'na,' meddai. 'A glywest ti beth wedes i wrthot ti cyn'ny. Wyt ti am fynd lan i Gwm Du Bach am *chat* 'da dy frawd?'

''Sgin i ddewis?' gofynnodd Gwyndaf yn bwdlyd.

'Nag oes,' oedd ateb pendant y Prif Weinidog. ''Sdim lle yn y Gymru Newydd Gynhwysol i ffraeo a checru. Rhaid inni gyd-dynnu 'da'n gilydd – Gogledd-De, Cwmrâg-Di-Gwmrâg, Gwlad a Thre, Gwrywod a Menywod ac yn y blaen ac yn y blaen.'

Edrychodd y gwladweinydd ar ei watsh. 'Ac yn awr,' meddai gyda'i gwrteisi arferol, 'os gnei di'n esgusodi i, Gwyndaf, rwy'n gorffod mynd i fwrw penne cwpwl o ioncs yn ei gilydd – Lib Dem, Tori ac un o 'mhlaid i'n hunan.'

Cwm arall

Gadawodd Gwyndaf ap Siôn swyddfa'r Prif Weinidog yn gymysglyd iawn ei deimladau a pharodd y croestynnu rhwng siom a gobaith, pryder a hyder i'w hambygio gydol y siwrnai hanner awr o sglein llewyrchus y Brifddinas i foelni Cwm Du Mawr a Chwm Du Bach a llwydni eu strydoedd llwm. Ardal ddieithr ac anghyfarwydd i Gwyndaf, er mai yno y'i ganed.

Ymddangosai dyfodol Ffatri Wlân Cwmbrwynog yn ddiogel; ond byddai hwnnw'n dra gwahanol i'r un a ddeisyfai ef. A byddai gan ei frawd, o bob dihiryn yn y byd, ran yn llywio'r dyfodol hwnnw. Arfon afradlon, anonest, wrth-Gymreig, wrth-gymdeithasol. Dyna sut y cofiai Gwyndaf ei lipryn main, anghynnes o frawd mawr pan oedd hwnnw yn ei arddegau, ac yn ymweld yn flynyddol â Chwmbrwynog. Ond rhaid ei fod wedi newid. Ac er gwell. Y Gymraeg oedd iaith ei sgwrs ef â'r Prif Weinidog. Ac oni ddywedodd hwnnw ei fod yn ddyn busnes llwyddiannus ac yn berchennog degau o westai, bwytai a chlybiau? Ystyriai'r Prif Weinidog ef yn aelod posib o'r Cynulliad Cenedlaethol. Roedd y Blaid Lafur yn llawn joc o rapsgaliwns, wrth gwrs, ond go brin y byddent mor hurt, neu mor llygredig, â dyrchafu un o'r rheini i'r fath amlygrwydd. Ond hyd yn oed os oedd Arfon wedi ymbarchuso ac yn cael ei ystyried yn un o golofnau cymdeithas, ac er bod amser yn esmwytháu pob cur, ni allasai fod wedi anghofio'r tro diwethaf y bu yng nghwmni ei frawd bach.

Llanwyd meddwl Gwyndaf ag atgof byw am yr achlysur hwnnw, dros ddeuddeng mlynedd yn ôl, ar derfyn arhosiad olaf Arfon yng Nghwmbrwynog. Eu tad, Jac, yn cyhuddo ei fab hynaf, gyda thystiolaeth ddiymwad, o hwrjio cyffuriau i blant a phobl ifainc y pentref. Arfon yn derbyn dilysrwydd y cyhuddiad yn hollol ddigywilydd a diedifar. Jac yn colli ei limpin ac yn colbio'r llanc yn ôl a blaen o un pen i gegin y tŷ cyngor i'r llall. Bwrdd a chadeiriau'n dymchwel. Llestri'n malurio. Gwyndaf yn ymbil ar ei dad i roi'r gorau i ddyrnu Arfon. Jac yn dal ati'n ddidrugaredd nes i Arfon gipio twca o lanast o gyllyll, ffyrc a theilchion llestr a thrywanu braich ei dad. Gwaed yn llifo. Arfon yn bytheirio bygythiadau i ladd Jac. Gwyndaf yn cydio mewn padell ffrio gopor, drom a fu yn y teulu ers cenedlaethau ac yn waldio corun ei frawd gyda'r fath nerth nes i hwnnw roi sgrech arswydus a chwympo'n anymwybodol ar deils y gegin.

Go brin fod Arfon wedi anghofio'r ergyd honno. Llai fyth ei fod wedi maddau i'r sawl a'i trawodd. Ond oni bai am ymyrraeth Gwyndaf, gallasai fod wedi treulio'r rhan fwyaf o'r deuddeng mlynedd diwethaf dan glo am dad-laddiad. Efallai mai'r gnoc dyngedfennol honno a ddaeth ag ef at ei goed ac efallai y byddai'n ddigon o ddyn i werthfawrogi'r gymwynas? Nid felly, a barnu'n ôl ei ymateb cyntaf i gais y Prif Weinidog i drefnu aduniad teuluol yn *Guto's Bar-Brasserie & Casino*. Ogof hŵrs a lladron, heb os nac oni bai. Cyw a fagwyd yn uffern oedd Arfon Jones, hyd yn oed petai ei blu fymryn twtiach a glanach erbyn heddiw.

Siomwyd Gwyndaf ap Siôn ar yr ochor orau ar y ddau gyfrif. Y dafarn oedd yr unig adeilad graenus mewn stryd o dai diolwg, capel wedi ei fandaleiddio a dwy siop wedi cau a'r dellt a guddiai eu ffenestri yn graffiti hiliol a rhywiol drostynt.

Un o hen dafarnau mawreddog Cymoedd y De oedd *Guto's*; adeilad a godwyd ar ddiwedd y bedwaredd ganrif ar bymtheg i groesawu a lletya'r trafeiliwrs – 'reps' yn yr iaith gyfoes – a heidiai i'r ardal i gyflenwi siopau, masnachdai, gweithfeydd a mân-ddiwydiannau â'u hamryfal nwyddau. Buasai'r lle wedi dirywio i gyflwr addoldai a siopau'r gymdogaeth oni bai i'r perchennog ei atgyweirio i ddiwallu anghenion adloniant yr oes.

Y rhedwr chwedlonol o ffermdy cyfagos Nyth Brân oedd y Guto a goffeid yn enw'r dafarn, fel yr amlygai'r murluniau trawiadol ar barwydydd gwyngalchog y prif far; darluniai'r rhain rai o gampau'r gwron a'i farwolaeth annhymig. Roedd y stafell yn gysurus lawn a gweinyddion a gweinyddesau diwyd yn ymwau rhwng y byrddau pan droediodd Gwyndaf ei charped coch, trwchus a seiniau cerddoriaeth glasurol ysgafn yn ei glustiau. Safodd, er ei waethaf, i edmygu'r olygfa. Efallai y byddai ei frawd afradlon yn bartner busnes teilwng o Ffatri Wlân Cwmbrwynog wedi'r cyfan?

'Bore da, brawd!'

Torrodd llais anghyfarwydd ar ei synfyfyrio a throdd Gwyndaf i weld pwy a'i cyfarchodd. Canfu ŵr talgryf â wyneb main, ychydig dros ei ddeg ar hugain, a wisgai siwt o frethyn llwyd golau a chrys *beige* ffasiynol, di-goler a chadwyn aur denau am ei wddf. Adnabu Gwyndaf y dieithryn er nad oedd fawr ddim tebygrwydd rhyngddo a'r weiren gaws mewn crys-ti budr a jîns rhacslyd a welsai ddiwethaf yn gorwedd yn ei waed ar lawr cegin 26 Glan Crafog. Roedd gan hwnnw fwng seimlyd. Moelwyd pen *mine host* gan farbwr yn achub y blaen o flwyddyn neu ddwy ar drefn natur.

Parodd greddf gyntefig i Gwyndaf gau ei ddyrnau wrth iddo holi: 'Arfon?'

Agorodd hwy wrth i'w frawd gamu tuag ato dan estyn ei law dde a gwenu'n gyfeillgar.

'Ie, Gwyndaf. Shwt 'yt ti ers ache?'

'Go lew,' ebe Gwyndaf wrth iddynt ysgwyd llaw.

'Rwy'n sobor o falch o dy weld di,' meddai Arfon a dal ei afael yn llaw ei frawd, 'er bo fi bownd o fod wedi swno'n gas pan wedodd Curly wrtho i bo fe am inni fod yn bartneried. Sioc oedd hynny. Ond ddealles i fel oedd e'n siarad bod hyn yn gyfle anhygoel i ddod â ni at ein gilydd fel teulu a gneud lot fawr o arian 'run pryd. Lecet ti weld y lle hyn? Gwd. Af i â ti rownd a wedi 'ny gewn ni damed o gino. Addawes i wrth Curly celet ti'r stecen ore'n y Cymoedd.'

Tywysodd Arfon ei frawd o amgylch y dafarn gyda balchder. Canmolodd yntau, yn hollol ddiffuant, y graen ar yr holl gyfleusterau. Nid oedd popeth a welai at ei ddant – nid oedd Gwyndaf ap Siôn yn giamstar ar hapchwarae na dawnsio disgo – ond cymeradwyai'r dewis helaeth o gwrw casgen a photel a geid ym mhob un o'r bariau.

'Yr unig drueni bod ti wedi galw 'ma heddi, Gwyndaf,' meddai Arfon wrth iddynt ddychwelyd i'r *bar-brasserie*, 'yw bod y wraig, Danielle – y drydedd yw hi, gyda llaw, rhag iti ddodi dy droed ynddi rywbryd – wedi gorffod mynd i sorto cwpwl o brobleme'n yr *Health & Beauty Centre* s'da ni tsha Ynys-y-Bol. *Beautician* oedd hi cyn priodi, t'weld. Mae'r plant, Angharad Savannah a Rhys Phoenix, yn yr ysgol, wrth gwrs. Ysgol Gynradd Gymraeg Llyn y Widdon, byddi di'n falch o glywed. Nid jest am yr Iaith, cofia. Ma hi fel ysgol breifet ond bod ti ddim yn gorffod talu *fees*. 'Na ble'r es i. A tithe, wrth gwrs, nes aeth Dad â ti lan y Gog.'

Tywysodd Arfon ei frawd at fwrdd neilltuol, rhwng y byrddau eraill a drws y gegin. Er bod lle i chwech hwyliwyd ef ar gyfer dau. ''Co'r *Captain's Table*,' chwarddodd Arfon. 'Ishte.'

Daeth un o'r gweinyddesau ifainc atynt ac wedi i Arfon archebu'r 'stecen ore'n y tŷ' a pheint o S.A. i'w frawd, ynghyd ag omlet, salad a photelaid o ddŵr byrlymus iddo ef ei hun, difrifolodd ei olwg ac meddai:

'Mae dau bwnc ar y ford, brawd, hyd y gwela i. Busnes a'r Teulu. P'un lecet ti drafod gynta?'

'Busnas,' atebodd Gwyndaf ar unwaith. 'Dyna pam des i yma.'

'Gwd,' cydsyniodd Arfon. 'Gwed wrtho i shwt mae hi tsha'r Ffatri 'co. Beth yw'r probleme, a'r potensial?'

Amlinellodd Gwyndaf hanes diweddar y Ffatri Wlân a'r argyfwng a achoswyd gan benderfyniad anffodus *Basdas*. Yna disgrifiodd Arfon hyd a lled a dyfnder ei deyrnas fasnachol ef. Gwnaeth hynny'n ffeithiol a diymffrost ond buan y sylweddolodd Gwyndaf fod ei frawd yn ddyn cefnog iawn. Yn filiwnydd, o bosib. Yn frogarwr pybyr hefyd – cysylltid y rhan fwyaf o'i wahanol fentrau ag arwyr lleol, e.e. cwmni arlwyo *Nye's Bytes*, *Sweaty Betty's Traditional Welsh Curry House*, a chlwb i hoywon, *The Queen George*.

'Sut gythral llwyddist ti gystal, Arfon?' holodd Gwyndaf gan ddodi darn o gig eidion gwaedlyd, eithriadol o dyner a blasus, yn ei geg.

'R'yn ni'n dod at faterion teuluol nawr,' meddai Arfon gydag ochenaid. 'Rown i bach yn wyllt pan own i'n grwt, Gwyndaf . . . '

'"Bach yn wyllt"?' adleisiodd Gwyndaf gyda gwên eironig.

'Gwyllt ar y diain!' cyfaddefodd Arfon. 'Ti'n cofio'r noson ola bues i lan 'co?'

'Be ddigwyddodd?' meddai Gwyndaf yn ddryslyd, fel petai'r digwyddiad yn angof ganddo.

'Bwrest ti fi ar 'y mhen 'da ffrimpan i'n stopo i ladd 'rhen Jac.'

'Do wir?'

'Shgwl. Ma lwmpyn yn dala 'na ,' ebe Arfon gan wyro'i ben a phwyntio at chwydd a ystumiai sffêr loyw, lefn ei gorun.

'Ydi,' meddai Gwyndaf yn ddiniwed ond nid heb deimlo balchder. 'Fu'r warrog yn rhyw fath o drobwynt yn dy fywyd di, Arfon?'

'Do,' atebodd Arfon. 'Nas e fi'n waeth. Bob tro bydden i'n gneud rhywbeth dwl neu ddiflas a chael llond pen 'da Mam a Larry, byddwn i'n beio ti. A Dad. 'Na shwt bu dim Cwmrâg rhyntoch chi a fi odd'ar 'ny tan nawr. Beth 'nas Dad, t'weld, oedd 'nghlwmu i draed a dwylo, dreifo lawr i Gwm Du Bach a fi'n y bŵt, dympo fi ar stepen drws Mam a mynd 'nôl tsha thre heb esbonio beth ddigwyddws. Coeliodd hi a Larry bopeth wedes i amdanoch chi. Anwiredd, gan mwya.'

Tawodd Arfon a sipian llymaid o ddŵr. ''Naf i iawn iti am 'na, Gwyndaf,' meddai. 'Mae'n bryd dod â'r cweryl i ben, ac i ti a Mam fod yn ffrindie.'

'Ydi,' cydsyniodd Gwyndaf, dan deimlad.

Aeth Arfon Jones yn ei flaen: 'Ro'n i fel anifel,' addefodd. 'Adawes i'r Ysgol Gyfun heb ddim cymwystere pan ges i'n ecspelo am bwno'r Prifathro a gwrthod ymddiheuro'n Gwmrâg. Nago'n i'n becso. O'n i isws yn ennill arian net yn gwerthu Ganja ac *E's* boutu'r lle. Wedi 'ny dechreues i witho fel bownser miwn clybie, dwgyd ceir *to order*, a smyglo alcohol a baco o Ffrainc. Bues i'n cwrt sawl gwaith a dod bant yn rhydd neu â dirwy fach bob tro achos bod Larry shwt bytis â'r Polîs a'r Ynadon i gyd yn y Parti. Ond boutu wyth mlynedd yn ôl, bues i miwn *smash* ddifrifol. Ges i loes ofnadw, Gwyndaf. Gwaeth na chael 'mwrw ar 'y mhen 'da ffrimpan, hyd yn oed! O'n i wedi bod yn ifed, wrth gwrs, a bydden i wedi cael fy hala i lawr am gwpwl o flynydde tase Labordy'r Heddlu tsha Caerdydd heb golli'n sample gwaed a phisho i.'

'Fus di'n lwcus,' sylwodd Gwyndaf.

'Sobor,' meddai ei frawd gyda gwên. 'A nagoedd y ffaith bod Larry'n *Opposition Home Office Spokesman* ar y pryd ddim byd i neud 'da fe! Ha ha ha! Ta p'un. Ddysges i 'ngwers a phenderfynu mynd yn *legit*. Gyda tamed o help gan y Swyddfa Gymreig, y WDA a'r Cownsil cyn i'r Nashis gymryd e drosodd, rwy wedi bildo'r busnes lan fel bo fi miwn safle digon cysurus nawr i arbed Ffatri Wlân Cwmbrwynog rhag mynd i lawr y *Mersey*.'

'Grêt,' meddai Gwyndaf mor frwdfrydig ag y gallai. 'Sut wyt ti'n meddwl gneud hynny?'

Gan addasu cynlluniau a fu ar y gweill ganddo ers amser ar gyfer y sefyllfa benodol a ddisgrifiwyd gan Gwyndaf, amlinellodd Arfon ei weledigaeth o bentref gwyliau lle y dethlid cyfraniad y Ddafad i hanes Cymru a'i diwylliant – llên, drama, cerddoriaeth, crefydd, athroniaeth, mabolgampau a gastronomeg.

Y Ffatri Wlân fyddai canolbwynt y datblygiad, er na fyddai'n cynhyrchu ar raddfa ddiwydiannol, mwyach, dim ond carthenni, siacedi a chapiau tebot traddodiadol ar gyfer y fasnach dwristaidd. Adeilad pwysig arall fyddai'r *Brwynog Arms*. Byddai'r Consortiwm newydd yn prynu tafarn y pentref gan y Saeson ac yn ei throi'n westy pum seren gyda bwyty gwych â lle anrhydeddus i gig oen ar ei fwydlen. Nid nepell o'r gwesty, yng nghlwb nos *Y Ddafad Gorniog*, byddai digrifwyr doniolaf y Genedl yn diddanu cynulleidfaoedd gyda jôcs am ddefaid a serch cynhenid y Cymro cyffredin atynt. Ar gwr y pentref ceid stadiwm â chyfleusterau i gynulleidfa o 10,000 wylio treialon cŵn defaid a gornestau cneifio bob dydd o'r flwyddyn, yn ddiddos dan do.

'Mae o'n gynllun uchelgeisiol iawn,' meddai Gwyndaf yn gwrtais a chymryd joch o gwrw i guddio'i deimladau.

Cymaint oedd brwdfrydedd Arfon fel na sylwodd ar lugoeredd ei frawd. 'Dim ond y cam cynta yw 'na,' meddai'n eiddgar. *'Phase One . . .'*

'Be fydd *Phase Two*?' holodd Gwyndaf.

Closiodd Arfon ei ben at Gwyndaf dros y bwrdd. 'Dere 'ma,' meddai'n gyfrinachol gan amneidio ar i'w frawd wneud yr un modd. 'Mae hyn yn *hush-hush*, cofia. *Top Secret*. Cwbwl gyfrinachol. *For your ears only*. Neb i gael gwbod am sbel. Hyd yn oed Curly . . .'

'Neb i gael gwbod be?' gofynnodd Gwyndaf yn chwilfrydig.

'Sex Tourism,' murmurodd Arfon o gil ei geg.

Dododd Gwyndaf ei law ar ei dalcen a syllu i'w gwrw am ysbaid hir.

'Puteiniaeth?' meddai'n anghrediniol pan gododd ei ben a syllu gyda dirmyg i lygaid ei frawd.

'Nage ddim, Gwyndaf,' atebodd Arfon yn hyderus. 'Rwy wastod wedi cadw'n glir o'r math yna o beth.'

'Be 'ta?' heriodd Gwyndaf.

Edrychodd Arfon o'i amgylch yn ochelgar. 'Defed,' meddai'n dawel.

'Defaid!' ebychodd Gwyndaf.

'Aisht!' gorchmynnodd Arfon, 'Neu weda i ddim rhagor wrthot ti. Reit. Grinda nawr. Mae bwlch yn y farced yn sgil yr ofan mae AIDS yn hala ar bobol, a'r ffordd mae gwledydd fel Thailand yn clampo lawr ar *paedophiles*. Rwy'n cefnogi 'na gant y cant. Sbadden i'r diawled heb *anaesthetic*! Ond bydd rhaid i'r moch fynd i rywle i joio. Pam ddim Cymru? Pam ddim Cwmbrwynog? A pham ddim defed? OK. Mae'n erbyn y gyfreth yn awr, ond gallwn ni newid 'na pan fydd 'da'r Cynulliad hawlie deddfwriaethol. Falle bydd probleme ar y dechre 'da'r RSPCA a crancs fel'ny, ond bydd dim lle 'da nhw i gonan mor belled â bod *qualified vets* 'da ni i ofalu am y "merched", a bod nhw'n cael digon o laswellt a dŵr glân i hifed. Pe byddet ti'n ddafad, ble bydde ore 'da ti ddiweddu lan? Brothel neu barbeciw?'

Teg edrych tua Phrestatyn

Gwrthododd Gwyndaf gynnig ei frawd o lety noson yn *Guto's*, fel y gallai ddod i adnabod ei chwaer-yng-nghyfraith, ei nith a'i nai; eglurodd fod dyletswydd arno i adrodd yn ôl ar unwaith i'w bobl yng Nghwmbrwynog ar ei drafodaethau gyda'r Prif Weinidog ac Arfon a'r datblygiadau cyffrous ac annisgwyl a ddeilliai ohonynt.

O fewn ychydig funudau iddo adael maes parcio'r dafarn, stopiodd Gwyndaf y 4x4 mewn cilfach ar fin y ffordd a cheisio cysylltu â Sulwen trwy gyfrwng eu teleffonau symudol. Clywodd Saesnes yn gofyn iddo adael neges pe mynnai. Gadawodd un gwta a ffonio Brethynfa.

'Helô, Gwyndaf! Sut ath hi?' holodd Mrs Lowri Huws yn anarferol o hwyliog.

'Reit dda,' atebodd Gwyndaf. 'Ga i air efo Sulwen? Ffonis i neithiwr. Gafodd hi'n negas i?'

'Tydi Sulwen ddim yma, cofiwch, Gwyndaf,' ymddiheurodd Mrs Huws. 'Mae hi wedi mynd i Fetws-y-coed i aros hefo'i Hanti Bet, a tydw i ddim yn ei disgwl hi'n ôl tan nos Sul. Welith hi chi'n y Ffatri bora Llun medda hi.'

'Ga i rif ffôn y fodryb 'ma gynnoch chi?' gofynnodd Gwyndaf.

'Toes gini hi'r un, Gwyndaf,' meddai Mrs Huws. 'Na telefision, weiarles, e-bost na dim. Rêl meudwy, cofiwch. Hen ferch drosd ei phedwar igian ac yn graig o arian. Dalith i Sulwen fynd i'w gweld hi bob hyn a hyn.'

'O,' meddai Gwyndaf yn siomedig. 'Wela i. Wel. Os na fydd Sulwen yn ôl tan nos fory, mi a' i i Brestatyn, i neud dipyn o waith ar 'y nhraethawd.'

'Dyna chi 'ta, Gwyndaf,' meddai Mrs Huws fel petai'n awyddus i ddod â'r sgwrs i ben. 'Welwn ni chi ddydd Llun. Ta ta rŵan.'

Diffoddodd Gwyndaf ei ffôn a syllu'n synfyfyriol drwy ffenest y car ar y clytiau rhedyn rhydlyd ar y llechwedd gwelw y tu draw i'r cwm. Ni chlywsai Sulwen na'i mam yn sôn erioed am y fodryb gefnog o Fetws-y-coed. A oedd wedi synhwyro rhyw dinc od yn llais Lowri Huws wrth iddi sôn amdani? Na. Beryg iawn ei fod ef yn priodoli i Lowri ei euogrwydd ef ei hun; dyn oedd am arwain cymuned oedd wedi ymddiried ei dyfodol i'w ofal i bartneriaeth gyda gwleidydd di-ddal a blaidd o frawd mewn croen dafad.

Taniodd Gwyndaf yr injan a gyrru i lawr y Cwm tua'r A470. Byddai bwrw'r Sul ym Mhrestatyn yn fodd iddo anghofio, am ychydig oriau, fod traddodiad naw canrif o wehyddu masnachol yng Nghwmbrwynog yn dirwyn i ben.

Pennod 9

I Wlad y Saeson

Cafwyd mymryn o anghydwelediad rhwng y fam a'r ferch ben bore trannoeth cyn i Sulwen gychwyn am Lundain. Mynnai Sulwen wisgo'r siwt fusnes las tywyll, ddestlus a'r crys gwyn a fyddai amdani'n feunyddiol yn y Ffatri tra gresynai ei mam nad oedd wedi dewis diwyg mwy *feminine* ar gyfer ei chyfweliad â Llewelyn C. Price IV a bod ei defnydd o golur yn orgynnil.

'Dwi'n siŵr basa Mr Roberts yn cytuno efo fi tasa fo yma,' honnodd Mrs Huws.

'Y dylwn i fynd i weld Mr Price yn edrach fel hŵr?' oedd ateb dirmygus Sulwen.

'Lle dysgist ti araith mor hyll?' ceryddodd y fam. 'Gobeithio nad wyt ti'n dechra mynd yn *feminist*, fel Mrs Roberts Gweinidog.'

'Dwi'n mynd fel fi fy hun a dyna ben arni!' mynnodd Sulwen.

A hynny fu.

Ychydig wedi dau, ar ôl pum awr yn y trên a thri-chwarter awr mewn tacsi, cyrhaeddodd Sulwen ben ei thaith, Alfayed Gardens, yn ardal foethus a ffasiynol Kensington. Camodd o'r cerbyd a'i chael ei hun mewn rhodfa lydan a rhes o goed praff o'i phoptu, yn wynebu ei gilydd. Ar y naill ochr i'r ffordd safai tai mawr, crand a'u mynedfeydd wedi eu gwarchod gan reilins dur, peintiedig; ar y llall, mur uchel o briddfeini cochlyd. Bylchid honno ger y fan y disgynnodd Sulwen o'r tacsi gan bâr o glwydi llydan ac adeilad deulawr o'r un deunydd â'r wal. Ar dalcen yr adeilad hwnnw ffurfiai brics melyn y geiriau *The Lodge*.

Gan ddilyn cyfarwyddyd Gerallt O'Toole, aeth Sulwen at ddrws y loj a gwasgu'r botwm *Visitors* ar y panel electronig a osodwyd ar ffrâm y drws. Fel y gwnaeth hynny, agorodd y clwydi mawr, du yn ddistaw a disymwth, sïodd *limousine* arian gyda ffenestri tywyll drwyddynt a chaeodd y clwydi ar ei ôl. Sylwodd Sulwen ar y faner ddieithr ar un o esgyll y cerbyd a'r plac *CD* (*Corps Diplomatique*) ar ei gwt.

'How may I help you?' holodd llais o'r panel electronig.

Eglurodd Sulwen pwy ydoedd a beth oedd ei pherwyl, agorwyd drws y loj a chamodd hithau i stafell a ymdebygai i gyntedd gwesty bychan, dethol, gyda dau swyddog diogelwch mewn lifrai frown golau y tu ôl i'r ddesg. Croesawodd yr hynaf o'r rhain hi'n gwrtais a'i hysbysu fod ei gyfaill, oedd â derbynnydd teleffon wrth ei geg a'i glust, yn rhoi gwybod i staff Mr Price ei bod hi wedi cyrraedd.

Sylwodd Sulwen gyda pheth anniddigrwydd fod llawddrylliau mewn gweiniau ar ystlysau'r ddau. Ai mewn barics y trigai Llewelyn Price pan ymwelai â Llundain?

Ar wahoddiad y swyddog a'i cyfarchodd, eisteddodd Sulwen ar gadair esmwyth ledr ger un o'r byrddau isel a osodwyd hwnt ac yma. Ar y rhain gorweddai pentyrrau twt o newyddiaduron a chylchgronau – cyhoeddiadau safonol fel *The Times*, *The Financial Times*, *The Daily Telegraph* a'r *Spectator* a rhai cyffelyb mewn Siapaneg, Arabeg a phrif ieithoedd Ewrop. Teimlai Sulwen ei bod ar drothwy byd gwahanol iawn i'r un yr oedd hi'n gyfarwydd ag ef.

Ychwanegwyd at anesmwythyd Sulwen gan ddihidrwydd y ddau swyddog o'i phresenoldeb. Roedd sylw'r hynaf yn gyfan gwbl ar sgrin ei gyfrifiadur tra teipiai ei fysedd chwim adroddiad neu fantolen; gwyliai'r llall gonsol o sgriniau teledu cylch-cyfyng.

'Be dwi'n neud yn y fath le?' meddyliodd Sulwen. 'Bradychu Gwyndaf, dyna be,' atebodd rhyw Sulwen arall. 'Naci, naci, naci! Jest dŵad i weld be fedar Llewelyn Price neud i'n helpu ni. Pam na fasat ti wedi ffonio Gwyndaf 'ta? Pam na nei di rŵan? Am basa fo'n mynd o'i go. Mae o'n medru bod yn hollol bengalad ac afresymol pan fydd rhywun yn tynnu'n groes. Ac mae o mor ragfarnllyd yn erbyn Americaniaid. Yn enwedig Llew. Wel? Drycha o dy gwmpas! Toes gin Gwyndaf ddim lle i ama sut ddyn ydi Llew? A sut gylchoedd mae o'n troi ynddyn nhw?'

'Helô, 'rhen Sulwen! Sud wt ti? Gest ti siwrna go lew? Sud ma Cwmbrwynog? A sud ma dy fam?'

Torrwyd ar fyfyrion pryderus Sulwen gan gyfarchiad hwyliog Gerallt O'Toole. Ni fu'r ferch o Gwmbrwynog erioed yn fwy balch o glywed llais Cymraeg a gweld wyneb cyfarwydd. Neidiodd ar ei thraed a bu bron â chofleidio'r cawr cyfeillgar. 'Dwi'n reit dda, diolch yn fawr, Mr O'Toole,' meddai. 'Braidd yn ddiflas oedd y trên, roedd hi'n bwrw glaw pan adewis i ac mae Mam yn cofio atach chi.'

Cydiodd O'Toole yn ei llaw fechan, wen a'i siglo'n galonnog â'i ddwy bawen enfawr. 'Tyd,' meddai. 'A' i â chdi i Nymbar Êt. Ma Bòs wedi ecseitio'n lân bo chdi yma. Fel cid bach wedi clwad bod Santa Clôs yn dŵad i' dŷ o'n sbeshal!'

Cadarnhawyd teimlad Sulwen o fod mewn garsiwn ar ôl gadael y loj gyda Gerallt O'Toole, a chael ei hun mewn buarth petryal, rhyw dri chan llath o hyd a channllath o led. Amgylchynid y buarth gan bedwar mur uchel a warchodai ddwsin o blastai trillawr, Sioraidd eu pensaernïaeth a wnaed o fricsen winau. Roedd tri o'r tai â'u cefnau at y mur ar yr ochr chwith i'r loj, tri ar y dde a chwech yn cefnu at y mur a'u hwynebai.

Nid setiau pafin, fel mewn barics, a orchuddiai'r llain ganolog ond lawnt cyn wyrdded a chyn llyfned â bwrdd biliards, a llwybr o gerrig mân llwyd yn ffrâm o'i hamgylch. Ond fel mewn barics, roedd milwyr yn gwarchod y brif fynedfa. Dim ond dau, mae'n wir, mewn lifreiau brown golau fel rhai'r swyddogion yn y loj, yn sefyll â gynnau ar eu cefnau ger y giatiau.

Dychwelodd anesmwythyd Sulwen. 'Pam bod 'na sowldiwrs yma, efo gynna, Mr O'Toole?' holodd.

'Am bod y byd yn llawn o rafins sy isio gneud drwg i bobol dda fel Bòs,' esboniodd ei chydymaith. Pwyntiodd yn groesgongl dros y lawnt. 'Tŷ dwytha ond un yn rhes bella ydi tŷ ni,' meddai.

Fel y siaradai, ymddangosodd *Porsche Boxter* du o dwnnel oedd â'i safn lydan ar gwr y lawnt, gyferbyn â'r clwydi. Agorodd y rheini ohonynt eu hunain, aeth y car drwy'r adwy dan chwyrnu'n dawel a chaeasant ar ei ôl.

'Oes 'na garij o dan y lawnt?' holodd Sulwen.

'Oes,' atebodd O'Toole, 'A siopa, tŷ byta pum seran, lle trin gwallt a *gym*. Fan'no ma Bòs rŵan. Ond mae o'n gwbod bod chdi yma.'

Roedd drws ffrynt 8 Alfayed Gardens gymaint â drws capel sylweddol. Agorodd Gerallt O'Toole ef o ddegllath gydag allwedd electronig a hebrwng Sulwen i mewn i gyntedd eang, golau a grisiau carpedog coch, yn esgyn ar letraws o'i ganol. Dringasant y grisiau i'r llawr cyntaf lle y tywyswyd Sulwen drwy ddrysau dwbl gwyn i lolfa ac iddi ddwy ffenestr fawr yn edrych dros y lawnt.

Pren pinwydd caboledig oedd llawr y lolfa gyda charped Persiaidd lliw hufen, cain ei batrwm gwinlliw, yn cuddio decllath sgwâr o'i ganol. Prin oedd y dodrefn: soffa a thair cadair esmwyth o ledr dugoch, bwrdd coffi â'i wyneb marmor o'r unlliw, teledydd yr oedd ei sgrin yn ddigon llydan i wasanaethu sinema fechan a dwy gadair Louis XV o boptu i'r ddwy ffenestr.

Cyn daweled â rhith, ymddangosodd merch Asiaidd mewn lifrai morwyn Ffrengig – ffrog ddu, gwta a chapan a ffedog wen. Cariai hon hambwrdd arian a lluniaeth arno: *bagel*, caws hufennog, eog wedi ei fygu a gwydraid o win gwyn. Moesymgrymodd y forwyn yn gynnil, amneidiodd Gerallt O'Toole ei foddhad, moesymgrymodd y wasanaethferch eto a gadael y stafell.

'Siŵr bo chdi ar lwgu, del,' meddai Gerallt O'Toole wrth Sulwen.

'Ges i fechdan a phanad ar y trên,' meddai Sulwen.

'Ma hwn dipyn gwell na bechdan a phanad,' meddai'r

Gwarchodwȓ. 'Stedda a bwrw iddi. Raid ichdi'n esgusodi i rŵan. Ond wela i chdi cyn ichdi fynd. Fydd Bòs ddim yn hir.'

'Fydd Miss di Chianti efo fo?' holodd Sulwen.

'Na fydd,' meddai O'Toole dan siglo'i ben. 'Gafodd hi haff-dê. Ond ma 'rhen Myf yn cofio ata chdi. Hwyl, cyw. Enjoia'r sgram.'

Disgwyliodd Sulwen i Gerallt O'Toole adael y stafell cyn edrych o'i chwmpas. A rhyfeddu at y moethusrwydd chwaethus a'i hamgylchynai. Dechreuodd y rhyfeddod droi'n banig a chymerodd Sulwen lymaid o'r oerwin i'w leddfu. Torrodd damaid o'r wicsen Iddewig a'i ddodi yn ei cheg. Mmm. Bendigedig. Cofiodd am y picnic ger Ogof Twm Siôn Cati. Cofiodd hyfrydwch heulog a phrudd-der yr achlysur.

Bwytaodd ac yfodd Sulwen fel petai ar lwgu. Gwnâi hynny'n hytrach na meddwl am y cyfwng a ddaeth â hi i le mor estron a'r hyn y disgwyliai ei mam iddi ei gyflawni cyn ymadael. Byddai i unrhyw ymrwymiad a wnâi neu a wrthodai effeithiau pell-gyrhaeddol ar ddegau o deuluoedd Cwmbrwynog. Ac arni hi'n bersonol . . .

Gynted ag y gorffennodd y pryd dychwelodd y pryder a'r euogrwydd. Temtiwyd Sulwen i ffonio Gwyndaf. I godi ac ymadael ar unwaith.

Cododd – a cherdded o amgylch y stafell. Tybiai fod chwaeth y sawl a'i cynlluniodd yn cyfuno ceidwadaeth nad oedd yn henffasiwn â moderniaeth nad oedd yn slâf i ffasiynoldeb. Roedd y paentiadau ar y parwydydd – rhyw hanner dwsin – yn gyfarwydd. Gweithiau'n perthyn i'w hoff ysgol arlunyddol, yr Argraffbaentwyr. Craffodd Sulwen ar y llofnodion. Manet, Monet, Utrillo. Copïau ardderchog. Rhai eithriadol o dda. Neu . . . o ystyried popeth a welsai yn 8 Alfayed Gardens hyd yn hyn, gallai'r rhain fod yn weithiau gwreiddiol. 'Dos adra, Sulwen bach. Naci. 'Rhosa. Paid â bod yn gymaint o fabi. Mae hynny'n well na bod yn dan din. Mynd yng nghefn Gwyndaf a chytuno . . . Toes dim rhaid ichdi gytuno i ddim. Cytuno nei di. Rwyt ti mor wan a di-asgwrn-cefn. Dos rŵan, tra medri di, Sulwen!'

'Sulwen! Rydw i mor falch o'ch gweld chi! Maddeuwch imi

am beri ichi aros cyhyd. Sut ydych chi?'

Rhy hwyr! Roedd o yma! Llewelyn C. Price IV! Yn y cnawd!

Trodd Sulwen a gwegiodd ei phengliniau pan ganfu'r cyfalafwr carismatig wedi ei wisgo fel yr oedd ddiwrnod y picnic – crys polo sidan lliw hufen a siorts cotwm treuliedig, llaes – ond bod sandalau am ei draed yn awr ac nid esgidiau cryfion. Safai'r Biliwnydd gan wenu'n fachgennaidd a phelydrau'r haul prynhawnol a lifai drwy'r ffenestri mawr yn goreuro gwallt ei ben a'r manflew ar ei freichiau a'i goesau cyhyrog.

'O. Dwi'n iawn, diolch. Sut ydach chi? Llew?' atebodd Sulwen gan guddio'i nerfusrwydd orau gallai wrth iddynt ysgwyd llaw.

'Yn well o lawer o'ch gweld chi, Sulwen. Wedi cyhyd o amser. Eisteddwch.'

Eisteddodd y ddau ar y soffa ledr ac aeth y Biliwnydd bonheddig rhagddo'n bwrpasol: 'Toes ganddon ni ddim llawer o amser, mae arna i ofn,' meddai. 'Mi fydda i'n hedfan i Mosco o fewn ychydig oriau i drafod pryniant maes olew enfawr sy newydd ei ddarganfod yn Siberia. Mater llai pwysig nag achub Ffatri Wlân Cwmbrwynog ond bydd gofyn imi ddarllen tomenni o adroddiadau ac astudio ystadegau dirifedi cyn cychwyn.'

'Diolch yn fawr ichi, Llew, am 'ngwadd i yma, a chitha'n ddyn mor brysur,' meddai Sulwen a hynawsedd yr Americanwr yn ennyn hyder ynddi.

'Byth yn rhy brysur i dreulio orig yng nghwmni un yr ydw i mor ddyledus iddi. Yn enwedig a minnau'n awr yn gallu ad-dalu peth o'r ddyled honno. Alla i ddim dweud wrthych chi, Sulwen, pa mor falch yr ydw i eich bod chi wedi dewis derbyn cynnig ICAC i brynu Ffatri Wlân Cwmbrwynog. Rydw i'n deall, wrth gwrs, fod y drefn wedi newid acw, ac mai pleidlais fwyafrifol y gweithlu a'r cyfranddalwyr eraill fydd yn penderfynu tynged y busnes, ond os byddwch chi'n gefnogol, dydw i ddim yn meddwl y bydd gan unrhyw wrthwynebydd obaith o gario'r dydd.'

'Sori, Llew, ond tydw i ddim wedi penderfynu'n bendant y naill ffor na'r llall eto,' meddai Sulwen a sôn wrtho am y sgwrs ffôn a gawsai Gwyndaf gyda'r Prif Weinidog. Eglurodd sut y gallai'r ddau fod yn trafod cynlluniau i ddatrys problemau'r Ffatri y munud hwnnw.

Duodd wyneb golygus Llewelyn Price. 'Mae hyn yn siomedig iawn, Sulwen,' meddai. 'Mi ofynnais i O'Toole esbonio wrth eich mam nad oedd unrhyw ddiben ichi ddod yma i 'ngweld i heddiw, heblaw gwastraffu amser prin y ddau ohonom ni, oni bai eich bod chi'n derbyn, o wirfodd calon, fy nghynnig o briodas rhwng ICAC a Ffatri Wlân Cwmbrwynog.'

'Peidiwch â beio Mr O'Toole,' meddai Sulwen. 'Mi nath o hynny, dwi'n siŵr, ond bod Mam heb ddeud wrtha i. Am ei bod hi'n gwbod yn iawn na faswn i fyth yn dŵad yma dan y fath amoda. Rydw i yn ddiolchgar ichi am eich cynnig, Llew, am eich diddordab yn y Ffatri, a'ch awydd i helpu. Ond rhaid imi fod yn deg efo Gwyndaf a chlwad be fydd y Prif Weinidog wedi'i addo iddo fo cyn deud sut y bydda i'n annog pobol i bleidleisio ar y matar.'

'Mae gen i syniad beth fydd cynnig y Prif Weinidog i'ch Prif Weithredwr,' meddai Llewelyn C. Price IV â miniogrwydd nas clywsai Sulwen o'r blaen yn ei lais. 'Cyfleoedd i weithlu'r Ffatri ailhyfforddi ar gyfer swyddi nad ydynt yn bod – yn lleol, o leiaf – neu i deithio dros y ffin i chwilio am gyflog. Mewn geiriau eraill, oes o segurdod i'r mwyafrif a dedfryd o farwolaeth ar gymuned Gymraeg arall.'

'Bosib bo chi'n iawn, Llew,' meddai Sulwen yn gymodlon.

'Wrth gwrs 'mod i'n iawn!' taranodd yr Americanwr awdurdodol gan osod ei ddwy law ar ysgwyddau Sulwen a'u gwasgu'n dynn.

'Peidiwch, Llew! Rydach chi'n fy mrifo i,' achwynodd Sulwen.

'Dim llai na'ch haeddiant chi, 'ngeneth i!' meddai'r cyfalafwr cythruddedig. 'Sut gall dynes mor ddeallus fod mor . . . mor . . . *stoopid*?'

'Ddes i ddim yma i gael 'yn insyltio,' protestiodd Sulwen a chychwyn codi.

Sodrodd Llewelyn Price hi'n ôl ar y soffa a'i herio gyda'r geiriau: 'Sut y gall beirniad llenyddol mor dreiddgar fod mor gibddall ei hymateb i deimladau pobol eraill? Eu teimladau nhw ati hi?'

'By . . . by . . . by . . . be 'dach chi'n feddwl?' holodd Sulwen yn grynedig, er ei bod yn gwybod yr ateb, yn ei ofni ac yn dyheu am ei glywed.

'Be rydw i'n feddwl, Sulwen . . . ' ebe Llewelyn Price dan guchio ac oedi'n ddramatig ar ganol brawddeg.

'Ia . . . ?' crygodd Sulwen.

Gwenodd yr Americanwr. Tywynnodd ei wyneb fel haul y bore'n codi dros gopa Moel y Bwncath gan ddifa caddug y nos â'i belydrau cynnes, caredig.

'Be rydw i'n feddwl, Sulwen,' meddai Llew yn dyner, 'ydi 'mod i'n dy garu di. 'Mod i wedi dy garu di er pan welais i di gynta. 'Mod i'n tybio nad ydi dy deimladau di ata i yn hollol anghariadus. Ydw i'n iawn?'

'Nag ydach, Mr Price,' meddai Sulwen mor sdowt ag y gallai. 'Be nath ichi feddwl ffasiwn beth? Dda gin i monoch chi, ylwch!'

'O!' ochneidiodd Llewelyn Price a chuddio'i wyneb â'i ddwylo. 'Rydw i wedi gneud andros o ffŵl ohonof fy hun.'

Tynnodd Sulwen ddwylo'r Americanwr oddi ar ei wyneb ac meddai'n siriol, 'Naddo, Llew! Cogio 'o'n i. Dwi'n hoff iawn, iawn ohonach chi.'

Yna, heb feddwl am ganlyniadau tebygol y weithred – neu gan wrthod meddwl – tarodd sws fechan dwt ar ei wefusau.

'Teimlo'n well rŵan?' meddai'n ddireidus.

'Ydw, Sulwen!' udodd Llewelyn C. Price IV yn orfoleddus. Lapiodd ei freichiau praff amdani a thalu'r pwyth gyda chusan a fuasai wedi taro deuddeg ar Raddfa Richter. Trwy gorff lluniaidd Sulwen, o'i chorun cringoch hyd fodiau ei thraed, llifodd y gwres cyfrin y teimlasai ei lyfiad yn y goedwig ger afon Tywi ac yn y ddawns yn y *Brwynog Arms*. Carthwyd o'i meddwl ac o'i chalon yr ofnau a'r atalnwydau a'i poenydiai ddydd a nos er pan gyfarfu â'r gwryw golygus hwn. Suddodd Sulwen ei bysedd ym mwng euraid y Llew a'i gusanu'n wyllt. Ymlawenhaodd nwydau'r ddau yn eu rhyddid dilyffethair fel carcharorion newydd ddianc o gelloedd tywyll, tanddaearol.

Teimlai Sulwen ddwylo cryfion Llew yn crafangu siaced ei siwt fusnes las oddi ar ei chefn. Ac ni faliai. Datododd ei fysedd chwilgar fotymau ei chrys gwyn. Ac ni faliai. Rhwygodd y bronglwm oddi ar y bronnau bychain perffaith a chusanu'r melysion pinc a'u haddurnai. Ac ni faliai Sulwen fotwm corn.

Ond pan ddihatrodd Llewelyn Price ei grys polo sidan a'i siorts a phenlinio o'i blaen yn noeth ond am y trôns bychan, bach a ffrwynai ymchwydd arwrol ei wrywdod, gwingodd y wyryf wirion oddi ar ledr llithrig y soffa dan sgrechian:

'Naci, Llew!'

'Ie, Sulwen!' rhuodd y Llew, llamu oddi ar y soffa a chau ei ddyrnau fel dwy feis am ei garddyrnau.

Cwympodd Sulwen ar ei chefn ac am y filfed ran o eiliad teimlai Llewelyn C. Price IV fel eryr oedd ar fin plymio o'r entrychion ar ei brae diymwared. Ond nid ar feddalwch llwynau a bronnau merch ifanc y glaniodd y teicŵn tra serchus ond ar wadnau caled ei thraed. Ildiodd coesau Sulwen fymryn dan y pwysau cyn ymsythu fel sbring. Hyrddiwyd yr Americanwr deirllath drwy'r awyr a disgynnodd ar ei gorun ar y styllod gloywon.

Cododd Sulwen ar ei thraed ar amrantiad, yn barod am ymosodiad arall. Gwelodd ar unwaith nad oedd hynny'n debygol. Gorweddai Llewelyn C. Price IV, un o ugain dyn cyfoethocaf a mwyaf grymus y byd, ar wastad ei gefn, yn ddiymadferth, yn anymwybodol, a ffrwd fechan, gul o waed yn llifo dros ei wefus isaf.

Beth oedd hi wedi ei wneud?

'Be uffar wt ti wedi'i neud iddo fo?'

Adleisiwyd ei chwestiwn gan fytheirio Gerallt O'Toole a ruthrodd i mewn i'r stafell â dryll yn ei law a brasgamu at gorff llonydd ei feistr.

'Wt ti wedi'i ladd o'r sguthan!' gwaeddodd y Gwarchodwr. 'Wt ti wedi lladd Bòs! Be wt ti? Terorist! Ar dy fol ar lawr efo dy freichia a dy goesa ar led, yr ast!'

Atebodd yr eneth o Gwmbrwynog ei fygythiad yn herfeiddiol: 'I chdi lwyddo lle methodd dy fistar? Dim ffiars o beryg!'

'Seutha i chdi!' meddai O'Toole ac anelu ei ddryll ati.

Gorchmynnodd meddwl pŵl O'Toole iddo wneud hynny ar fyrder pan ganfu Sulwen Huws yn taflegru tuag ato wysg ei thraed. Fe'i parlyswyd gan syndod. A'r gosb oedd cic dan glicied ei ên ac un arall ynghanol ei fol.

I lawr ag O'Toole fel tunnell. Bwriodd y pinwydd â'i ben a dilyn ei feistr i fro breuddwydion.

Syllodd Sulwen gyda dirmyg ar y Goliath diymadferth a loriwyd mor rhwydd ganddi. Yna cofiodd gydag arswyd am ddyn mwy hawddgar a gawsai driniaeth gyffelyb.

Roedd Llewelyn Price yr un mor ddifywyd â phan edrychasai Sulwen ddiwethaf arno ond bod rhagor o waed wedi llifo o'i geg. Rhedodd Sulwen at y corff lluniaidd a phenlinio yn ei ymyl. Oedd o'n anadlu? Oedd ei galon yn curo? Pa ochr mae'r galon? Chwith? Dde? Palfalodd Sulwen y fynwes lydan, noeth. Dododd ei chlust arni. 'Run smic. Heblaw ei hanadlu arteithiol hi ei hun a'r igian a godai o waelod ei bod. Roedd o'n gelain. Hithau'n llofrudd. Wedi lladd y dyn anwylaf a'r mwyaf diddorol y cyfarfu ag ef erioed. Arwr a fuasai wedi achub Cwmbrwynog, Cymru, yr iaith Gymraeg a'r Byd. Efallai nad oedd yn rhy hwyr. Rhaid cael y fynwes hardd hon i anadlu eto. Rhaid cael y galon fawr i guro fel morthwyl ar engan. Pwylla, Sulwen. Meddylia. Gwersi Cymorth Cyntaf Mr Roberts Gweinidog. Cusan bywyd. Ia. Toes 'na ddim ond cusan bywyd amdani.

Llenwodd Sulwen ei hysgyfaint i'w heithaf, dododd ei gwefusau hi ar wefusau Llewelyn Price a chwythu anadl einioes i'w enau. Blas gwaed. Aeth ias wyrdroëdig drwyddi. Dim gwangalonni. Anadlu eto. Cusan. Anadlu eto. Cusan. Dro ar ôl tro ar ôl tro. Hyd nes y pallodd ei hanadl a'i hewyllys a phob gobaith o arbed einioes y gŵr a orweddai fel delw o'i blaen.

Llifai'r dagrau'n hidl i lawr ei gruddiau. 'Paid â marw, Llew!' ymbiliodd Sulwen. 'Plîs paid â marw! Dim jest i'n arbad i rhag cosb dwi'n ei llawn haeddu ond am bo chdi'n ddyn mor dda a bod Cymru d'angan di. Dwi d'angan di, Llew. Ond 'mod i wedi bod ofn cyfadda hynny i mi'n hun, hyd yn oed. O, Llew.

Fasa hyn ddim wedi digwydd taswn i wedi ildio i chdi ac i 'nyheada i'n hun. Ro'n i'n ormod o fabi. Er 'mod i isio bod yn un cnawd efo chdi yn fwy na dim byd arall dan haul. Am 'mod i'n dy garu di, Llew. Tasa'r alwad ffôn am Tada ddim wedi dŵad ar ganol y picnic . . . Tasa Gwyndaf a Mam a Mr Roberts a'r ardal i gyd ddim wedi bod yn 'yn llygadu ni'n Swper a Dawns y Capal.

'Roedd Ffawd yn 'yn herbyn ni, Llew. Fydd raid imi dderbyn 'y nhyngad a threulio gweddill 'y mywyd yn difaru ac yn hiraethu. Roeddwn i d'isio di mor ofnadwy, Llew. A d'ofn di'n ofnadwy hefyd. Un gusan arall. Un gusan ola, 'nghariad i, cyn imi ffonio'r polîs i ddŵad i fy nôl i. Os oes 'na fath beth â chyfiawndar yn llysoedd barn Prydain Fawr, mi ga i garchar am oes . . . '

Â'i dagrau'n llifo'n gawod hallt ar wyneb lluniaidd y trancedig, cusanodd Sulwen Huws ei wefusau gwaedlyd yn angerddol. Caeodd breichiau cryfion amdani.

'Waaa!' sgrechiodd Sulwen Huws a neidio ar ei thraed.

Agorodd 'y corff' ei lygaid mawr glas a chodi ar ei eistedd.

''Dach chi ddim wedi marw?' holodd Sulwen a'i goslef yn gymysgedd o ryddhad a chywilydd.

Rhwbiodd Llewelyn Price ei gorun. 'Ddim yn hollol,' meddai gyda gwên eironig. 'Er imi feddwl 'mod i, ac wedi mynd yn syth i'r Nefoedd. A rhyw angyles yn fy nghusanu i. Ac yn dweud y petha anwyla glywais i erioed.'

'O!' llefodd Sulwen a dodi ei dwylo dros ei hwyneb fflamgoch. 'Fedra i fyth sbio i'ch gwynab chi eto!'

Cododd Llewelyn Price ar ei draed gan rwbio'i ben. Tynnodd ddwylo Sulwen oddi ar ei hwyneb mor dyner ag y gwnaethai hi iddo ef gynnau. 'Sulwen annwyl,' meddai. 'Does 'na ddim cywilydd yn yr hyn ddywedaist ti pan feddyliaist ti 'mod i wedi gado'r fuchedd hon. Mwy na phan ddyweda i wrthyt ti yn awr 'mod i'n dy garu di â'm holl enaid ac â'm holl galon.'

Tawodd y Biliwnydd a syllu'n ddrygionus i'w llygaid gwyrddlas. 'Wrth gwrs,' meddai â thinc cellweirus yn ei lais, 'os wyt ti am dynnu dy eiriau'n ôl, fydda i ddim mor anfoneddigaidd . . . '

'O, na, Llew,' llefodd Sulwen, 'roeddwn i'n meddwl pob gair! Madda imi. Mi fûm i bron â dy golli di am byth wrth fod mor llwfr. Ac mor giaidd.'

'Mi fûm innau bron â dy golli di trwy fod mor fyrbwyll ac mor drwsgl,' ymddiheurodd Llew. 'Madda imi.'

Cofleidiasant ei gilydd ac roeddynt ar fedr selio'u cymod â chusan dyngedfennol pan glywsant ochenaid boenus Gerallt O'Toole yn dadebru.

'Gwatsha hi, Bòs,' rhybuddiodd y Gwarchodwr gan straffaglio i godi. Pwyntiodd yn gyhuddgar at Sulwen. 'Mae hi'n beryglus . . .'

Bu'r ymdrech yn ormod i'r cawr. Llithrodd yn ôl ar ei gefn a gorwedd yno gan anadlu'n drwm ac ochneidio.

'Be ddigwyddodd iddo fo?' holodd Llewelyn Price.

'Gafodd o'r gwyllt am be 'nes i i chdi a 'mygwth i efo'i wn. Es inna i dop catsh,' cyfaddefodd Sulwen yn swil. 'A . . . Wel . . .'

Trodd Sulwen ac ymddiheuro i Gerallt O'Toole a wnâi ymdrech fwy llwyddiannus i godi: 'Sori, Mr O'Toole.'

'Ymhle dysgaist ti ymladd fel yna?' holodd Llewelyn Price gan edmygu a rhyfeddu.

'Yn Festri Gommorah. Dosbarth Carate a Jwdo'r Parch. Culfor Roberts,' meddai Sulwen gan ychwanegu gyda balchder: 'Rydw i wedi bod yn bencampwraig Henaduriaeth Arfon a Meirionydd dan bump ar hugain dair blynadd yn olynol.'

'Sulwen Huws,' meddai Llewelyn Price yn angerddol. 'Heb os nac oni bai. Ti yw'r un i mi!'

'Dim rhyfadd bod Capeli'n mynd lawr os ydyn nhw'n dysgu petha felly i bobol ifanc,' cwynodd y Gwarchodwr gorchfygedig.

'O'Toole! Rwyt ti'n anobeithiol!' edliwiodd ei feistr.

'Welis i neb yn cwffio mor fudur!' protestiodd O'Toole. 'Dim fodan, o leia. Ches i ddim tshans gynni hi.'

'Dyna pam dy fod ti'n awr yn ddi-waith. A Miss Sulwen Huws yn cael dy swydd di!'

'Plîs paid â rhoid sac imi, Bòs!' ymbiliodd Gerallt O'Toole ar ei liniau o flaen ei gyflogwr.

'Dyna dy haeddiant, y penci plentynnaidd,' dyfarnodd Llewelyn Price. Syllodd yn ddilornus ar ei wasanaethydd darostyngedig am funud cyfan cyn lliniaru'r ddedfryd: 'Ond fe gei di un cyfle arall. Am un rheswm yn unig. Sef, fy mod i am gynnig swydd arall i Miss Huws. Cer yn ôl i dy genel a diffodd y camerâu teledu cylch-cyfyng. Rydw i am i'n trafodaethau ni ynglŷn â thelerau'r 'barchus, arswydus swydd' fod yn hollol gyfrinachol.'

'Diolch, Bòs! Nei di ddim difaru!' meddai O'Toole gan godi ar ei draed. Cydiodd yn llaw dde ei gyflogwr a chusanu'r rhuddem fawr ar y fodrwy ar ei fys canol.

'Dos!' gorchmynnodd Llewelyn Price. 'A chofia beth ddwedais i. Dim sbecio na chlustfeinio.'

'Be 'di'r swydd 'ma ydach chi am ei chynnig imi, Llew?' gofynnodd Sulwen gynted ag y gadawodd Gerallt O'Toole y stafell. 'Rwbath i neud efo'r Ffatri?'

'Nid yn uniongyrchol, Sulwen,' meddai'r cyfalafwr carismatig â'i wedd yn difrifoli. 'Doeddwn i ddim yn meddwl y meiddiwn i grybwyll y posibilrwydd, hyd yn oed, am fisoedd lawer. Ond oherwydd digwyddiadau rhyfeddol y munudau diwethaf . . . Yr hyn glywais i . . . Fy nheimladau i . . . dy deimladau di . . . Hynny yw . . . Be rydw i'n geisio'i ddeud, Sulwen, ei ofyn iti . . . ydi . . . Nei di 'mhriodi i?'

Er gwaethaf 'digwyddiadau rhyfeddol y munudau diwethaf', roedd Sulwen wedi ei syfrdanu. 'By . . . by . . . by? . . . Be?' mwngialodd.

'Nei di fod yn wraig imi?' gofynnodd Llewelyn Price a gwyleidd-dra anghynefin yn ei lais, ei wedd a'i osgo.

Cododd ton o ansicrwydd, amheuon, ofnau a rhwystredigaethau i annog Sulwen i beidio â bod yn fyrbwyll, gofyn am amser i feddwl, i ddod i nabod ei gilydd yn well . . .

Syllodd i fyw'r llygaid glas diffuant a threiodd llanw negyddiaeth.

'Gna, Llew. Mi prioda i di,' atebodd mor hunanfeddiannol â phetai'n derbyn gwydraid o win gwyn a soda.

Lapiodd y ddau gariad eu breichiau am ei gilydd a seliwyd y fargen â chusan eirias.

'O am aros ar dy fynwes, ddyddiau f'oes!'

Datseiniai'r geiriau a'r alaw ym meddwl Sulwen Huws ac yn ei chalon. Hyd nes y llaciodd Llew ei afael dan sisial yn ei chlust:

'Mae'n rhaid imi fynd a d'adael di cyn bo hir, 'nghariad i . . . '

'O, na!' erfyniodd Sulwen.

'Petawn i wedi gallu rhag-weld hyn, mi fyddwn wedi gofyn i Vladimir ohirio'r cyfarfod,' ymddiheurodd y teicŵn traserchus. 'Wiw imi fethu â chadw'r oed,' eglurodd. 'Gallai hynny effeithio'n andwyol ar gyflenwad olew'r Gorllewin am y deng mlynedd nesaf, yn ogystal â chyfranddaliadau ICACOil a'r Farchnad Stoc. Serch hynny, dydw i ddim am esgeuluso Ffatri Wlân Cwmbrwynog. Dyma beth wnawn ni, Sulwen. Ofynna i i Vladimir ddarparu gwarchodwr cyflenwol tra bydda i'n Mosco, ac fe aiff O'Toole â thi tua thre yn y car . . . '

Prifwyl ei breuddwydion

'Bardd Cadeiriol Eisteddfod Genedlaethol Bro Brwynog a'r Cylch yw "Bradwr"!' crochlefodd yr Archdderwydd. 'Os yw "Bradwr" yn y gynulleidfa, safed ef, neu hi, ar ei draed, neu ar ei thraed . . . '

Gwibiodd y llafn llifolau yn ôl a blaen dros wynebau disgwylgar y dorf nes canfod y gochen ifanc mewn gwisg wen, laes, wyryfol a safai dan wenu'n nerfus yng nghwr eithaf y Pafiliwn. Ffrwydrodd llawenydd y gynulleidfa'n storm o guro dwylo a banllefau fel mai prin y clywid yr Archdderwydd yn cymell Meistres y Ffrogiau a Phentrulliad Ynys y Cedyrn i hebrwng y bardd buddugol i'r llwyfan.

Mewn amrantiad, safai Eos Brwynog a'r Prifardd Culfor o boptu i Sulwen.

'Da iawn chdi, Sulwen,' meddai Mrs Huws wrth hulio'r Fantell Hud dros ysgwyddau ei merch. 'Fasa dy dad mor falch ohona chdi!'

'Mi ddeuda i wrtho fo'r tro nesa bydd'cw *séance* yn Gommorah, os nad ydi o'n gwbod yn barod,' addawodd Mr

Roberts wrth i'r tri orymdeithio tua'r llwyfan, drwy'r dorf enfawr oedd o'i cho'n lân am fod y Fantell Hud yn peri fod ffrog a dillad isaf Sulwen mor dryloyw â dyfroedd Nạnt y Llyffant ar ddiwrnod o haf.

Ni faliai Sulwen daten. Onid rhodd Duw oedd ei chorff ysblennydd? Ac felly, onid oedd y miloedd a'i chwenychai, yma yn y Pafiliwn ac o flaen setiau teledu drwy Gymru benbaladr a ledled y byd, diolch i S4C digidol, yn mawrygu gwaith ei ddeheulaw Ef?

I gymeradwyaeth loerig y gynulleidfa a seiniau 'I'm a Yankee Doodle Dan-din' cyraeddasant y llwyfan. Yno, cofleidiwyd Sulwen gan yr Archdderwydd Gwyndaf (ap Siôn) a fanteisiodd i'r eithaf ar ei hawl draddodiadol, yn rhinwedd ei swydd, i gusanu'r bardd buddugol, os oedd yn ei ffansïo ef neu hi, trwy wthio ei dafod mawr, coch, hyll i lawr ei chorn gwddf. Teimlodd Sulwen ei hun yn cyfogi. Brathodd dafod yr Archdderwydd. 'Reit 'ta'r ast! Rwyt ti wedi gofyn amdani!' gwaeddodd hwnnw. Gwthiodd Sulwen i'r Gadair, dodi gefynnau trymion am ei garddyrnau a'i fferau a lapio cadwyn ddur yn dynn am ei chorff. Ymlafniai Sulwen yn ffyrnig ond yn ofer yn erbyn brath y llyffetheiriau.

'Pasia dy gyllall fara imi, lad!' gorchmynnodd yr Archdderwydd wrth Geidwad y Cledd a chwyrlïo'r arf deufin, llachar uwch ei ben. Chwyddodd oernadau'r dorf yn symffoni fodernaidd, ddychrynllyd.

'Y Gwin yn erbyn y Byd! A oes heddwch?' nadodd yr Archdderwydd.

'Nac oes!' atebodd y lliaws ag un llais byddarol.

'Gwaith uwch Adwaith! A oes heddwch?'

'Nac oes!'

'Twll din pob Ianc! A oes heddwch?'

'Nac oes!'

'Trywaned y Bardd â Chledd yr Eisteddfod!' llefodd yr Archdderwydd a gweinyddu'r ddedfryd gydag arddeliad mileinig.

'Aaaa!' sgrechiodd Sulwen Huws wrth i'r dur wanu ei mynwes. Gwingodd a stranciodd ond nid oedd modd ymryddhau o'r rhwymau a'i caethiwai. Nac osgoi ergyd angheuol yr arf archdderwyddol . . .

'Aaaaa!'

Doethineb y Gwyddel

'Be sy, Sulwen?' holodd Gerallt O'Toole yn bryderus.

'Lle dwi? Lle dwi?' holodd Sulwen yn wyllt a cheisio crafangu'r gwregys diogelwch oddi am ei chorff.

'Yn car efo 'rhen Gerallt O'Toole, ar dy ffor adra,' eglurodd gwarchodwr Llewelyn C. Price IV. "Dan ni newydd fynd heibio Birmingham. Gysgis di am drosd awr. Be oedd? Hen freuddwyd cas?'

'Ia,' meddai Sulwen a'i chroes-ddweud ei hun ar unwaith. 'Naci. Jest teimlo rwbath yn cau amdana i. Pan ddeffris i, dim ond y gwregys diogelwch oedd o. Pryd cyrhaeddwn ni Gwmbrwynog, Mr O'Toole?'

''Mhen rhyw ddwyawr,' atebodd y gyrrwr a chiledrych yr un pryd ar wyneb gwelw'r ferch ifanc wrth ei ymyl. O'r olwg ofidus arno, gellid tybio ei fod yn ei chludo at bobl atgas yn rhywle ffiaidd. 'Sdopiwn ni am banad yn munud,' meddai.

Amneidiodd Sulwen gan syllu drwy'r winsgrin ar belydrau lampau'r Mercedes yn picellu'r nos a ruban du a gwyn y draffordd yn diflannu i grombil y car pwerus.

Roedd y *Services* a gyraeddasant ymhen ychydig funudau yn ferw gwyllt o gefnogwyr nifer o dimau pêl-droed yn lliwiau eu gwahanol glybiau yn bloeddio rhegfeydd a bygythiadau at ei gilydd ac at gwsmeriaid diniwed. Ni feiddiodd yr un llanc anystywallt herio Gerallt O'Toole a diolchodd Sulwen am ddiogelwch ei gwmni.

Wedi i O'Toole brynu cacen siocled bob un iddynt a photaid o goffi i'w rannu, tywysodd Sulwen at fwrdd *Dim Smygu*, dihwligan. Sipiodd y ddau eu coffi a bwyta eu cacenni am sbel hir heb dorri gair nes i'r Gwarchodwr holi'n garedig:

'Poeni am y cwarfod wsnos nesa wt ti 'te?'

Amneidiodd Sulwen â'i gwefusau wedi eu gludo'n ei

gilydd, fel petai arni ofn agor ei cheg.

'Fydd y gweithiwrs i gyd wrth eu bodda bo chdi wedi arbad eu jobsys nhw.'

'Wn i am un fydd ddim,' meddai Sulwen â thinc o gywilydd yn ei llais.

'Ap Siôn?' awgrymodd O'Toole. Amneidiodd Sulwen ac aeth yntau'n ei flaen yn ymosodol: 'Fydd gynno fo ddim llawar o le i gwyno. Geith gadw'i jòb, me' Bòs, a dyblu'i gyflog. Ne', os well gynno fo, uffar o ridyndansi da, a help i sefydlu'i gwmni ei hun. Bellad â bod hwnnw ddim yn ffatri wlân. Sy'n ddigon teg.'

'Gwobr gysur,' sylwodd Sulwen yn ddigalon.

'Be ti'n feddwl?' gofynnodd ei chydymaith.

'Wyddoch chi'n iawn be dwi'n feddwl, Mr O'Toole.'

'Dim clem, cyw,' maentumiodd Gerallt O'Toole.

'Mi dorrith Gwyndaf ei galon pan ddeuda i wrtho fo 'mod i'n mynd i briodi Llew.'

'Am sbel bach, ia?' cydsyniodd y Gwarchodwr. 'Ddaw jerro ato fo'i hun reit handi. Gei di weld.'

'Na, neith o ddim,' mynnodd Sulwen. 'Mae Gwyndaf yn hogyn sensitif iawn dan y brafado tŷ tafarn. Un teimladwy iawn ydi o. Hawdd iawn ei frifo. A dwi'n mynd i'w frifo fo'n ofnadwy.'

Sychodd Sulwen y dagrau a ddiferai o'i llygaid â'i napcyn papur. Gwasgodd Gerallt O'Toole ei llaw fechan ag un o'i rofiau blewog. 'Paid â chymryd atat, cyw,' meddai. 'Tydi'r boi 'ma, Ap Siôn, ddim yn werth y deigryn bach lleia.'

'Tydach chi ddim yn ei nabod o fel rydw i!' ffromodd Sulwen. 'Mae Gwyndaf yn hogyn annwl, meddylgar, cydwybodol ac anhunanol dros ben. Ac yn meddwl y byd ohona i a'r Ffatri a'r iaith Gymraeg!'

'Fasa Bòs ddim yn lecio dy glwad di'n siarad fel'na am y co,' meddai Gerallt O'Toole dan ei guwch. 'Gin ti dal dipyn o feddwl o Ap Siôn, felly?'

'Oes,' oedd ateb pendant Sulwen. 'Mae gin i. Ond rydw i'n gweld rŵan mai fel ffrind, neu frawd, hyd yn oed, rydw i'n ei garu o.'

Chwythodd Sulwen ei thrwyn ar y napcyn a beichio wylo: 'Ond nid felly mae Gwyndaf druan yn 'y ngharu i,' meddai. 'Mi dorrith ei galon, Mr O'Toole. Colli'r Ffatri a cholli'i gariad 'run pryd. Mae gin i ofn iddo fo neud amdano'i hun.'

'Os ydi o chwartar y boi wt ti'n ddeud ei fod o, fydd o ddim chwinciad yn ffendio rhywun arall,' awgrymodd O'Toole. 'Os nad ydi o wedi gneud hynny'n barod.'

'Sut medra fo?' meddai Sulwen. 'Tydi o ddim yn gwbod eto 'mod i wedi gorffan hefo fo.'

'Ella'i fod o wedi bod yn meddwl gorffan hefo chdi?' ensyniodd y llall.

'Peidiwch â siarad mor wirion, ddyn!' arthiodd Sulwen. 'Mae Gwyndaf wedi mopio'i ben yn lân hefo fi. Dwn i ddim sawl gwaith deudodd o wrtha i gymaint mae o'n 'y ngharu i ac isio inni briodi a magu llond Brethynfa o blant.'

'A fasa fo byth yn tŵteimio chdi?'

'Byth bythoedd! Beth bynnag ydi ffaeledda Gwyndaf, tydi anffyddlondeb ddim yn un ohonyn nhw,' haerodd Sulwen gan atodi'n hunanfeirniadol: 'Dyna pam dwi'n teimlo mor euog.'

'Fo ddyla deimlo'n euog,' ebe O'Toole.

'Pam? Be 'dach chi'n feddwl?'

'Clyw, Sulwen,' meddai Gerallt O'Toole a phob arlliw o wamalrwydd wedi cilio o'i lais ac oddi ar ei wyneb. 'Dwi'n mynd i ddeud rwbath wrtha chdi rŵan ddeudodd Bòs toeddwn i ddim i ddeud ar boen 'y mywyd . . . Ma Gwyndaf ap Siôn yn cael affêr . . . '

'Nac'di!'

'Efo ryw fodan o Brestatyn . . . '

'Tydi o ddim!'

'Pam basa fo'n mynd i le mor ddiffath bob yn ail *weekend*? Dwywaith dair yn 'rwsnos hefyd, weithia?'

'I studio ar gyfer M.A. mewn Astudiaetha Busnas.'

'Bogal ei ffansi ledi a chwrw *buckshee* ydi'r unig betha fydd Gwyndaf ap Siôn yn studio tua Prestatyn, 'nghariad i!'

'Tydw i ddim yn 'ych coelio chi!' gwaeddodd Sulwen ar dop ei llais gan dynnu sylw byrddaid o hwliganiaid nes i hylldrem O'Toole beri i'r anwariaid Seisnig droi eu golygon draw.

'Dyna pam ddeudodd y Bòs wrtha i am beidio sôn gair am fisdimanars dy Brif Weithredwr di,' eglurodd Gerallt O'Toole. 'Rhag ichdi feddwl bod ni'n pardduo Ap Siôn ran sbeit.'

'Dyna be 'di o!' llefodd Sulwen a chodi oddi wrth y bwrdd. 'Sbeit. Gwenwyn. Lladd ar Gwyndaf druan i 'nhroi i'n ei erbyn o. Cicio dyn a fynta ar lawr, Mr O'Toole. Rhag 'ych cwilydd chi! Dwi'n mynd yn ôl i'r car.'

Cododd O'Toole yntau. 'Ddo i hefo chdi, cyw,' meddai a'i dilyn o'r caffeteria. 'Gin i bapura yn car i brofi bod bob gair ddeudis i'n Efengyl.'

Wedi i Sulwen ac yntau ddychwelyd i'r car, eglurodd Gerallt O'Toole wrthi ei bod yn arferiad gan gorfforaethau fel ICAC gomisiynu adroddiadau gan ymchwilwyr proffesiynol ar fucheddau, cysylltiadau cymdeithasol a daliadau gwleidyddol pobl yr ystyrid eu penodi i swyddi cyfrifol.

Cyflwynodd wedyn i'w sylw adroddiad y Mri *Sam Spade Super Sleuth Services, Shotton – Confidential Private Investigators* ar Gwyndaf ap Siôn, Prif Weithredwr Ffatri Wlân Cwmbrwynog; yn enwedig y tudalennau'n ymwneud â'i ymweliadau mynych â thafarn arbennig ym Mhrestatyn, a'i berthynas â'r rheolwraig, Ms Gaenor Gronw, 40 oed, mam sengl â dau fab, Dafydd, 14, ac Elfed, 11.

'Y cythral bach dauwynebog!' hisiodd Sulwen wedi darllen yr adroddiad, yn anghrediniol i ddechrau ac yna'n fwyfwy llidiog. Cipiodd ei theleffon symudol o'i bag llaw Gucci dan fygwth. 'Geith o lond pen gin i!'

'Dal dy ddŵr,' cynghorodd Gerallt O'Toole. 'Gwadu neith o, os ffoni di o rŵan, a meddwl am stori glwyddog erbyn medri di herio fo i'w wynab. Gwitsha nes gweli di'r sgrwb. A'i rhoid hi iddo fo rhwng ei llgada heb iddo fo ddisgwl!'

'Ia. Dyna be 'na i,' meddai Sulwen â dur yn ei llais. 'Diolch yn fawr iawn ichi, Mr O'Toole. Dwi'n edrach ymlaen at y cwarfod yna rŵan.'

Pennod 10

Yng nghrombil y *Peithon*

Wedi siwrnai bedair awr ddiflas arall o'r De, cyrhaeddodd Gwyndaf ap Siôn *Y Peithon Piws* yn ystod yr egwyl fwyn honno rhwng prysurdeb y prynhawn a chyffro'r hwyr. 'Hwn ydi'r lle rydw i wedi bod hapusa yn'o fo'n 'y mywyd,' meddyliodd.

Dyna ymateb ei synhwyrau i oleuo cynnil y bar hir, cerddoriaeth ei hoff fand, *Anweledig*, ar yr uchelseinydd, clebar hwyliog dyrnaid o weithwyr swyddfa'n ymlacio ar ôl biwrocratiaeth y dydd, arogleuon cwrw, mwg baco a thân coed yn gymysg â chwa arall nad oedd ond Gwyndaf, hwyrach, yn ei dirnad – chwys ysgafn, benywaidd a phersawr ffres, blodeuog y dafarnwraig oedd â'i phwys ar y bar yn troi dalennau'r *Echo*.

Torrwyd gwallt tywyll Gaenor Gronw yn fachgennaidd gwta. Gwisgai grys chwys a theits duon am fynwes a morddwyd llydan a gwasg gul ac roedd dapiau duon am ei thraed. Gellid tybio mai dawnswraig ydoedd; *salsera*, nid *ballerina*.

Am ysbaid hir, safodd Gwyndaf ger y drws yn mwynhau perffeithrwydd y foment, hyd nes i Gaenor deimlo pwysau ei edrychiad arni a chodi ei phen. Llonnodd ei hwyneb. 'Helô, dyn diarth!' llefodd a hedfan at Gwyndaf.

'Pam na fyddet ti wedi deud bod ti'n dod?' holodd Gaenor Gronw rhwng cusanau.

'Prysur. Diawledig o brysur!' achwynodd Gwyndaf.

'*So what's noo, kiddo?*'

'Dwi wedi cael deuddydd uffernol,' meddai Gwyndaf a'i freichiau'n dynn amdani. 'A mae 'na ragor ar y gorwal.'

'Eistedd di ar un o'r stolion ene,' gorchmynnodd y dafarnwraig a dychwelyd y tu ôl i'r bar. 'Dolltith Anti Geini beint iti, a gei di fwrw dy fol.'

'Ydi dy lysh di gynddrwg â hynny?' cellweiriodd Gwyndaf wrth ufuddhau.

'Llai o'r *cheek* ene neu fyddi di allan ar dy din!' chwarddodd Gaenor gan bwmpio peint o gwrw brigwyn i wydryn ac arno enw Gwyndaf dros lun o'r Ddraig Goch. Gosododd y ddiod o'i flaen a gorchymyn: 'Rŵan. Deud wrtha i be sy'n dy boeni di.'

Traethodd Gwyndaf yn huawdl am dros chwarter awr ar 'frad *Basdas*' a'i ganlyniadau dybryd, gan oeri ei lwnc a phoethi ei rethreg bob hyn a hyn gyda joch o'r hylif gwinau. Terfynodd ei bregeth gan led-obeithio y byddai ymyrraeth y Cynulliad a'i frawd, Arfon, yn arbed y Ffatri rhag difodiant ac yn diogelu parhad y gymuned a ddibynnai arni.

'Mae'n ddrwg calon gen i, 'rhen goes,' meddai Gaenor Gronw a fu'n gwrando'n astud ac a'i gwyliai yn awr yn clecio gweddill y gwydraid ar ei dalcen. 'Peint arall?'

'Dyna i gyd s'gin ti i ddeud?' holodd Gwyndaf a siom yn ei lais. 'Ddrwg calon gin i, 'rhen goes. Peint arall'?'

'Allwn i ddeud lot mwy, 'nghariad i,' meddai'r dafarnwraig, ei hwyneb yn caledu a'i llygaid yn culhau.

'Fel be?' heriodd Gwyndaf.

'Fel, toedd dim rhaid i rywun ddarllen y *Financial Times* bob dydd i weld y galle rhwbeth fel hyn ddigwydd,' atebodd Gaenor yn ddigyfaddawd. 'A base'n well gen i llnau'r toilets ar y Prom 'cw nag ennill 'y nhamed yn gwadd pyrfyrts o bedwar ban byd i Gwmbrwynog i ffwcio defed. Ond tydw i ddim yn lecio dy weld di wedi dy frifo a dy siomi, Gwyndaf. Gen i ormod o feddwl ohonot ti, ac o barch at be wyt ti wedi bod yn dreio'i neud, i fasajo halen i'r briw. Cym beint arall. Anghofia'r holl hen bethe diflas sy ar dy feddwl di am chydig a mwynha dy hun. Fydd heno'n un o'r nosweithie gore rioed yn y *Peithon*. Dwi'n disgwyl giang o dy ffrindie di i mewn. Staff Ysgol Gyfun Gymraeg Tesco Treffynnon.'

Nid oedd gan Gwyndaf mo'r stumog na'r ewyllys i daeru. Gan ddiolch nad *Basdas* oedd biau'r ysgol, ufuddhaodd i orchymyn ei feistres ac ni fu'n edifar ganddo. Roedd yr athrawon, a ddathlai ddyrchafiad Pennaeth yr Adran Hanes i ofalaeth y cownter cig, yn griw difyr a'u cwmni'n cynnig sawl math o therapi i enaid briw eu cyfaill: slotian, jôcs, tynnu coes, gornestau pŵl, darts a chlecio peintiau, canu cynulleidfaol di-emynau ('Moliannwn', 'Fflat Huw Puw', 'Bing Bong Be' etc) a Charioci Clasurol Cymraeg (Hogia Llandegai, Bryngwran a'r Wyddfa, Dafydd Iwan ac Edward, et al.).

Sylwodd nifer o'i gyfeillion nad oedd Bonso'n sincio peintiau gyda'i awch arferol. Mynegodd rhai bryder am gyflwr ei iechyd tra cyhuddodd eraill ef o Ddirwestiaeth. Beiodd Gwyndaf ei gymedroleb ar 'strès' a blinder ei siwrnai o'r De. Mewn gwirionedd, roedd am wneud tegwch â'r wledd o rywioldeb cariadus, iach a'i harhosai yng ngwely Gaenor Gronw wedi stop-tap, a blasu, llyfu, byseddu, swmpo a dobio'r arlwy heb atalnwyd alcoholaidd.

Cafodd Gwyndaf ap Siôn ei wala a'i weddill y noson honno a deffro'n gynnar fore trannoeth gan deimlo fel gog ar gocên. Wrth ei ymyl gorweddai Gaenor yn cysgu'n sownd a gwên fodlon ar ei hwyneb. Gwenodd Gwyndaf yn ôl arni a sleifio o'r gwely. Gwisgodd amdano'n ddistaw a mynd i lawr y grisiau o'r fflat i'r barrau. Yno, bu wrthi am dros awr yn clirio llanast, golchi gwydrau, newid casgenni ac ailstocio silffoedd. Yna gwnaeth frecwast o dost, marmalêd a the i Gaenor ac yntau a dychwelyd i'r llofft.

Wedi brecwast a thamaid o fath arall, cododd Gwyndaf a gwisgo am yr eildro, a Gaenor gydag ef y tro hwn. Aeth hi i'r gegin i wneud brecwast i'w meibion, Dafydd ac Elfed, a Gwyndaf i'r *Cash & Carry* i nôl cyflenwad o greision, cnau mwnci, sigaréts ac ati.

Mynnodd Gaenor fod Gwyndaf yn cymryd hoe wedi iddo ddychwelyd a threuliodd yr awr rhwng hanner dydd ac un yn gwawdio *Dail y Post,* bob yn ail â chael ei gythruddo gan y rhacsyn, ac yn chwarae pŵl gyda Dafydd ac Elfed. Eifftiwr oedd tad yr hynaf a Sais oedd tad y llall ond roeddynt ill dau'n

Gymry o ran iaith a theyrngarwch ac yn trin Gwyndaf fel brawd mawr yn hytrach na darpar lystad. Ar ôl cinio, aeth y tri i weld Prestatyn yn chwarae yn erbyn Locomotiv-Llanbêr yn Uwch-gynghrair Cymru. Sgoriwyd wyth gôl mewn gêm gyffrous a ddiweddodd yn gyfartal.

Roedd pob nos Sadwrn yn dymor lladd nadroedd yn *Y Peithon Piws*. Byddai Gwyndaf yn mwynhau ei hun lawn cymaint yn cydweithio â Gaenor a'i chynorthwywyr y tu ôl i'r bar, gan sgwrsio a chellweirio gyda'r cwsmeriaid, ag y byddai'n llymeitian yr ochr arall iddo. Aeth y ddau i'r gwely'n hwyr iawn ac wedi ymlâdd ar ôl gorffen clirio a bu eu caru'n llai egnïol na'r noson flaenorol, ond yr un mor serchus.

Deffrodd Gwyndaf fore Sul gan deimlo fel Osian ag un droed yn Nhir na n-Og a'r llall yn ei wlad ei hun. Gorweddodd ar wastad ei gefn am hir, yn myfyrio ar yr annifyrrwch a'i hwynebai yng Nghwmbrwynog. Synhwyrodd yn y man fod Gaenor yn effro hefyd.Trodd ati gan ddweud:

'Dwi am godi a'i throi hi am adra. Gin i lot i neud cyn fory.'

'Dos 'te,' meddai Gaenor.

Syllodd Gwyndaf arni'n syn. Synnodd yn fwy fyth pan welodd fod dagrau'n llifo i lawr ei gruddiau.

'Be sy, cyw?' holodd yn faldodus.

'Dim byd!' gwaeddodd Gaenor gan droi ei chefn ato a thynnu'r *duvet* at ei chorun.

'Oes mae 'na,' meddai Gwyndaf. 'Deud be.'

Cododd Gaenor ar ei heistedd a chlywodd yntau wirioneddau a datganiadau a newidiodd gwrs ei fywyd.

'Dwi wedi cael llond bol ar hyn, Gwyndaf,' meddai Gaenor Gronw. Crynai ei llais ac roedd ymylon ei llygaid duon yn goch gan ddagrau.

'Ar be?' holodd Gwyndaf yn ddryslyd. 'Be dwi wedi'i neud?'

'Be wyt ti'n mynd i neud,' ebe Gaenor.

'Be ydw i'n mynd i neud?'

'Mynd. Mynd o'ma. Mynd a 'ngadel i. 'Dan ni wedi cael cwpwl o ddyddie ffantastig efo'n gilydd. A'r hogie hefyd. A rŵan rwyt ti'n mynd. Tan tro nesa byddi di'n teimlo fel jwmp . . . '

'Nid felly mae hi,' taerodd Gwyndaf yn hunanamddiffynnol.

'Felly mae hi i mi,' llefodd Gaenor. 'A dwi 'di cael llond bol, Gwyndaf. 'Sgen ti ddim syniad sut bydda i'n teimlo ar ôl penwsnos fel hyn. Diawledig. Uffernol. Dene sut.'

'Be fedra i neud, Gein? Ma raid imi fynd . . . '

'Dewis. Dyna be fedri di neud. Rhwng Ffatri Wlân Cwmbrwynog a'r *Peithon Piws*. Rhwng Sulwen Huws a fi.'

'Tydi 'mherthynas i a Sulwen ddim byd tebyg i'n perthynas ni,' haerodd Gwyndaf.

'Bod hi'n ferch y bòs, a gallet ti golli dy jòb taset ti ddim yn ei swcro hi, oedd yr esgus cynta. Wedyn, base'r fenter gydweithredol yn colapsio tasech chi'n ffraeo. Wel tydw i ddim yn dy gredu di. Wyt ti jest yn lecio cael dwy ddynes ar y go 'run pryd.'

'Tydw i rioed wedi cysgu efo Sulwen,' taerodd Gwyndaf yn Glintonaidd.

'Mae gynni hi ryw afel arnat ti,' meddai Gaenor. 'Ac os wyt ti eisie dod 'nôl yma eto, mae'n rhaid iti dorri'r gafel ene. Pan weli di hi nesa, dwi isio iti ddeud wrthi amdanan ni'n dau, a'n bod ni'n mynd i briodi . . . '

'Dyma'r tro cynta i mi glwad am hynny,' meddai Gwyndaf a'i dymer yntau'n poethi.

'Jest deud nene wrthi fyddi di. Ond dwi isio iti ddeud hefyd, a'i olygu o, bod ti a fi am fynd yn bartneried i brynu'r lle yma ac am ddechre teulu efo'n gilydd.'

'Be am y Ffatri? 'Nghyfrifoldab i at y gweithwyr a'r gymuned?'

'Tydw i ddim yn gofyn iti dorri dy air iddyn nhw. Gei di ddal ati yno nes bydd y fenter un ai wedi cael ei thraed dani neu wedi mynd i'r gwellt cyn i ti ddod yma'n llawn amser. Ond rhaid iti ddewis bod yn bartner bywyd efo fi o'r munud yma. Neu fynd a byth gweld 'yn gilydd eto. Ddeuda i wrthi hi, os wyt ti'n ormod o gachwr.'

Ceisiodd Gwyndaf ffalsio'i hun o'r cyfwng. Gwylltiodd hynny y dafarnwraig yn saith gwaeth a'r diwedd fu i Gwyndaf ap Siôn adael y *Peithon Piws* dan gwmwl niwclear, gyda'r dillad, y cryno-ddisgiau a'r geriach arall o'i eiddo oedd wedi ymgasglu yno yn ystod ei gyfathrach â Gaenor Gronw mewn bagiau plastig, wedi iddi hi fygwth lluchio'r cwbl i'r môr.

Y Tad a'r Mab

Roedd gan Jac Jones fwy o fol a llai o wallt na'i fab ond roeddynt yn debyg iawn, fel arall, o ran pryd a gwedd a chorffolaeth; dau stwcyn cydnerth gyda phen fel ffwtbol ar ysgwyddau llydain.

Eithr y gagendor ideolegol rhyngddynt oedd anferth; Jac yn Llafurwr rhonc, yn Brydeiniwr balch a Gwyndaf yn Genedlaetholwr Cymreig pybyr. Ffurfiwyd bydolwg faterol a sinigaidd Jac yn rhengoedd y Fyddin Brydeinig ac Undeb y Glowyr, sefydliadau pur wahanol i Gymdeithas yr Iaith Gymraeg a Phlaid Cymru, lle y meithrinwyd delfrydiaeth obeithiol Gwyndaf.

Byddai llawer o'u dadleuon ffyrnicaf ynglŷn â 'Byddin Lloegar/*The British Army*' a'i gwaith yn 'ymyrryd mewn gwledydd erill i gadw'r bobol dan draed ac Imperialaeth ar i fyny/cadw'r heddwch rhwng anwariaid sy ddim ffit i reoli'u hunain, gwaetha'r modd'. Yn ystod yr ymrysonfeydd hynny, byddai Jac yn datgan diolch i Fyddin Prydain Fawr am 'dair blynedd ora 'mywyd i, ac am 'nysgu i edrach ar 'yn ôl 'yn hun, a ddyla chditha neud 'run fath, washi; oni bai am y flwyddyn fus i'n gorpral yn y *Catering Corps*, faswn i byth wedi medru bod yn dad ac yn fam ichdi.'

Y bore Sul hwnnw, pan gyrhaeddodd Gwyndaf adref ar ôl ymweld â Chaerdydd a Chwm Du Bach a dychwelyd *via* Prestatyn, roedd ei dad yn gwneud defnydd o un o'r sgiliau a feistrolodd fel aelod o'r Gatrawd Arlwyol.

'Jest y boi dwi isio'i weld,' meddai a thaten yn un llaw a chyllell yn y llall, pan frathodd Gwyndaf ei ben i mewn i gegin fach 26 Glan Crafog i hysbysu ei dad ei fod yn nacyrd ac am fynd i orwedd ar ei wely am rai oriau.

'Dim nes byddi di wedi deud wrtha i am y busnas 'ma efo *Basdas* a be sy'n debyg o ddigwydd,' gorchmynnodd Jac a glywsai'r newydd drwg gan ysgrifenyddes Gwyndaf, b'nawn dydd Iau, ac am ei gyfarfod gyda'r Prif Weinidog pan aeth at Sulwen, yn syth bìn, i fynnu, fel swyddog undeb, rhagor o wybodaeth ynglŷn â'r argyfwng.

Disgrifiodd Gwyndaf y bygythiad i barhad y Ffatri Wlân a'r modd y gobeithiai ei oresgyn gyda chymorth y Cynulliad; ond heb ddatgelu i Jac mai ei fab afradlon ei hun oedd y 'dyn busnas o'r Sowth' a fyddai'n bartner yn y fenter ar ei newydd wedd, nac ychwaith fwriad y Samaritan hwnnw i sefydlu canolfan dafad-buteinio o safon a bri rhyngwladol yng Nghwmbrwynog.

'Fydd pentra gwylia'n well na dim byd,' oedd sylw dilornus Jac Jones. 'Jobsys dros dro'n talu cyfloga bach. Llnau toilets, twtio *chalets* a wêtio, yn lle gneud petha.'

'Beiwch y Blaid Lafur na fedar ei bòs hi gynnig dim byd gwell,' gwrthymosododd Gwyndaf.

'Haws gin i dy feio di am wrthod cynnig yr Ianc hwnnw,' atebodd ei dad yn sarrug.

''Dach chi'n galw'ch hun yn sosialydd ond well gynnoch chi drystio cyfalafwr estron na'ch cydweithwyr chi'ch hun,' meddai Gwyndaf yn flin.

'Siŵr dduw,' chwarddodd Jac yn ddirmygus. 'Am 'mod i'n nabod y bygyrs yn well na chdi. Tydi gweithwyr ddim isio rhedag eu busnas eu hunain a wastio'u hamser mewn pwyllgora a chyfarfodydd diddiwadd. Y cwbwl ma nhw'i isio ydi jobsys saff yn talu digon i'w cynnal nhw a'u teuluoedd, a dipyn dros ben am beint neu ddau bob nos, llond cratsh nos Wenar a nos Sadwrn, ffags os ydyn nhw'n smocio, a phuntan neu ddwy ar geffyl neu'r Loteri. Fasan ni wedi cael hynny gin Price, tasat ti a'r Nashis erill heb fwydro penna'r hogia efo'ch cybôl cydweithredol.'

Gwylltiodd Gwyndaf yn gacwn, yn union fel y bwriadai ei dad a bliciai datws gyda gwên bryfoclyd ar ei wyneb gydol y bregeth wrth-Americanaidd danbaid a ddilynodd. Ac meddai, pan dawodd Gwyndaf i gael ei wynt ato:

'Fel sosialydd ac undebwr, dwi'n barod i gwffio'r bosys am well pae ac amoda gwaith, ond fedra i ddim gneud hynny os nad ydyn nhw a'u busnesa yma, na fedra? A phaid â lladd gormod ar yr Iancs. Beryg byddi di'n perthyn i un cyn bo hir.'

'Be 'dach chi'n feddwl?' holodd Gwyndaf.

'Trw brodas, o leia,' crechwenodd Jac.

'Be 'dach chi'n baldaruo, ddyn?' heriodd Gwyndaf.

Soniodd ei dad wrtho am ymddangosiad Gerallt O'Toole yn y Cwm.

Gwelwyd yr Americanwr gyntaf, meddai, y diwrnod cynt wrth lyw Mercedes mawr du, Mrs Lowri Huws wrth ei ymyl a Sulwen yn y cefn. Teithient o'r pentref i gyfeiriad dwyreiniol, gan ddychwelyd, fin nos, o'r cyfeiriad hwnnw, â llond coffr y car o fagiau siopau dillad.

Roedd O'Toole wedi treulio dros ddwyawr ym mar cyhoeddus y *Brwynog Arms* y nos Sadwrn honno. Gwnaeth argraff ffafriol dros ben ar y mynychwyr rheolaidd gyda'i ddiddordeb eiddgar ym mhentref Cwmbrwynog a'i drigolion, ei hanesion am droeon trwstan ac anturiaethau gwrywaidd a ddaeth i'w ran yn yr Unol Daleithiau a gwledydd eraill, a'i haelioni; prynodd yr Americanwr o leiaf un peint neu siortyn i bawb oedd yn ddigon ffodus i fod yn ei gwmni.

Gadawodd Jac y *Brwynog* bum peint ar ei elw, yn amau fod Gerallt O'Toole a Mrs Lowri Huws yn 'dipyn mwy na jest ffrindia', ac yn gwybod i Sulwen a'i mam dreulio'r rhan fwyaf o'r prynhawn 'yn stagio ar ddillad prodas', chwedl O'Toole, yn rhai o siopau crandiaf Caer. O'r ffeithiau hynny, diddwythai Jac y byddai'r Americanwr yn llystad i Gwyndaf pan briodai hwnnw Sulwen.

'Uffar o gam-gym, yn 'y marn i,' meddai'r tad.

'Peidiwch â dechra!'

'Fasa well ichdi o lawar hefo dynas Prestatyn,' cynghorodd Jac.

'Dwi 'di darfod efo hi,' cyhoeddodd Gwyndaf.

'Y lembo gwirion!' gwawdiodd ei dad. 'Pwy gaet ti'n well nag uffar o bishyn efo mwy o bersonoliath na llond Anfield o Sgowsars? Ac yn cadw pỳb!'

Ychwanegodd Jac fod arno flys picio draw i Brestatyn yr wythnos ganlynol. 'Gin i ffansi reid ar gefn G.G., os wyt ti wedi gorffan hefo hi,' meddai dan wenu'n anllad.

'Be sy'n gneud ichi feddwl basa gin hen gant fel chi jans?' sbeitiodd Gwyndaf. 'Sticiwch at 'ych papura porn, 'ych fideos budur a Glenda barmed y *Brwynog* pan fydd gin honno ddim byd gwell i neud!'

'Paid ti â siarad fel'na hefo dy dad!' bloeddiodd Jac.

'Cerwch i grafu, 'rhen ddyn budur ichi,' meddai Gwyndaf yn hy. 'Dwi'n mynd i ffonio'r ddynas fydda i'n briodi. Ddeudodd Lowri Huws wrtha i, yr hen ast glwyddog iddi, bydda Sulwen ym Metws-y-coed tan heno.'

Wedi oedfa arall

Yn gyfamserol â'r ffrae rhwng tad a mab yn 26 Glan Crafog, eisteddai'r fam a'i merch a breswyliai yn Brethynfa yn y Parlwr Mawr yn gwrando'n gytûn ar atgofion diddan Gerallt O'Toole am ddyddiau'i faboed yn y Bronx, Efrog Newydd, a'i lencyndod yn Chicago. Sipiai'r menywod jinsan a thonig bob un – gwobr haeddiannol wedi penyd mainc galed yng Ngommorah a phregeth hirfaith y Parch. D. Culfor Roberts ar y bymthegfed adnod ar ddeg ar hugain o'r chweched bennod o Lyfr y Diarhebion: 'Na roech fwyd cloddiwr i deiliwr rhag iddo ymgryfhau a thorri'r edau'.

Diwallai'r Americanwr ei syched o botel o wisgi brag ugeinmlwydd *Ben Doun* a adawsai'r diweddar Cybi Huws ar ei hanner.

'Deudwch i mi, Gerallt,' meddai Mrs Huws, 'sut bod 'ych Cymraeg chi gystal, a chitha wedi'ch geni a'ch magu'n y *States*?'

'I bobol glyfar fatha'r ferch 'ma sgynnoch chi mae'r diolch, Lowri,' meddai O'Toole gan beri i honno wenu a gwrido 'run pryd. 'Ac i'r Bòs. Fo sy'n gyfrifol am bob dim da sy wedi digwdd imi rioed, jest iawn. Mae o'n berffeithydd. Mynnu bod pawb sy'n gweithio iddo fo, fatha fo'i hun, yn cyrradd y safon ucha bosib. Pan benderfynodd o Gymreigio ICAC, toedd Cymraeg Dysgwyr ddim digon da i staff personol y Bòs. Dyna

143

pam yrrodd o di Chianti a fi – Margherita a Gerry ydi'n henwa iawn ni – at y math o bobol fasan ni'n byw'n eu plith nhw tasan ni wedi'n geni'n Gymry.

'Gath y Bòs jòb i mi'n y dafarn dyffia'n y dre ryffia yng Nghymru, Cynafron, ac un i Myf fel P.A. i hen gnawas o gynhyrchydd annibynnol tua Caerdydd. Rêl hen drwyn. Trin pawb dani fel baw isa'r doman. Roedd hi a di Chianti'n siwtio'i gilydd i'r dim.'

'Rydan ni'n debyg o weld tipyn go lew o Myfanwy hyd y lle 'ma os derbynith y gweithwyr 'yn plania ni, Gerallt?' awgrymodd Sulwen braidd yn bryderus.

'Go brin,' atebodd O'Toole. 'Dwi'n meddwl bydd hi'n gadal ICAC cyn bo hir. Mae Myf wedi mynd yn ormod o fadam. A, rhyngddach chi a fi, 'dan ni'n meddwl bod hi 'di bod yn ffidlan ei threulia. Toes 'na ddim esgus dros beth felly a'r Bòs yn ddyn mor hael.'

Canodd y ffôn. Edrychodd Sulwen yn betrusgar ar ei mam, ac meddai: 'Beryg mai fo sy 'na?'

'Beryg iawn,' ebe Lowri Huws yn sdowt. 'Ateba i. Rhag ichdi ddeud rwbath ddyfari di.'

Yr Alwad

'Chi sy 'na, Gwyndaf?' holodd Mrs Huws. 'Sut aeth hi tua Caerdydd?'

'Ardderchog,' meddai Gwyndaf yn galonnog. 'Mae'r Prif Weinidog wedi gaddo gneud bob dim fedar o i'n helpu ni drosd anawsdera'r misoedd nesa. Ga i air hefo Sulwen?'

'Mae arna i ofn na fedar hi ddim dŵad at y ffôn, Gwyndaf,' meddai Mrs Huws. 'Gynnon ni rywun diarth yma i ginio.'

'Nes ymlaen 'ta?' awgrymodd Gwyndaf.

'Gewch chi siarad efo hi bora fory'n y Ffatri. Fan'no 'di'r lle i drafod busnas. Nid ar y ffôn, amsar cinio, dydd Sul,' deddfodd Lowri Huws.

'Newch chi ddeud wrth Sulwen 'mod i am alw cwarfod o'r gweithlu am ddeg bora fory, i sôn am yr anawstera diweddar a sut rydan ni am ddŵad drostyn nhw?'

"Na i, Gwyndaf. Syniad da iawn,' meddai Lowri.

'Sut mae Anti Bet?' gofynnodd Gwyndaf.

'Pwy?'

'Modryb Sulwen. O Fetws-y-coed?'

'O, honno!' meddai Mrs Huws. 'Wedi'n gadal ni, cofiwch, Gwyndaf. Mi oedd 'rhen dlawd yn neinti rwbath ond mae Sulwen mwya ypsét. Dyna pam bod well gynni hi beidio â dŵad at y ffôn. Fydd hi'n iawn erbyn fory. Gewch chi a Sulwen sgwrs iawn hefo'ch gilydd 'radag hynny. Ta ta rŵan, Gwyndaf.'

Dychwelodd Mrs Lowri Huws i'r Parlwr Mawr dan wenu'n foddhaus. Cyflenwodd wydryn Sulwen a'i gwydr ei hun â joch o jin a mymryn o donig ac annog eu gwestai i'w helpu ei hun i'r wisgi.

Aeth Gwyndaf i'w lofft i orwedd ar ei wely tan amser cinio – bîff, tatws rhost a rhai wedi'u sdwnsho, moron, cabaij, grefi a photal o frown êl – gan gyhuddo Lowri Huws yn ei feddwl, nid am y tro cyntaf, o gynllwynio i danseilio ei berthynas ef â'i merch.

Pennod 11

Cyfarfod Tyngedfennol

Deffrodd Gwyndaf ymhell cyn toriad gwawr wedi noson o gwsg ysbeidiol a blagiwyd gan ddrychiolaethau ac ofnau annelwig. Gorweddodd yn y tywyllwch am hir yn rihyrsio ei anerchiad i weithwyr y Ffatri; geiriau a fyddai'n cyfiawnhau ei arweiniad er pan benodwyd ef yn Brif Weithredwr; rhethreg a'u perswadiai i'w ddilyn i ddyfodol ansicr a gwahanol iawn i'r un a ddeisyfai ef ei hun. Ond roedd wedi gwneud ei orau drostynt ac wedi llwyddo i sicrhau parhad Ffatri Wlân Cwmbrwynog fel menter fasnachol, gydweithredol. Mae'n wir y cyflogid llai o weithwyr ac y byddai'r rheini'n ennill llai, ond gwell hynny na methdaliad llwyr, chwalfa a thranc cymuned Gymraeg arall.

Dechreuodd fwydro. Taeru gyda gwrthwynebwyr dychmygol o blith y gweithlu, gyda Gaenor Gronw, ei dad, ac ef ei hun. Cododd, ymolchi a gwisgo amdano'n frysiog ac am hanner awr wedi chwech, dros ddwyawr yn gynharach na'i arfer, roedd yn ei Swyddfa, yn brecwesta ar baned o goffi a bisgedi tra oedd yn taro ar bapur y dadleuon a fu'n cylchdroi yn ei ben fel electronau piwis gydol y nos.

Goleuodd Gwyndaf sgrin ei gyfrifiadur. Teipiodd destun ei bregeth dan dri phennawd: 'Ffatri Wlân Cwmbrwynog – Gorffennol Gwych; Presennol Pig; Dyfodol Disglair', a'i hargraffu.

Lluniodd boster yn galw'r gweithlu i gyfarfod yn y Ffreutur am ddeg o'r gloch, printio dwsin ohonynt a'u gosod ar hysbysfyrddau o amgylch yr adeilad.

Dychwelodd i'r Swyddfa a darllen ei e-byst. Yn eu plith roedd negeseuon oddi wrth ei frawd, Arfon, a'r Prif Weinidog, yn cadarnhau'r hyn a gytunwyd ddydd Gwener. Edrychai'r ddau ymlaen at gydgyfarfod yn y dyfodol agos i roi'r pecyn achubiaeth ar waith.

Teimlodd Gwyndaf yn fwy calonnog. Dychwelodd ei hyder a'i optimistiaeth gynhenid. A threio fel y dynesai naw o'r gloch. Dyna pryd y cyrhaeddai Sulwen y Ffatri Wlân bob bore gyda chysactrwydd yr *Omega* ar ei garddwrn. (Rhodd y diweddar Cybi Huws i'w ferch pan raddiodd.)

Byddai Sulwen mor ddiolchgar iddo am achub ei hannwyl Ffatri. Unwaith eto. Byddai mor hael ei chanmoliaeth a'i gwerthfawrogiad. Mor ddiniwed. Yntau wedi manteisio arni mor ddigywilydd. Beth petai Gaenor yn dial arno trwy roi gwybod i Sulwen am ei ymweliadau â'r *Peithon Piws* a natur eu perthynas? Gwadu'r cyfan. Palu celwydd. Pardduo Gaenor fel hen jadan faleisus yn dial arno am iddo ei gwrthod. Roedd Sulwen mor ddifeddwl-ddrwg, byddai'n ei goelio. Geneth bur ei meddwl a glân ei buchedd na allai ddychmygu anlladrwydd athletaidd ei gyfathrach ef â Gaenor.

Roedd yn flin ganddo orfod athrodi Gaenor. Hen hogan iawn. Carai hi a Sulwen. Dyna'r gwir. Roedd hynny'n amhosib, bellach. Ac yntau wedi dewis.

Adnewyddodd Gwyndaf ei lw o ffyddlondeb i Sulwen, i'r Ffatri ac i Gymru. Rhaid oedd iddo, er eu mwyn hwy, osod pechodau'r gorffennol y tu cefn iddo, gwastrodi ei euogrwydd ac arwain Cwmbrwynog i ddyfodol . . . digon diflas, a dweud y gwir yn onest, ond gwell goroesi fel cartref i Mê-Mê-o-Rama na dirywio'n Gwm Carnedd.

Daeth chwarter wedi naw heb olwg o Sulwen. Efallai fod Lowri Huws yn dweud y gwir a bod ei merch yn sâl? Mae'n rhaid ei bod, a hithau'n ddeddfol o brydlon bob amser. Fel yr estynnodd Gwyndaf at y ffôn, canodd hwnnw. Cododd Gwyndaf y derbynnydd a chlywed Lleucu'n dweud fod Mrs Huws eisiau gair ag ef.

'Dal i deimlo fymryn yn gwla mae hi,' oedd neges Lowri

Huws. 'Dim byd mawr. Un o'r petha merchaid 'ma, Gwyndaf. Ond mi ddaw hi i'r cwarfod. Fydd hi yno ddeg o'r gloch ar ei ben, i glwad gynnoch chi sut aeth hi tua Caerdydd.'

'Leciwn i inni gael gair cyn hynny . . . ' meddai Gwyndaf.

'Ddeuda i wrthi am drio bod acw erbyn rhyw bum munud i,' addawodd Mrs Huws. 'Ta ta rŵan, Gwyndaf,' ychwanegodd a dodi'r ffôn i lawr.

Ochneidiodd Gwyndaf. Unig aflwydd bod yn ŵr i Sulwen fyddai cael Lowri Huws yn fam-yng-nghyfraith. Cofiodd i'w dad honni bod Mrs Huws a Gerallt O'Toole yn 'fwy na jest ffrindia'. Roedd Jac yn sylwedydd craff ac yn adnabod y natur ddynol. Gobeithio ei fod yn iawn ac yr ehedai Eos Brwynog gydag O'Toole i'r USA, neu'n ddigon pell o Gwmbrwynog o leiaf.

Am bum munud i ddeg, cerddodd Sulwen i mewn i Swyddfa'r Prif Weithredwr. Neidiodd hwnnw ar ei draed fel dyn a eisteddai ar ddraenog dur.

'Sut wyt ti, Sùl? Wyt ti'n well? Be gest ti?' llefodd Gwyndaf ap Siôn a'i freichiau ar led.

'Dim byd o bwys. Dwi'n iawn,' atebodd Sulwen yn siort. 'Mi 'dach chi'ch dau'n nabod 'ych gilydd tydach?'

Trodd y ferch ifanc a gwenu'n siriol ar Gerallt O'Toole a'i dilynai i'r stafell.

Cwympodd breichiau Gwyndaf yn llipa. 'Ydan,' meddai heb geisio cuddio'i ddiflastod.

'Siŵr dduw,' cydsyniodd Gerallt O'Toole. Cydiodd yn llaw Gwyndaf, ei gwasgu fel petai am ei throi'n slwj, a'i siglo fel petai am ei datod oddi wrth ei arddwrn. 'Sud wt ti, co?' meddai'n hwyliog, fel petai'n wirioneddol falch o weld y gŵr ifanc.

'Grêt,' sgyrnygodd Gwyndaf, yn benderfynol o beidio â dangos ei fod yn dioddef. Eithr ychwanegodd pan laciwyd y feis, 'Fedra i ddim gwasgu dy law di mor galad, O'Toole, ond mae croeso ichdi'i rhoid hi'n y shredar 'cw.'

'Ha ha ha,' chwarddodd Gerallt O'Toole. 'Twyt ti'n uffar o gês!'

Edrychodd Sulwen ar ei *Homega*. 'Reit,' meddai. 'Awn ni i'r cwarfod?'

Dyna pryd y sylwodd Gwyndaf gyntaf ar yr oerfel yn ei llais. A'r elyniaeth yn ei llygaid. Beth ddiawl a ddywedasai'r Ianc wrthi? Pa bropaganda cyfalafol fu'r llymbar yn ei sdwffio i'w phen bach, diniwed?

'Iawn,' cydsyniodd Gwyndaf. 'Croeso ichi aros fan hyn tra byddwn ni yn y cwarfod, Mr O'Toole. Ofynna i i Lleucu ddŵad â phanad o goffi ichi.'

'Ddaw Mr O'Toole hefo ni,' meddai Sulwen.

'Cheith o ddim,' meddai Gwyndaf ar unwaith. 'Yn ôl Rheola a Chyfansoddiad y Gymdeithas Gydweithredol.'

'Ceith,' heriodd Sulwen. 'Yn ôl Rheola a Chyfansoddiad y Gymdeithas Gydweithredol. Mae Mr O'Toole yn gyfranddaliwr.'

Agorodd Sulwen ei bag Prada a chymryd ohono siec a drosglwyddodd i Gwyndaf gyda'r geiriau: 'Dyma'i siec o am ganpunt. Awn ni?'

'Tydi o ddim wedi llenwi'r ffurflan gais,' mynnodd Gwyndaf.

Wfftiodd Sulwen ei brotest, troi ar ei sawdl a martsio fel sowldiwr o'r Swyddfa. Gwenodd Gerallt O'Toole yn fuddugoliaethus ar Gwyndaf a dilyn cwt sidanog, siapus Sulwen drwy ddrws y Swyddfa.

Nid oedd amheuaeth bellach ym meddwl Gwyndaf nad oedd O'Toole wedi llwyddo i droi Sulwen yn ei erbyn, a bod ei feistr yn dal i'w chwenychu hi a'r Ffatri. Teimlai ei natur yn codi. Fe'i rheolodd. Rhaid oedd iddo beidio â cholli ei limpin. Arf i'w ddefnyddio'n gynnil gerbron cynulleidfa o Gymry a drwythwyd yn sothach diwylliannol yr Ianc ers eu babandod oedd dicter cyfiawn yn erbyn ei haerllugrwydd imperialaidd.

Casglodd Gwyndaf at ei gilydd ei nodiadau a chopïau o'r e-byst o'r De, bwrw un olwg frysiog olaf drostynt a dilyn Sulwen a Gerallt O'Toole i Ffreutur y Ffatri. Yno roedd pob aelod o'r gweithlu – oddeutu hanner cant – wedi ymgynnull. Safai grŵp o ryw bymtheg o amgylch Sulwen ac O'Toole; peirianwyr yn eu hofarôls glas, merched y gegin yn eu ffedogau gwynion, gwehyddion yn eu dillad eu hunain a Jac Jones, tad Gwyndaf, mewn lifrai ddu, led-filwrol â'r gair *Gofalwr* ar ysgwyddau'r siaced. Roeddynt oll wedi eu cyfareddu gan huotledd hynaws Gerallt O'Toole, oedd ar ganol jôc pan alwodd y Prif Weithredwr y cyfarfod i drefn.

Eisteddodd y gweithwyr oedd ar eu traed o amgylch byrddau'r cantîn gyda'r rhelyw a thawodd pawb yn ddisgwylgar. Roedd ganddynt barch mawr at ymroddiad a diffuantrwydd Gwyndaf. Ymddiriedent yn ei allu i arwain y fenter a'u cyflogai trwy gyfnod anodd yn hanes diwydiannau cynhyrchu'n gyffredinol a'r diwydiant dillad a defnyddiau'n arbennig. Rhoddent goel ar eiriau Jac Sowth, pan froliai ychydig yn gynharach, fod 'yr hogyn 'cw' – na ddywedai'r tad fyth air o ganmoliaeth wrtho i'w wyneb – 'wedi'n tynnu ni o'r brown tywyll unwaith eto, hogia bach, er mor biblyd oedd hwnnw'n edrach ddiwadd 'rwsnos dwytha.'

Dechreuodd Gwyndaf trwy gyfeirio at bresennol adfydus Ffatri Wlân Cwmbrwynog, yn sgil 'Brad *Basdas*' a'r problemau blaenorol a arweiniodd at sefydlu'r drefn gydweithredol. Atgoffodd ei wrandawyr o hanes hen ac anrhydeddus y Ffatri, a'r modd y bu'n gynhaliaeth i'w tadau a'u teidiau dewrion a'u teuluoedd diwylliedig er cyn cof, gan fynd i hwyl wrth ddisgrifio sut y daeth Prif Weinidog Cymru ac 'un o ddynion busnas mwyaf llwyddiannus y De' atynt i'r adwy a sefyll gyda hwy yn y bwlch er mwyn achub i'r oesau a ddêl yr hen Ffatri a fu trwy ei harallgyfeirio at y dwristiaeth werdd, gynaliadwy, gymunedol a ddeuai â gwaredigaeth iddi hi ac i ddegau o deuluoedd Cymraeg a Chymreig a sylw'r byd i Gwmbrwynog. Addawodd *update* i'r gweithwyr bob tro y ceid datblygiad o bwys, gwahoddodd gwestiynau a sylwadau, ymatebodd i ymholiadau ynglŷn â thelerau ymddiswyddo gwirfoddol, cynlluniau ailhyfforddi a phynciau cyffelyb a phan ballodd yr ymholiadau cyhoeddodd fod y cyfarfod ar ben.

Tra siaradai Gwyndaf, safai'n wynebu ei gynulleidfa, ei gefn at y cownter bwyd, a Sulwen wrth ei ochr. Cymerodd hithau ddau gam cwta ymlaen yn awr ac meddai:

'Tydw i ddim yn meddwl y byddai hi'n iawn, gyfeillion,

inni fynd o'ma heb air o ddiolch i'n Prif Weithredwr gweithgar, Gwyndaf ap Siôn . . . '

Tawodd y siaradwraig tra cymeradwyai ei gwrandawyr ac aeth yn ei blaen:

'Diolch, nid yn unig am ei ymdrechion glew i dynnu'r hen Ffatri annwyl yma o drybini, unwaith eto, ond am ei waith calad a chydwybodol drosti hi a'r Cwm ers blynyddoedd.'

Enynnodd hyn ebychiadau o 'Clywch, clywch!' ymhlith y gynulleidfa a gwên foddhaus ar wyneb y Prif Weithredwr ei hun. Crymodd ei ben yn swil wrth i'r fun a garai fwyaf pan na fyddai'n digwydd bod yng nghyffiniau Prestatyn barhau i'w ganmol.

'Fel y clywsoch chi gin Gwyndaf, gyntad ag y cafodd o wbod am benderfyniad trychinebus *Basdas*, mi aeth i lawr i Gaerdydd, syth bìn, a dŵad o'no efo pecyn o fesura a chynllunia fydda'n cadw'r fentar rhag mynd â'i phen iddi'n llwyr.'

Cododd Gwyndaf ei ben yn swil i gydnabod y deyrnged. Byrhoedlog fu ei wynfyd, ysywaeth. Aeth Sulwen rhagddi:

'Toeddwn i ddim yn meddwl ei bod hi'n iawn i Gwyndaf gario'r baich aruthrol yma i gyd ar ei sgwydda'i hun. Felly, mi es inna ar sgowt, jest rhag ofn na fasa'r Prif Weithredwr mor lwcus tua Bae Caerdydd ag yr oedd o'n obeithio. Wedi sgwrs faith efo Mam a'r Parch. Culfor Roberts – sydd ill dau, fel y gwyddoch chi, yn ffrindia ac yn gymwynaswyr twymgalon iawn i'r hen Ffatri – mi es, ar eu cyngor nhw, i weld dyn y cafodd rhai ohonach chi'r fraint arbennig o fod yn ei gwmni o yn Swper a Dawns lwyddiannus iawn Eglwysi Sodom a Gommorah, rai misoedd yn ôl.'

Teimlai Gwyndaf fel dyn a osodwyd ar lithrigfa ar lan pwll â'i lond o siarcod ysglyfaethus. Syllodd mewn arswyd ar y merddwr angheuol oddi tano. Gwthiodd geiriau nesaf Sulwen ef i mewn iddo, dros ei ben a'i glustiau:

'Y gŵr rydw i'n gyfeirio ato fo, wrth gwrs,' ebe Sulwen, 'ydi Mr Llewelyn C. Price IV, y diwydiannwr Americanaidd sydd, er ei fod o wedi ei eni a'i fagu ac wedi treulio'r rhan fwya o'i oes yn yr Unol Daleithiau, gystal Cymro â'r un ohonan ni – hyd yn oed Gwyndaf.'

Trodd Sulwen a glaswenu ar y Prif Weithredwr, a ymdrechai i rwystro'i stumog rhag codi'n uwch na'i lwnc a'i ddwylo rhag tagu'r siaradwraig. Llefarodd hithau'n awr gyda sêl dynes newydd gael diwygiad:

'Roedd Mr Price wedi gwirioni efo Cwmbrwynog a phan glywodd o am drafferthion y Ffatri ar y pryd, mi gynigiodd o ei phrynu hi. Ei gneud hi'n gyflawn aelod o deulu mawr, byd-eang yr *International Cambro-American Corporation*, ICAC, ond fel cwmni annibynnol, dan reolaeth Gwyndaf. Gwaetha'r modd, mae agwedd Gwyndaf at Americanwyr braidd yn hiliol, a mi gymron ni'n perswadio gynno fo, os cofiwch chi, i wrthod cynnig hael Mr Llewelyn Price a throedio'r llwybr cydweithredol sydd wedi'n tywys ni i helynt saith gwaeth nag o'r blaen.

'Wel. Er bod Mr Llewelyn Price yn siomedig iawn, iawn pan wrthodon ni werthu'r Ffatri iddo fo, toedd o ddim dicach, chwara teg. Mi ddymunodd o'n dda iawn inni a deud bod y cynnig yn dal ar y bwr', tasan ni'n digwydd newid 'yn meddylia.

'Ddydd Gwener dwytha, mi es i Lundan yn unswydd i weld os oedd hynny'n wir. Ac rydw i'n falch ofnadwy o fedru deud wrthach chi'r bora 'ma fod Mr Llewelyn C. Price yn ŵr bonheddig sy'n cadw at ei air. Dyna pam y gyrrodd o'i gynrychiolydd personol, Mr Gerallt O'Toole, yma i'ch annerch chi.'

Gwenodd Sulwen ar y cennad cyfalafol a eisteddai yn rheng flaen y gynulleidfa a gofyn: 'Leciach chi ddeud gair neu ddau wrthan ni, Mr O'Toole?'

Cododd Gerallt O'Toole o'i sedd i gymeradwyaeth y gweithlu a sefyll gyda Sulwen yn wynebu'r gynulleidfa. Yn y cyfamser, roedd Gwyndaf wedi ymlusgo at gadair wag ar gyrion y bumed res o'r blaen ac ymollwng iddi.

'Diolch yn fawr ichdi, Sulwen,' meddai Gerallt O'Toole wedi i'r curo dwylo dawelu. 'A diolch i chitha, hogia a gennod Cwmbrwynog, am y croeso cynnas iawn dwi 'di gael gynnoch chi bob tro dwi 'di bod 'ma. Peth cynta raid imi neud ydi myddiheuro ar ran y Bòs, Mr Llewelyn C. Price IV, sy'n methu bod yma am ei fod o'n Mosco'n helpu bosys Rwsia gael trefn ar fan'no. Yr ail beth ydi newydd da iawn. Ar ôl i'r Bòs gael sgwrs bach efo'i fêt, Joe Basda, bòs y ffỳrm sy wedi'ch gwllwn chi'n y cach, mae *Basdas* wedi cytuno i 'mystyn eu cytundab efo chi am chwe mis arall. Bellad bo chi'n rhan o'n cwmni ni, ia? Wel? Be 'dach chi'n feddwl o hyn'na?'

Mynegodd gweithwyr y Ffatri Wlân eu gwerthfawrogiad gyda churo dwylo, stampio traed a banllefu byddarol. Cododd y siaradwr ei law mewn ymgais ddiymhongar i dawelu'r gymeradwyaeth a phan lwyddodd, maes o law, aeth rhagddo'n hyderus:

'Yn ystod y chwe mis hwnnw, fyddwn ni'n chwilio am gwsmeriaid a marchnadoedd erill i'r Ffatri ac yn gweld pa newidiada fydd eu hangan yn y ffor rydach chi'n gneud petha'n y lle 'ma, er mwyn ichi fanteisio ar rheini. Ella bydd 'na rei ridyndansis, ond dim ond pobol sy isio madal neu myddeol. Fydd rheini ddim ar eu collad, ran mags, a ddaw 'na fwy o jobsys wedyn, pan gawn ni hawl i godi H.Q. ICACEwrop yma yng Nghwmbrwynog.'

Tawodd y siaradwr. Gwenodd yn addfwyn ar ei gynulleidfa, ac meddai: 'Wela i bod y rhan fwya ohonach chi'n lecio be 'dach chi 'di glwad!'

Dilyswyd y sylw gan ragor o guro dwylo brwd a banllefau.

'Er basa'n well gin amball un, ella, fynd efo Gwyndaf,' awgrymodd y siaradwr, 'a throi'r Ffatri'n Disneyland Defaid!'

Chwarddodd pawb ond Gwyndaf.

'Chi bia'r dewis,' meddai Gerallt O'Toole. 'Fel pob Americanwr gwerth ei halan, ma'r Bòs yn credu'n gry mewn Democratiaeth. Barchith o be bynnag benderfynwch chi. Fi, ia – dwi'n meddwl bydd isio stagio ar 'ych penna chi os gwrthodwch chi o eto. Fel deudodd Sulwen: mae'r Bòs yn ŵr bonheddig. Ond mae o isio gwbod, naill ffor ne'r llall, pan ffonith o fi nes ymlaen bora 'ma. Mae 'na gannoedd o lefydd a miloedd ar filoedd o bobol drosd y byd i gyd yn crefu arno fo i'w helpu nhw.

'Dyna i gyd sy gin i i ddeud. Diolch yn fawr ichi hogia a

gennod Cwmbrwynog. Dwi'n siŵr gnewch chi'r dewis call.'

Pan dawodd Gerallt O'Toole, datseiniodd y gymeradwyaeth drwy'r Ffatri ac ymhell y tu hwnt i'w muriau, dros ddyfroedd llonydd Llyn Crafog a llethrau moel y Cwm, hyd at gopa caregog Moel y Bwncath. Camodd Sulwen ymlaen, siglo llaw'r siaradwr, troi at y gynulleidfa, a datgan:

'Y ddau ddewis ger ein bron ni, gyfeillion, ydi: troi'r Ffatri'n fenter dwristaidd fyddai'n talu cyfloga bychan i lai o weithwyr ond yn cadw'r drefn gydweithredol, neu: ymuno efo teulu mawr, byd-eang ICAC fel cwmni annibynnol llewyrchus fydd yn cynnal traddodiad naw canrif o wehyddu yng Nghwmbrwynog a chadw'r rhan fwya ohonach chi mewn gwaith fydd yn talu cyfloga anrhydeddus. Rydw i am roi'r dewis i bleidlais. Pawb sydd o blaid y defaid . . . '

'Madam Cadeirydd,' meddai Jac Sowth, a gododd ar ei draed. 'Cyn inni fynd i bleidlais, mae gen i gwestiwn pwysig iawn i'w roi i Mr O'Toole ar 'yn rhan ni fel gweithwyr. Sef – be ydi agwadd Mr Llewelyn C. Price IV a'i gwmni at undebath lafur? Fydd o'n cydnabod hawl yr Undab i'n cynrychioli ni? Gawn ni berthyn i undab o gwbwl? Fasa well gin rei bosys o'r Stêts fyta'u baw eu hunain na deud "Sud wt ti?" wrth undebwr.'

Cododd Gwyndaf ap Siôn ei ben. Syllodd yn anghrediniol ar ei dad. Llanwyd ef â theimladau dieithr iawn at y gŵr a'i cenhedlodd: anwyldeb, parch ac edmygedd.

'Diolch yn fawr ichdi, Jac, am godi cwestiwn pwysig,' atebodd Gerallt O'Toole yn raslon. 'Dwi'n falch iawn o fedru deud wrtha chdi nad ydi Mr Price, nag ICAC, yn erbyn undeba. 'Dan ni o'u plaid nhw, a deud y gwir yn onast. Bellad bod nhw'n bihafio'n gyfrifol, ia? Ac yn gweld y cwmni fel partnar, nid gelyn. Os daw'r Ffatri'n rhan o ICAC, geith dyn yr undab ei swyddfa'i hun, a'i ryddhau o bob gwaith ar lawr y Ffatri, er mwyn iddo fo roid ei holl amsar i ofalu am les ei aeloda. Iawn, Jac?'

'Mwy na iawn, Gerallt,' meddai dyn yr Undeb yn Ffatri Wlân Cwmbrwynog yn wresog. 'Ar ôl clwad hyn'na, fedra i 'mond 'ych annog chi i gyd i fotio o blaid joinio ICAC. A chditha hefyd, Gwyndaf . . . '

Trodd Jac i chwilio am ei fab, a'i gynghori:

'Gei di hi'n lot haws gweithio i gwmni go-iawn am bres iawn, yn lle i gangan o Urdd Gobaith Cymru am geinioga.'

'Diolch yn fawr, Jac, am eich geiriau doeth,' meddai Sulwen. 'Rydw i'n meddwl ein bod ni'n aeddfed i fynd i bleidlais ar y matar rŵan . . . '

Cododd Gwyndaf ar ei draed: 'Os gwelwch chi'n dda, Madam Cadeirydd,' meddai'n chwerw a choeglyd.

'Ia, Mr Prif Weithredwr?' gwatwarodd Sulwen.

Tawodd pob ebwch, murmur, sibrwd a rhygnu traed wrth i bawb glustfeinio i glywed pob sill o ffrae rhwng cariadon.

'Tri pheth sy gin i i'w deud cyn ichi bleidleisio,' cyhoeddodd Gwyndaf. 'Tydw i ddim yn disgwl iddyn nhw gael unrhyw effaith o gwbwl ond mi gewch eu clwad nhw beth bynnag. Yn gynta: rydach chi'n gneud tro gwael iawn â chi'ch hunain, â Chwmbrwynog ag â Chymru. Yn ail: mi ddyfarwch chi ryw ddwrnod. Yn drydydd: os cefnwch chi ar y drefn gydweithredol Gymreig rydan ni wedi'i harloesi, mi fydda i'n cefnu ar y Ffatri a Chwmbrwynog.'

'Rhoid balchdar personol o flaen buddianna'r gymuned ydw i'n galw hyn'na,' meddai Sulwen gan luchio cilwg gwawdlyd at ei chyn-gariad. 'Pawb sydd o blaid derbyn cynnig caredig Mr Llewelyn Price a sicrhau dyfodol y Ffatri a'ch swyddi chi drwy ymuno efo'r *International Cambro-American Corporation*: codwch eich dwylo, os gwelwch chi'n dda.'

Ac eithrio Gwyndaf, Emrys *Penglog Bach*, Dei *Cae Maip Duon* ac Idris *Bigynogyn*, a'i cefnogai gan wybod na fyddai eu pleidleisiau'n newid dim, cododd pob copa walltog ei law, ynghyd â Jac Sowth a phedwar moelyn arall.

'Pawb sy o blaid troi'r Ffatri'n atyniad twristaidd?' meddai Sulwen.

Cododd Gwyndaf a'i gyfeillion eu dwylo a chyhoeddodd Sulwen fod 'y cefnogaeth i gynnig ICAC yn unfrydol, fwy neu lai.'

Dathlodd y gynulleidfa'r canlyniad gyda rhagor o fanllefau a churo dwylo. Dododd Gerallt O'Toole ei freichiau cadarn am

Sulwen a'i gwasgu'n llawer tynerach nag y gwasgodd law y cyn-Brif Weithredwr. "Dan ni wedi'i gneud hi, cyw,' meddai. 'Wyddwn ni basan ni.'

Daeth y Gymraes a'r Americanwr yn ymwybodol o 'ddwy lygeidiog fflam' Gwyndaf ap Siôn yn rhythu arnynt. Syllodd Sulwen arno yntau'n herfeiddiol a syllodd Gerallt O'Toole arno'n fygythiol. Crechwenodd Gwyndaf yn ddirmygus cyn ymwthio trwy dorf o wŷr a merched gorfoleddus tua drws y Ffreutur.

'Beryg cawn ni drwbwl gin jerro,' meddai O'Toole o gornel ei geg.

'Ga i air efo fo,' meddai Sulwen ac ymryddhau o goflaid y cawr.

'Setla i o ichdi,' cynigiodd hwnnw.

'Fedra i edrach ar ôl 'yn hun yn reit dda,' sylwodd Sulwen yn dalog. 'Cofio, Gerallt?'

'Uffar o ddynas wt ti, Sulwen Huws,' chwarddodd Gerallt O'Toole.

Ysgariad

Gorfu i Sulwen aros yn y Ffreutur am rai munudau i dderbyn diolchiadau a llongyfarchiadau ac i ateb cwestiynau dynion a merched oedd wedi gwironi'n lân ar ôl clywed bod eu swyddi a'u cyflogau'n ddiogel a hwythau'n grediniol y byddent ar y clwt mewn byr o amser. Pan gerddodd i mewn i swyddfa Gwyndaf roedd y cyn-Brif Weithredwr yn gwagio'i ddesg i gwdyn sbwriel du.

Cododd ei ben, syllu i fyw ei lygaid am rai eiliadau a mwy o siom nag o lid yn ei edrychiad, a pharhau â'i orchwyl. Gwyliodd Sulwen ef yn ddidostur nes iddo ymsythu a chlymu ceg y sach. 'Mae'n siŵr dy fod ti 'ngweld i'n fradwr?' meddai.

'Fedra i feddwl am sawl gair i dy ddisgrifio di, Sulwen,' ebe Gwyndaf yn chwyrn. 'Hwn'na 'di'r gora, debyg.'

'Tydi bradychu bradwr ddim yn frad,' cyhoeddodd Sulwen. 'Na thwyllo twyllwr yn dwyll.'

'Be wt ti'n gyboli?' holodd Gwyndaf yn sarrug. 'Pwy fradychis i? Pwy dwyllis i? Dwi 'di gweithio 'ngyts i gadw'r lle 'ma i fynd ers blynyddoedd. A dyma'r diolch dwi'n gael. Os cafodd rhywun ei fradychu a'i dwyllo erioed, fi ydi hwnnw. Gin ti, a dy dad. A' i ddim ar ôl be nath o. Er y medrwn i, taswn i isio dy frifo di fel brifist ti fi.'

Gwelwodd Sulwen. Crynodd ei gwefusau a llenwodd ei llygaid â dagrau.

'Paid ti â meiddio sarhau coffadwriaeth Tada, Gwyndaf ap Siôn,' meddai. 'Roedd o'n fwy o ddyn ac yn well dyn na chdi. A phaid ti, chwaith, â meiddio gwadu dy fod ti wedi 'mradychu a 'nhwyllo i.'

'Sut bradychis i chdi, Sulwen? Sut twyllis i chdi? Deud wrtha i!' heriodd Gwyndaf gan ofni clywed enllibion di-sail o ddyfais ei elynion Americanaidd.

'Efo Gaenor Gronw,' meddai Sulwen dan graffu ar wep y cyhuddedig.

Gollyngodd Gwyndaf y sach loywddu a chwympo'n ôl ar ledr du'r gadair *executive* y tybiasai ei fod wedi eistedd arni am y tro olaf.

'Be ti'n gyboli? Am be ti'n sôn?' crygodd y gŵr ifanc a'i wyneb yn welwach nag un Sulwen hyd yn oed.

'Amdanat ti'n palu clwydda am radd M.A.!' gwaeddodd Sulwen, bron â cholli arni ei hun. 'A chditha'n studio dim byd mwy dyrchafol na bogal Ms Gaenor Gronw, *mine hostess* y *Peithon Piws*, Prestatyn!'

'Tydi hyn'na ddim yn wir,' brefodd Gwyndaf yn druenus. 'Mae bob dim drosodd rhyngddan ni. Wir yr!'

'Fel mae bob dim drosodd rhyngddon ni'll dau,' ebe Sulwen yn fwy hunanfeddiannol. 'Fydd raid ichdi ffendio ryw hogan ddiniwad arall i fanteisio arni!'

'Pwy ddeudodd wrthat ti, Sulwen?' erfyniodd Gwyndaf. 'Gaenor ffoniodd chdi? Gwenwyn, Sùl! Am 'mod i wedi gwrthod cysgu hefo hi a mynnu bod yn driw i chdi. Ar 'yn marw.'

'Ydi hi ots pwy ddeudodd wrtha i?' meddai Sulwen gan droi ar ei sawdl a cherdded allan o'r swyddfa â'i phen yn uchel.

Pwysodd Gwyndaf ap Siôn ei beneliniau ar y ddesg, dododd ei wyneb yn ei ddwylo ac wylo'n chwerw dost.

Newid Byd

Pan ddychwelodd Sulwen i'r Ffreutur, dim ond Gerallt O'Toole, Jac Sowth a dyrnaid o weithwyr eraill oedd yn weddill o'r dorf frwd a'i llenwai pan ymadawodd. Gynted ag y gwelodd Gerallt hi, siglodd law â'i gyfeillion newydd ac aethant hwy'n ôl at eu hoffer a'u peiriannau. Brasgamodd yr Americanwr rhwng y byrddau a'r cadeiriau at Sulwen a safai ger y drws:

'Iawn, Sulwen?' holodd yn fawr ei ofal.

'Iawn,' meddai hithau er fod hynny ymhell o fod yn wir.

'Gawn ni fynd i rwla preifat am sgwrs bach?' gofynnodd O'Toole.

'Siŵr iawn,' cydsyniodd Sulwen.

Tywysodd Sulwen ei gwestai ar hyd coridorau moel, di-liw y Ffatri, a sŵn diwydrwydd diwydiannol yn llenwi eu clustiau, i'w swyddfa hi: stafell dawel yn un o gyrion eithaf yr adeilad; hafan binc, melyn a glas golau o fenyweidd-dra gwâr.

Wedi iddynt eistedd o boptu i ddesg *Ikea* Sulwen, dywedodd Gerallt O'Toole wrthi ei fod wedi ffonio ei bennaeth i'w hysbysu fod y cyfarfod yn Ffatri Wlân Cwmbrwynog wedi mynd yn unol â'u gobeithion. Digwyddai Llewelyn C. Price fod mewn cyfarfod pwysig gyda Gweinidog Masnach a Diwydiant Rwsia ar y pryd ond addawodd ei P.A. newydd, Bronwen Borgia, roi gwybod iddo am y datblygiad gynted ag y byddai'n rhydd, ymhen rhyw awr. Gallai Sulwen ddisgwyl galwad oddi wrth 'y Bòs' bryd hynny.

'Raid i mi fynd yn ôl i Lundan rŵan, 'nghariad i,' meddai O'Toole gan godi ei gorpws enfawr o'i gadair. 'I ddechra cael yr olwynion i droi fel bod *takeover* y Ffatri'n mynd ymlaen yn ddi-lol. Ar ôl picio i Brethynfa i nôl 'y mhetha a deud ta ta wrth dy fam, ia? Fydd hi'n falch iawn o glwad be wt ti wedi'i neud hiddiw, Sulwen. Ac yn falch ohona chdi. Fel basa dy dad, 'rhen gradur, tasa fo'n fyw. Paid byth â gneud dim i' brifo hi, Sulwen. Mae hi'n ddynas sensitif iawn. Fel ma'r artists 'ma i gyd.'

'Mae'n siŵr mai gynni hi dwi'n gael o,' meddai Sulwen wrth godi i hebrwng yr ymwelydd at ei gar.

Rhwng Dau

Ychydig yn ddiweddarach, safai Sulwen ger prif fynedfa'r Ffatri'n syllu'n synfyfyriol ar ôl y Mercedes a yrrai o'r maes parcio a Gerallt O'Toole wrth y llyw.

'Be 'na i rŵan?' meddyliodd.

Mynd i gael gair efo Gwyndaf. Byddai o'n gwybod. Ond ni châi Sulwen Huws droi at Gwyndaf ap Siôn am gyngor fyth eto. Roedd Gwyndaf wedi gadael y Ffatri a hithau, am byth. Roedd hi ar ei phen ei hun. Nac oedd. Roedd Llewelyn C. Price IV a Gerallt O'Toole yn gefn iddi'n awr. Cyn bo hir byddai'r Ffatri'n rhan o 'deulu mawr, byd-eang ICAC'. Ai camgymeriad oedd aberthu agosatrwydd cartrefol y teulu bach, Cymreig er mwyn ymuno â rhyw anferthedd estron? Efallai iddi fod yn fyrbwyll. Roedd Gwyndaf wedi ei thwyllo. Dim amheuaeth ynglŷn â hynny. Ni allai fod yn amlycach petai'r gair 'euog' wedi ei serio ar ei dalcen mewn llythrennau breision. Ond roedd o'n hen hogyn iawn, yn y bôn. Mor ewyllysgar. Mor barod ei gymwynas. Pam y bihafiodd o mewn ffor mor gywilyddus? Ac yntau'n ei charu? Medda fo. Na. Nid oedd amheuaeth ym meddwl Sulwen ynglŷn â hynny chwaith. Dim ond rhywun a'i carai allasai edrych arni gynnau gyda'r fath siom, y fath gasineb. Petai hi wedi bod dipyn ffeindiach efo Gwyndaf . . . Na, na, na! Roedd ei ymddygiad yn anfaddeuol. 'Maddau inni heddiw fel y maddeuwn ninnau . . . ' Roedd dyletswydd arni, fel Cristion, i faddau.

A dyna a wnaeth Sulwen pan welodd, o gil ei llygad, Gwyndaf yn ymddangos o gefn y Ffatri yn ei gwman, dan faich dwy sach blastig ddu. Gwyliodd ei hynt herciog er ei gwaethaf. Os sylwodd ef arni hi, fe'i hanwybyddodd. Bu ond y dim i Sulwen alw arno, rhuthro ato a . . .

Beth? Dweud ei bod yn maddau iddo ei odineb? Erfyn arno i faddau iddi hi am beri iddo bechu? Ymbil arno i aros yn ei swydd rhag i'r drefn newydd newid gormod ar y Ffatri oedd mor agos at ei galon, a'i chalon hithau? Pam fod rhaid i Gwyndaf fod mor styfnig? Pam na allai yntau gydweithio gyda Llew? Er lles y Ffatri, y Cwm a Chymru . . .

'Rheda ato fo. Deud hyn i gyd wrtho fo. Wedyn, wedi ichdi'i berswadio fo i ddal ati, cyfadda wrtho fo bo chdi wedi gaddo priodi Llew . . . '

Caeodd Sulwen ei llygaid ac atal ei meddwl rhag meddwl.

Pan agorodd ei llygaid eto, nid oedd golwg o Gwyndaf.

Dychwelodd Sulwen i'w swyddfa i ddisgwyl galwad deleffon o Fosco.

Beth a dâl anwadalu
Wedi'r hen fargen a fu?

Cynyddai anniddigrwydd Sulwen wrth y funud. Cydiodd llaw oer, galed yn ei chalon, ei gwasgu'n giaidd a'i fferru'n gorn. Pallodd ei hanadl. Teimlai ei hun yn mygu. Yn llewygu. Yn colli arni ei hun. Ar gyfeiliorn. Crynhodd ei hansicrwydd yn stwmp caled o argyhoeddiad. Roedd hi wedi gwneud clamp o gamgymeriad. Wedi camu o'r gymdeithas glòs, gyfarwydd, gyfeillgar y ganed ac y maged hi iddi i fyd mawr, dieithr a pheryglus.

Nid oedd yn rhy hwyr iddi neidio i mewn i'r 4x4 a'i sbydu hi am 26 Glan Crafog. Ia. Cyn i Gwyndaf . . . Beth? Adael y Cwm am byth? Gwneud amdano'i hun? Oherwydd iddi hi ei siomi trwy chwalu ei freuddwydion a sathru ar ei ddelfrydau!

Nid oedd yn rhy hwyr. Nid yn rhy hwyr i ymddiheuro, o leiaf. Dweud wrth Gwyndaf mai dyfodol y Ffatri a'r Cwm oedd flaenaf yn ei meddwl pan blediodd gynnig Llewelyn Price. Ei bod yn dal i barchu diffuantrwydd Gwyndaf. Dylai yntau gydnabod ei bod hithau'r un mor egwyddorol. Gobeithio y medrent barhau'n ffrindiau er iddynt anghytuno. Ie. Roedd yn ddyletswydd arni i egluro hyn i gyd wrth Gwyndaf druan. Rhag iddo glywed gan rywun arall . . .

Canodd y teleffon.

Ni allasai Sulwen godi'r derbynnydd hyd yn oed petai'n ewyllysio hynny. Fe'i parlyswyd gan ofn. Ofn y dyfodol. Ofn grym, awdurdod, egni a hunanhyder anorchfygol Llewelyn C. Price IV. Ofn ei gorff a'i gnawd, ei flys a'i drachwant. Ofn . . .

Daliodd y teleffon i ganu a chanu a chanu hyd nes i Lleucu gnocio'n wyllt ar ddrws y swyddfa a rhuthro i mewn. Safodd yn stond. Syllodd yn syn ar Sulwen. Eisteddai honno y tu ôl i'w desg mor welw, difywyd a byddar â delw gŵyr.

'Ydach chi'n iawn, Sulwen?' holodd Lleucu mewn braw.

'Ydw, Lleucu,' ebe hithau'n hurt.

'Wel pam nad atebwch chi'r ffôn 'ta? Mr Price sy'n galw.'

'Wiliam Price, Llosgfynydd Bach?' meddai Sulwen, gan enwi un o amaethwyr blaenllaw'r ardal. 'Be 'ma'r hen gono hwnnw isio?'

'Naci. Mr Llewelyn C. Price IV. Bòs Mr O'Toole,' eglurodd Lleucu'n eiddgar gan godi'r derbynnydd a thewi clochdar taer y ffôn.

'Dyma hi Sulwen ichi rŵan, Mr Price,' goslefodd yr Ysgrifenyddes yn broffesiynol-hudolus. Dododd y teclyn yn llaw Sulwen gyda'i geg ger ei genau a'i glust ger ei chlust.

'Llongyfarchiadau, Sulwen, fy nghariad i, ar fuddugoliaeth hanesyddol sy'n selio ein partneriaeth,' oedd geiriau cyntaf y Biliwnydd.

Arwyddodd Sulwen yn llesg ar i Lleucu adael y stafell ac arhosodd nes y caewyd y drws cyn mwmial: 'Diolch yn fawr, Llew.'

'Mae'n ddrwg calon gen i na alla i fod yna efo ti, i ddathlu trwy roi 'mreichia amdanat ti, dy wasgu di'n dynn, a meddwi ar dy gusana di,' meddai'r Americanwr.

O flaen llygaid Sulwen, am y filfed ran o eiliad, fflachiodd atgof am ddydd o haf mewn llannerch werdd ar lannau afon Tywi, hithau ac archangel eurwallt yn syllu'n serchus ar ei gilydd. Trwy ei chorff llifodd yr ynni cynnes, cariadus a deimlasai pan gydiodd hwnnw yn ei garddwrn wrth arllwys gwin i'w gwydryn. Bu bron iddi lesmeirio wrth i'r un creadur nefolaidd ddatgan:

'Fe rown i'r byd i gyd yn grwn am gael bod gyda thi, Sulwen. Yn lle ceisio dal pen rheswm gyda gwleidyddion dwl, di-weledigaeth a biwrocratiaid di-glem. Ond rydw i'n addo y bydda i efo ti a dy fam annwyl yng Nghwmbrwynog cyn diwedd yr wythnos. Erbyn hynny, fe fydd O'Toole wedi cael tîm o gyfreithwyr a chyfrifyddion at ei gilydd – Americanwyr wedi eu Cymreigio a Chymry wedi eu Hamericaneiddio – i wneud y trefniadau angenrheidiol ar gyfer uno dy Ffatri di a 'Nghorfforaeth i, fel ein bod ni'n gallu llofnodi'r dogfennau perthnasol ar Ddydd Gŵyl Dewi. Yr un diwrnod â'n priodas ni, Sulwen. Bydd rhaid imi gael gair gyda'r Parch. Culfor Roberts i'w siarsio i lunio ffurf-wasanaeth fydd yn cwmpasu'r ddau uniad a'r ddwy ddefod, a gofyn ei gyngor ynglŷn ag emynau a . . .'

'Priodi! Ddydd Gŵyl Dewi!' llefodd Sulwen gan neidio o'i chadair fel petai honno'n un drydan.

'Pa ddiwrnod mwy priodol i briodas dau gariad gwlatgarol?' gofynnodd Llewelyn Price.

'Siŵr iawn,' myngialodd Sulwen gan ymbalfalu am esgusion. 'Ond fasa hynny braidd yn sydyn, basa?'

'Rhai felly ydan ni Americanwyr,' ebe'r biliwnydd. *Can do. Will do.*'

'Wn i. Ond yng Nghymru fyddwn ni'n priodi,' protestiodd Sulwen. 'Ac, wel, beryg i bobol feddwl bod raid inni.'

'Fe fyddan yn llygad eu lle,' chwarddodd Llewelyn Price. 'Rydw i'n dy garu di, Sulwen annwyl. Rwyt tithau'n fy ngharu i. Wyt ti? Wyt ti'n dal i 'ngharu i, Sulwen?'

'O, ydw, Llew! Ydw!' llefodd Sulwen yn angerddol.

'Ydym ni'n dau'n credu mai dim ond y tu fewn i rwymau priodas y gall cariad mor danbaid gael mynegiant ysbrydol a chorfforol cyflawn?'

'O, ydan!' cydsyniodd Sulwen.

'Wel,' cyhoeddodd Llewelyn C. Price IV. 'Mae'n rhaid inni briodi! A Dydd Gŵyl Dewi amdani!'

'Ia, Llew!' llefodd Sulwen yn afieithus. 'Madda imi am fod

mor ansicr, ofnus, llwfr a negyddol. Rhei felly ydan ni Gymry Cymru. Mi briodwn i chdi fory nesa, Llewelyn C. Price IV, tasa modd. Ichdi gael dechra gneud Cymraes Americanaidd ohona i!'

Pennod 12

Gwahoddiad

Pleser o'r mwyaf gan ICAC a Theledu ORJI yw gwahodd

Yr Arlywydd Bill Clinton a'r Seneddwraig Hilari Rhodni Clinton

i

'PRIODAS Y FLWYDDYN'

rhwng

SULWEN SAMANTHA
unig ferch y diweddar Cybi Huws a Mrs Lowri Huws,
Cwmbrwynog, Gwynedd

a

LLEWELYN CALVIN
unig fab y diweddar Llewelyn C. Price III a Mrs Annie Price,
Bar Nothing Ranch, Nevada

Cynhelir y Gwasanaeth Priodasol yng Nghapel Gommorah (M.C.),
Cwmbrwynog, am 12 o'r gloch Ddydd Gŵyl Dewi, 2003

Cyflwynydd: Parch. D. Culfor Roberts, B.A., B.D., O.B.E., Y.H.
Gwisgoedd, Goleuo a Sain: Ms Gwenno Roberts
Arlwyo: Rheinallt a Rhonwen ap Rhisiart, Gwesty'r Brwynog Arms
Cerddoriaeth: Madam Lowri Huws (Eos Brwynog)
Sgript: Parch. D. Culfor Roberts, B.A., B.D., O.B.E., Y.H.
Cynhyrchydd a Chyfarwyddwr: Bnr Rocky Roberts

Y Wledd Briodasol a'r Disgo Traddodiadol
i'w cynnal mewn pabell ar faes Clwb Rygbi Cwmbrwynog

Cynhyrchiad Teledu ORJI ar gyfer
The International Cambro-American Corporation a Mrs Lowri Huws

Adroddiad

Y BRYCH
(Papur Cymry'r America)

CYFNEWID DWY GALON

gan

U. D. A. Thomas, Palm Beach, Miami

Petaech wedi digwydd bod yng nghyffiniau Capel Sodom
(M.C.) ym mhentref bychan Cwmbrwynog, Gwynedd, am bum
munud i hanner dydd Ddydd Gŵyl Dewi buasech wedi gweld
golygfa anarferol iawn – unigryw, hyd yn oed – sef dau farchog
yn tuthian tuag atoch, y naill ar geffyl claerwyn a'r llall ar un
duach na'r frân. Wrth iddynt nesu, caech eich synnu ymhellach
o ganfod mai'r Lone Ranger oedd y cyntaf ac mai Tonto, ei was
ffyddlon o Indiad Coch, oedd y llall.

I gymeradwyaeth wresog y pentrefwyr a oedd wedi
ymgasglu ger y Capel, disgynnodd y ddau wron chwedlonol
oddi ar eu meirch ac wedi iddynt eu clymu wrth reiliau'r

fynwent, aethant i mewn i'r capel a oedd eisoes dan ei sang. Yno, disgwyliai amdanynt gynulleidfa o wŷr, gwragedd, pobl ifainc a phlant oll mewn diwyg oedd yn ffasiynol, neu'n arferol o leiaf, yn Oes Aur y Gorllewin Gwyllt. Gwelais swyddogion o'r *Union and Confederate Armies* a'u gwragedd boneddigaidd, sawl John Wayne, Jesse James, Billy the Kid, Clint Eastwood a Roy Rogers, *cowpunchers*, *gunslingers*, gamblwyr a thafarnwyr cyffredin, menywod o wahanol raddau o barchusrwydd a llwyth o Indiaid Cochion a'u *squaws*.

Na, nid ail bobiad o *Gone With the Wind* ar gyfer Sianel Pedwar Cymru oedd ar y gweill yn y tawel gwmwd hwn ynghanol ysblander Eryri, eithr priodas merch un o deuluoedd parchusaf yr ardal, Miss Sulwen Huws, ag un o feibion disgleiriaf cymuned Gymreig yr Unol Daleithiau, Mr Llewelyn C. Price IV. Syniad athrylithgar Mr Caledfwlch 'Rocky' Roberts o gwmni Teledu Orji, a gofnodai ar ffilm y ddefod briodasol a holl weithgareddau eraill y diwrnod hapus, oedd y thema Orllewinol.

Y Priodfab, Mr Ll. C. Price, a'r Gwas, Mr G. O'Toole, oedd y 'Lone Ranger' a 'Tonto', wrth gwrs; y gwahoddedigion o du draw i'r Iwerydd oedd y 'Dynion Gwynion'; a'r Cymry brodorol oedd yr 'Indiaid', dan arweiniad eu penaethiaid, Prif Weinidog y Cynulliad/Sitting Bull a Llywydd y Blaid Genedlaethol/Crazy Horse.

Gwisgai Mam y Briodferch ŵn o felfed ysgarlad tebyg i un Madam Adelina Patti, Craig-y-Nos, pan ymddangosai'r gantores bersain, fyd-enwog honno ar lwyfannau tai opera Dodge City, Deadwood Gulch a Tombstone, Arizona; tra patrymwyd gwisg wen, ddifrycheulyd, laes y Briodferch landeg a'i boned syml ar ddiwyg y ddiweddar, annwyl Grace Kelly yn y clasur sinematig hwnnw, *High Noon*.

Roedd hi'n hanner awr wedi hanner dydd, serch hynny, ar y Briodferch yn cyrraedd y Sedd Fawr ar fraich ei hewythr, Mr Seiriol Wynne-Hughes, Manchester, gŵr busnes llwyddiannus yn y ddinas honno, i seiniau cyfarwydd yr Orymdeithgan Briodasawl yn dihidlo o dannau telyn deires Madam Lowri Huws.

Agorodd y Parch. Culfor Roberts y gwasanaeth gyda gweddi fer yn deisyfu nawdd a bendith Pensaer Anfeidrol y Bydysawd ar briodas Sulwen a Llewelyn a'r Rhyfel yn erbyn Terfysgaeth. Dilynwyd hyn gan Gôr Meibion y Brwynogiaid, dan arweiniad Madam Lowri Huws, yn canu'r hen ffefryn *Home on the Range*.

Yna traddododd y Parch. Culfor Roberts bregeth deimladwy a phersonol ar yr wythfed a'r nawfed adnod o'r seithfed bennod o Epistol Cyntaf yr Apostol Paul at y Corinthiaid:

'Dywedyd yr ydwyf wrth y rhai heb briodi, a'r gwragedd gweddwon, da yw iddynt os arhosant fel finnau. Eithr oni allant ymgadw, priodant; canys gwell yw priodi nag ymlosgi.'

Yn nesaf, clywsom leisiau swynol Madam Lowri Huws a Mr Bryan Turvell, baswr ifanc addawol sy'n dechrau gwneud enw iddo'i hun ym myd *showbiz*, yn datgan y ddeuawd enwog o *Hywel a Blodwen*.

Gan fod y Parch. D. Culfor Roberts yn dra ymwybodol o'r ddyletswydd drom sydd ar Gristnogion i 'symud gyda'r oes', llawen a pharod fu ei ymateb i gais y Priodfab ar i'r ddefod briodasol adlewyrchu natur y byd yr ydym yn byw ynddo ar ddechrau'r unfed ganrif ar hugain, yn ogystal â gwerthoedd tragwyddol y Ffydd Gristnogol. Dengys y dyfyniad canlynol i ba raddau y llwyddodd:

Y GWEINIDOG: Y mae'n weddus inni gofio beth yw diben ac arwyddocâd y weithred hon. Fe'i sefydlwyd hi gan ddynion er cysur a buddioldeb iddynt hwy eu hunain, fel y derbyniant ddiddanwch gan eu gwragedd, ac er mwyn meithrin teuluoedd mewn ufudd-dod, doethineb, duwioldeb a chariad, gan gynnal ar yr un pryd y drefn economaidd sydd ohoni.

Y mae priodas, gan hynny, i'w hystyried yn sefydliad buddiol iawn ac ni ddylai'r un fenyw fynd i'r fath ystad yn ddifeddwl, ond yn bwyllog, o wir serch ac yn ofn ei gŵr.

Gan hynny, os gŵyr neb am unrhyw achos cyfiawn fel na ellir yn gyfreithlon uno'r ddau hyn mewn priodas, dyweded hynny yr awr hon, neu tawed â sôn byth mwy.

Y mae'n rheidrwydd ar eich Gohebydd yn awr gofnodi digwyddiad anffodus iawn, yr unig fefl neu frycheuyn ar ddiwrnod hapus dros ben. Cyfeirio yr ydys at ymyrraeth menyw ifanc a fu'n gweithio i Mr Llewelyn C. Price IV tan yn ddiweddar ac a ddiswyddwyd ganddo mewn amgylchiadau go anhyfryd. Yr oedd Myfanwy di Chianti – canys dyna enw'r person – trwy dwyll, dichell a pharodrwydd i weithio am ddim wedi perswadio Mr Rocky Roberts i adael iddi ymuno â thîm Teledu Orji fel rhedegydd, ac wedi osgoi cael ei hadnabod gan ei chyn-gyflogwr a'i osgordd trwy wisgo sbectol ddu a chrys a chap pêl-fas coch cefnogwr tîm rygbi cenedlaethol Cymru.

'Wn i am achos cyfiawn pam na all y rhain briodi!' gwaeddodd di Chianti, gan frasgamu oddi wrth y camera a'r goleuadau yng nghefn yr addoldy at y sedd fawr. 'Mae gan hwn un wraig gyfreithlon yn barod!'

Hawdd y gellir dychmygu'r cynnwrf a achosodd y fath ddatganiad ymhlith y rhai a'i clywodd a dicter cyfiawn y gŵr duwiol a weinyddai'r sagrafen briodasol.

'Mr Price,' meddai'r Parch. Culfor Roberts yn gynhyrfus, 'rydw i'n siŵr fod y wraig ifanc yn cyfeiliorni?'

'Ydi mae hi, syr,' atebodd y Priodfab yn gwrtais.

Erbyn hyn roedd achosydd yr helynt wedi cyrraedd y Sedd Fawr. 'Darllen hon, Parch!' oedd ei gorchymyn haerllug wrth estyn dalen o bapur i'r Gweinidog.

Gwelwodd Mr Roberts fel y darllenai: 'Ydi'r ddogfen hon yn un ddilys, Mr Price?' holodd a dychryn yn ei lais.

'Ydi mae hi,' atebodd y Priodfab yn ddigyffro.

'Wel, Mr Price,' meddai'r Gweinidog. 'Maddeuwch i mi, ond dan yr amgylchiada, fedrwn ni ddim mynd ymlaen efo'r gwasanaeth.'

'Wrth gwrs medrwn ni,' llefodd Mrs Lowri Huws a oedd wedi neidio o'i sedd yn y rhes flaen. 'Pam ddyliach chi wrando ar hen feudan wenwynllyd fel hon'na?'

'Am fod hon ganddi,' meddai Myfanwy di Chianti gan gipio'r ddogfen dramgwyddus o ddwylo crynedig y Parch. Culfor Roberts. 'City of Chicago in the State of Illinois,' darllenodd. 'Marriage License No. 20358/ZX . . . I, William P.

Daly, Mayor of Chicago, being of sound mind, hereby do certify Llewelyn C. Price and Elizabeth Jane Carruthers to be man and wife.'

'Mae arna i ofn bod dysgeidiaeth yr Eglwys yn bur bendant ar y mater,' ymddiheurodd Mr Roberts. 'Ar hyn o bryd, o leia.'

'Tydi'r ots am hynny,' mynnodd Mrs Huws, yn colli arni ei hun yn lân. 'Meddyliwch am y gests i gyd! Cannoedd ohonyn nhw! O bob gwlad dan haul. Y bwyd eith yn wastraff! Y presanta fydd raid 'u gyrru'n ôl!'

'Mae'n wir ddrwg gin i, Mrs Huws . . . Mr Price . . . Sulwen,' ochneidiodd y Gweinidog. 'Fedra i ddallt pa mor ofnadwy o siomedig ydach chi. Ond mi fasa'n fwy na gwerth 'yn jòb i i fynd ymlaen.'

Wylai'r Briodferch yn hidl. 'O, Llew!' llefodd. 'Sut buost ti mor flêr? Chdi o bawb! Yn medru trefnu bob dim – ond dy ddwrnod priodas di dy hun!'

'Fûm i ddim yn euog o unrhyw esgeulustod, Sulwen, fy nghariad i,' meddai Llewelyn C. Price IV yn dyner wrth ei ddarpar wraig ddagreuol cyn troi at y gynulleidfa, oedd yn awr yn ferw gwyllt, a chyhoeddi mewn llais clir: 'Mae'r ddogfen a gyflwynwyd i'r Parch. Culfor Roberts gan y . . . person yma . . . yn un ddilys.'

Edrychodd Mr Price ar Myfanwy di Chianti gyda dirmyg. Gwenodd hithau'n eofn arno ef, gan ymorchestu'n faleisus yn ei buddugoliaeth fyrhoedlog.

'Ond mae'r ddogfen hon yr un mor ddilys,' meddai'r Priodfab. 'Mr O'Toole . . . '

Ar archiad ei feistr, dododd 'Tonto' ei law dan ei *poncho* liwgar. Pan dynnodd hi allan, wedi peth ymbalfalu, cydiai mewn dogfen arall a gyflwynodd i'r Parch. Culfor Roberts.

Ar amrantiad, trodd galar a rhincian dannedd y Gweinidog yn orfoledd. 'Wel wir,' chwarddodd, 'mae hyn yn rhoi gwedd hollol wahanol ar betha! Tystysgrif ysgariad, cyhoeddedig yn Ninas Mecsico, sy'n dynodi'n eglur ddigon fod priodas Mr Llewelyn Price ac Elizabeth Jane Carruthers, pwy bynnag oedd honno, wedi dŵad i ben rai dyddia'n ôl!'

Aeth y gyhuddwraig yn gandryll. Cydiodd yn llabedi siaced

y Gweinidog a gweiddi i'w wyneb yn ddigywilydd: 'Ond mae hi'n dal yn wraig iddo fe yng ngolwg Duw!'

'Taswn i'n lle Duw, 'mechan i,' meddai Mr Roberts yn urddasol gan edrych i lawr yn anianol ac yn ysbrydol ar Ms di Chianti, 'ac rydw i'n dipyn nes ato Fo na chi! – mi faswn i'n deud bod Mr Llewelyn Price wedi cymryd cam doeth iawn!'

Gafaelodd hanner dwsin o Texas Rangers a *posse* o siryfion a dirprwy siryfion o Kansas City, Phoenix a Sacramento yn Miss di Chianti a'i hebrwng o'r Capel yn anewyllysgar a than arfer ieithwedd hollol anweddus mewn addoldy neu unrhyw fan arall.

'Mae bob dim yn iawn 'ta?' meddai Sulwen dlos yn llon, eithr yn dal fymryn yn amheus.

'Ydi,' oedd ateb y Parch. D. Culfor Roberts. '"Mae popeth yn dda", chwedl yr emynydd.'

Aeth y gwasanaeth rhagddo fel a ganlyn:

Y PRIODFAB: Yr wyf yn galw ar y personau sydd yma'n bresennol i dystiolaethu fy mod i, Llewelyn Calvin Price, Llywydd yr *International Cambro-American Corporation*, yn dy gymryd di, Sulwen Samantha Huws a Ffatri Wlân Cwmbrwynog, yn eiddo cyfreithlon i mi, gan addo, yng nghymorth y Gyfnewidfa Stoc Hollalluog, i'th gadw ac i'th garu, mor gyfoethog ag sydd bosibl, o'r dydd hwn hyd oni wahaner ni gan angau neu'r llys ysgariad.

Y BRIODFERCH: Yr wyf yn galw ar y personau sydd yma'n bresennol i dystiolaethu fy mod i, Sulwen Samantha Huws, yn fy nghyflwyno fy hun a Ffatri Wlân Cwmbrwynog i ti, Llewelyn Calvin Price, Llywydd yr *International Cambro-American Corporation*, gan addo, os derbyniaf log rheolaidd ar y buddsoddiad, dy gadw a'th garu, yn well ac yn gyfoethocach, o'r dydd hwn hyd oni wahaner ni gan angau neu'r llys ysgariad.

Y PRIODFAB: Rhoddaf iti'r fodrwy hon a gwerth miliwn o bunnau o gyfranddaliadau Barcud Derwen fel arwydd o'r cyfamod cariadus a wnaed rhyngom ni heddiw.

Y GWEINIDOG: Yn gymaint â bod Llewelyn Calvin

Price a Sulwen Samantha Huws wedi cyfamodi â'i gilydd mewn glân briodas, a'u bod wedi datgan hynny ym mhresenoldeb Cynrychiolydd Swyddogol Duw yn y parthau hyn, yr wyf yn eu cyhoeddi'n ŵr a gwraig, y naill i'r llall. Y peth, gan hynny, a gysylltwyd gan Was Duw, nac ysgared dyn.

Areithio Ysbrydoledig

Prin fis a aethai heibio er i Mr Rheinallt ap Rhisiart a'i briod hynaws Rhonwen gymryd drosodd y *Brwynog Arms* wedi ymadawiad annisgwyl y perchenogion blaenorol, ond gyda chymorth parod aelodau o staff arlwyol y gorfforaeth amlwladol y mae'r Priodfab yn Llywydd arni, llwyddasant i ddarparu gwledd a oedd at ddant a chylla rhai cannoedd o westeion o bum cyfandir a Llanrwst.

Cynigiwyd y llwncdestun 'Y Pâr Ifanc' gan y cyn-Arlywydd Clinton a'i eilio gan y Parch. D. Culfor Roberts gydag anerchiadau ffraeth yn gyforiog o gynghorion doeth ac awgrymiadau buddiol i Mr a Mrs Price parthed y bywyd priodasol. (Ymddiheurodd Mr Roberts ar ran ei briod, Buddug, na allai fod yn bresennol oherwydd ymrwymiadau cenhadol a dyngarol yn un o wledydd y Trydydd Byd.)

Diolchodd Mr Ll. C. Price yn huawdl i'r siaradwyr am eu geiriau doeth ac i Mrs Lowri Huws a'i diweddar briod, Cybi, i Gwmbrwynog ac i Gymru, am greu 'cymar delfrydol' iddo.

Hwyrol Hwyl

Wedi'r loddest, darparodd DJ Efnisien a'r grŵp lleol, *Big Weeds* (Y Brwyn, gynt), y math o 'adloniant' swnllyd sy'n apelio at y to ifanc. Eithr er mawr foddhad i hynafgwyr fel eich Gohebydd, lefeiniwyd eu synau aflafar gan seiniau swynol Madam Lowri Huws, Mr Bryan Turvell a Chôr y Brwynogiaid, a oedd wedi duo eu hwynebau a gwisgo siacedi coch a llodrau streipiog glas a gwyn ar gyfer eu cyflwyniad o rai o ganeuon

171

mwyaf poblogaidd y *Nigger Minstrels* (sydd wedi eu halltudio o'n llwyfannau cyhoeddus a'n setiau teledu, ysywaeth, yn enw melltigedig 'cywirdeb gwleidyddol').

Ychydig cyn hanner nos, clywyd trwst enfawr uwchben y babell lle y cynhelid y gweithgareddau hyn a phan lifodd y dorf o westeion chwilfrydig allan at yr ysmygwyr gwelsant hofrennydd yn glanio ger pafiliwn y Clwb Rygbi. Roedd hon, ac arni'r llythrennau ICAC ynghyd â logo'r gorfforaeth, wedi cyrchu parth â Chwmbrwynog i gludo Mr a Mrs Price i faes awyr Manceinion, lle yr arhosai awyren breifat i'w hedfan hwy ar eu melrawd.

Bydd Mr a Mrs Price yn bwrw eu swildod mewn dinasoedd a chanolfannau diwydiannol a masnachol ledled y byd lle y mae gan yr *International Cambro-American Corporation* swyddfeydd a gweithfeydd. Terfynaf hyn o lith trwy ddymuno priodas dda iawn iddynt ar ran holl ddarllenwyr *Y Brych*.

Pennod 13

Lloffion o Ddyddiadur Sulwen

Mawrth 2
Paradwys. Neu Santa Maraca (Jones Island, gynt), a rhoi ei
henw cywir i'r ynys fechan, hardd hon ym Môr y Caribî, nid
nepell o Jamaica. Mae pob diwrnod yn 'ddiwrnod cynta
gweddill dy fywyd', ond heddiw rydw i'n teimlo bod
arwyddocâd arbennig i'r ystrydeb honno.

Mae Sulwen Huws wedi newid byd, yn ffigurol ac yn
llythrennol. Wedi hedfan o'r Hen Fyd i'r Byd Newydd. Ddoe,
roedd hi yng Nghwmbrwynog, yn hogan ifanc hollol
ddibrofiad. Heddiw, dyma hi'n gorfadd ar *sunlounger* ar draeth
o dywod gwyn, filoedd o filltiroedd o Gymru fach, yn wraig
briod newydd sbon danlli grai.

O, mae hi'n odidog yma! Y môr cyn lased â'r wybren ddi-
gwmwl uwchben, a'r haul mawr, melyn yn tywynnu'n ddigon
ffyrnig i losgi cochan efo croen sensitif yn grimp mewn byr o
amser 'tai hi ddim yn blastar o heulfloc ac yn cysgodi dan
ambarél wellt yn sipian y coctel mwya bendigedig greodd
barman du erioed.

Mae 'ngŵr i'n snorclo. Wela i 'i beriscop o'n gwibio'n ôl a
blaen drwy'r weilgi, fel 'tai o'n llong danfor niwclear. Sy'n
rhoid cyfla i mi gofnodi'n meddylia, 'nheimlada a 'mhrofiada
ar ddechra 'mywyd priodasol fel Mrs Llewelyn C. Price. Fydd
hi mor ddifyr edrach yn ôl a'u hail-fyw nhw, pan fydda i'n 'hen
a pharchus'!

Ddoe, Cwmbrwynog. Heddiw, Santa Maraca. Er bod

173

Cefnfor Iwerydd rhwng y ddau le, dim ond ychydig oria gymrodd y siwrna yn un o awyrenna ICACAir. Roedd honno mor wahanol i'r rheini y cewch chi'ch sdwffio iddyn nhw efo dega o Saeson diflas wrth fynd i Mallorca neu Tenerife.

Dim ond Llew a fi oedd ar y plên! (Heblaw am y peilot, y cyd-beilot a stiwart neu ddau, wrth gwrs.) Roedd y bwyd yn werth ei fyta am unwaith. Mi oedd gynnon ni lofft inni'n hunain. A gwely. A do, mi geuthon ni w.r.g.

Toedd o ddim yn brofiad nefolaidd, a deud y gwir yn onast, er ein bod ni 30,000 o droedfeddi'n uwch na'r byd. Mi ges i'n hun yn meddwl fasa waeth imi fod wedi gadael i Gwyndaf gael ei ffordd, os mai dyna i gyd oedd o, nes imi glwad Llew yn tuchan, 'O, Sulwen, 'nghariad annwyl i. Fy lili wen bur!' Roeddwn i'n reit falch, wedyn, 'mod i wedi cadw at fy egwyddorion ac roedd Llew fel 'tai o wedi mwynhau ei hun siort ora.

Er fod 'ngŵr i'n ddyn mor gry yn gorfforol ac yn feddyliol, mae o hefyd yn sensitif iawn. Ddeudodd o'r un gair am y llanast ar y cynfasa bora 'ma. Driis inna beidio â chymryd sylw er bod gen i gymaint o gywilydd.

Mae Llew wedi dŵad allan o'r môr rŵan ac yn loncian yn noethlymun groen hyd y traeth! Fu ond y dim imi weiddi ar ei ôl o, i roid ei drowsus nofio amdano fo, pan gofis i mai dim ond ni'll dau sy 'ma!

Dwi'n dal i wisgo 'micini. Rhy henffasiwn neu'n ormod o fabi i fynd yn *topless* hyd yn oed. I hynny daw hi, beryg, wrth imi 'fwrw'n swildod'!

Mawrth 3

Diwrnod dioglyd arall yn gorweddian ar y traeth, ill dau'n dal i ddatjetluddedu. Ond mi neuthon ni ddefnydd helaeth o'n cega a'n tafoda – ac nid dim ond i swsian a ballu! Rydan ni wedi bod yn siarad am ein dyfodol efo'n gilydd fel gŵr a gwraig. Am y tro cynta, fwy neu lai!

Ddigwyddodd bob dim mor sydyn wedi imi gytuno i briodi Llew. Rhwng miri gwerthu'r Ffatri i ICAC a threfnu'r briodas, cheuthon ni fawr o gyfla i drafod be fydda'n digwydd wedyn.

Syniada digon annelwig oedd gen i, rhaid imi gyfadda. Diolch byth bod gan fy ngŵr i farn go bendant ar y pwnc – fel am bob dim arall dan haul!

Dyna un rheswm pam priodis i o, mae'n debyg. Rheswm arall ydi fod Llew fel 'tai o'n gwbod be ydw i isio'n well na fi'n hun. Pan sonis i 'mod i'n edrach ymlaen at ddysgu am ICAC a'i helpu o i redag y busnas, mi holodd o fasa ddim well gen i orffan fy nhraethawd Ph.D. 'Dwyt ti rioed am 'ngyrru i'n f'ôl i'r Coleg?' medda fi'n syn.

Nid dyna oedd ganddo fo mewn golwg, wrth gwrs. Mi fedrwn 'studio o adra – ble bynnag fydd hwnnw; tydan ni ddim wedi penderfynu eto – a Llew'n gneud yn siŵr bod y llyfra i gyd gen i a chyfleustera telathrebu i 'nghysylltu i efo 'nhiwtoriaid. 'Hen fyd materol, diflas iawn ar adegau, ydi byd busnes,' medda fo. 'Gad ti hwnnw i mi a dychwelyd i'r byd mwy gwaraidd a adewaist mewn ymgais ddewr ond ofer i achub dy dreftadaeth. Mae honno'n ddiogel bellach, ac os mai dyna dy ddymuniad, hoffwn iti ailgydio yn yr yrfa academaidd ddisglair y cefnaist arni mor anhunanol. Rydw i'n dymuno i 'ngwraig i fod yn fwy na meistres ar fy nghartrefi, addurn ar fy nghiniawau a mam i'm plant. Rydw i am iddi f'arwain i fyd yr ysbryd a'm diwyllio gyda'i hadnabyddiaeth o Lên, Hanes a'r Celfyddydau Cain. Y peth ola fyddwn i eisie wedi dod adre o'r Swyddfa neu o bwyllgor neu gynhadledd fyddai rhagor o siarad am fusnes!'

'Mi 'na i 'ngora, Llew,' medda fi a thynnu top fy micini am y tro cynta a rhedag i'r môr a fynta fel milgi ar f'ôl i.

A sôn am blant, gafon ni w.r.g. ddwywaith neithiwr. Ddim mor boenus ag echnos.

Mawrth 4

Gan ein bod ni wedi dŵad atan ni'n hunain yn o lew erbyn hyn, mi aeth Llew â fi o gwmpas yr Ynys. Santa Maraca ydi'r enw roddodd y Sbaenwyr arni pan lanion nhw'n yr unfed ganrif ar bymtheg a dyna sut mae hi'n cael ei hadnabod heddiw, er fod rhai hen fapiau o'r ddeunawfed ganrif a dechra'r bedwaredd ganrif ar bymtheg yn ei galw hi'n 'Jones

Island'. Hynny am ei bod hi'n eiddo ar y pryd i Gymro o'r enw Richard Jones, ewythr i'r pregethwr enwog, John Jones Talsarn, y ddau'n enedigol o Ddolwyddelan, a dyna sut yr enwyd y stad o blanhigfeydd siwgwr a'r plasty gwyn, hardd, 'trefedigaethol' yn *Dolela* – a finna wedi meddwl mai gair Sbaenaidd oedd o nes i Llew egluro wrtha i.

Mi lasa Llew fod wedi prynu unrhyw un o ddega o ynysoedd tebyg yn y Caribî ond mi ddewisodd o hon oherwydd y cysylltiada Cymreig. Nid y lleia ydi'r ffaith na fydda John Jones Talsarn wedi medru prynu'r chwaral yn Nyffryn Nantlle fu'n gynhaliaeth iddo fo a'i deulu tra oedd o'n lledaenu Efengyl Iesu Grist heb gefnogaeth ariannol sylweddol Dewyth Dic a'i feibion.

Rydw i wedi cael modd i fyw'n darllan llythyra oddi wrth John Jones at ei yncl a'i gefndryd, gadwyd gan berchenogion *Plas Dolela* a ddaeth ar eu hola nhw (mi fuo'r Jonesiaid i gyd farw, yn drist iawn, o ryw glefyd hyll ddalion nhw gan y brodorion). Mae J. J. T. yn deud fwy nag unwaith, chwara teg iddo fo, na fydda fo'n derbyn yr un geiniog o fuddsoddiad gan ei deulu alltud petai o heb gael sicrwydd eu bod nhw'n ffeind efo'u caethweision – 'yn ymddwyn yn dra Christnogawl a charedigawl tuag at eich caethwasanaethyddion duon' a defnyddio'i eiria fo'i hun.

Dyma enghraifft gynnar o effeithia bendithiol globaleiddio, yn ôl Llew.

Mae'r planhigfeydd siwgwr wedi mynd erstalwm iawn ac yn eu lle mae'r Maes Golff deunaw twll gyda'r gorau yn y byd lle medar Llew a'i ffrindia gael gwared o effeithiau gorweithio a strès amball benwythnos, a Gwarchodfa Natur â'i llond o blanhigion, anifeiliad gwyllt, adar a phryfaid.

'Mae hi fel Gardd Eden yma, Llew,' medda fi wrth inni grwydro law yn llaw drwy'r drysni gwyrddlas, a pharotiaid pinc a melyn a choch a du'n sgrechian uwchben a mwnciod direidus yn sboncio o'r naill goedan i'r llall. 'Ydi mae hi – Efa!' meddai Llew ac mewn chwinciad roedd o wedi tynnu 'nhop a'n sgert Paco Rabanne a 'mhantis M&S oddi amdana i, a'i siorts a'i grys-ti (Tafod y Ddraig) oddi amdano'i hun, ac roeddan ni'n cael g.r.g. reit egnïol ynghanol y brwgaetsh egsotig. Er 'mod i ofn am fy mywyd i ryw drychfil neu forgrugyn fynd i rwla ddyla fo ddim, rhaid imi gyfadda 'mod i wedi mwynhau'r profiad. Rhyfadd 'te?

Mawrth 7

Mae Llew wedi ei alw i Efrog Newydd i drafod y datblygiada diweddara yn Affganistan lle mae ICAC wedi buddsoddi miliyna ar filiyna o ddoleri i ddatblygu'r wlad druenus honno ond tydw inna ddim wedi bod yn hollol segur. Ar ei awgrym o, rydw i wedi treulio'r rhan fwya o'r diwrnod yng nghwmni'r ddau berson sy'n gyfrifol fod cystal trefn a graen ar betha ym *Mhlas Dolela*, Simone, yr howscipar, a Jean-Paul, y pen-cogydd/*chef*. Ffrangeg ydi iaith gynta'r ddau, er eu bod nhw'n bobol dduon, gan eu bod nhw'n enedigol o ynys Martinique, nid nepell o Santa Maraca.

Pobol dduon ydi'r staff i gyd yma ond maen nhw'n rei neis iawn, manesol dros ben ac yn lân ofnadwy. Ella bod ganddyn nhw dueddiad i chwysu dipyn mwy na ni a dyna pam, mae'n debyg, eu bod nhw'n gwisgo menig gwynion wrth weini arnan ni wrth y bwrdd bwyd.

Tipyn o gyfrifoldab ydi bod yn feistras palas o le (a 'dwn i ddim faint o rai eraill ledled y byd) ac roeddwn i'n ddiolchgar iawn am y *tips* a'r cynghorion ges i gan Jean-Paul a Simone.

G.r.g ddwywaith neithiwr, er inni fod wrthi mor wyllt yn y gwyllt ychydig oria cyn hynny. Beryg 'mod i'n mynd yn *sex maniac*!

Mawrth 8
Ydw, mi dwi! Saith g.r.g. neithiwr!!!

Mawrth 9
Dim ond un w.r.g neithiwr. Ond am un! Mi barodd am bump awr!!!

Mawrth 12
Dyma ni ar ynys arall, Sisilia, yn aros mewn palas bia Signor

Berlusconi, Prif Weinidog yr Eidal ac un o ddynion busnas mwya llwyddiannus y wlad cyn hynny; roedd o a Llew'n hen ffrindia cyn i Silvio droi at bolitics i achub yr Eidal rhag mynd â'i phen iddi ychydig flynyddoedd yn ôl, rhywbeth sy wedi'i neud o'n amhoblogaidd ofnadwy ymhlith y criw arferol o gwynwyr proffesiynol, comiwnyddion ac undebwyr llafur sy'n gas ganddyn nhw weld dim yn llwyddo ond mae o'n boblogaidd dros ben yn y wlad drwyddi draw, fel mae adroddiada ar y teledu ac yn y wasg bob dydd yn dangos yn eglur.

Ychydig iawn o 'ngŵr wela i am y tridia byddwn ni yma. Cheith y cradur ddim dengid rhag ei gyfrifoldeba hyd yn oed ar ei fis mêl. Ond tra bydd o'n cyfarfod cynrychiolwyr lleol ICAC – 'aeloda o'r Teulu' fel bydd o'n eu galw nhw – yn y brifddinas, Palermo, rydw i am gael fy nhywys o gwmpas yr Ynys i weld adfeilion Groegaidd a Rhufeinig, temlau, amffitheatrau, llosgfynydd Etna ac ati gan P.A. newydd Llew, Bronwen Borgia, Eidales Americanaidd wedi dysgu Cymraeg, fel ei rhagflaenydd, Myfanwy di Chianti, ond hogan lawar cleniach.

Fyddwn ni wedi ymweld â Rhufain, Paris, Llundain a Bogota cyn y gwela i Gwmbrwynog eto. Sôn am ehangu gorwelion! Llydaw, Iwerddon a'r Alban oedd yr unig wledydd 'tramor' ges i weld tra oeddwn i'n mynd efo Gwyndaf. Bob haf, fyddan ni'n campio (gwell gair na 'gwersylla' yn y cyd-destun yma) mewn cae ym mhen draw Connemara efo haid o feddwon o'r Gwledydd Celtaidd eraill oedd ar ben eu digon yn slotian Guinness a Jameson a lladd ar Saeson drwy'r dydd a than oria mân y bora. Trio cysgu wedyn mewn hen dent laith a Gwyndaf yn codi bob hannar awr i chwydu neu rwbath arall ac yn gneud ei ora i sdwffio i mewn i'n sach-gysgu i wedyn.

Dim ond 2.5 g.r.g. neithiwr gan fod gan Llew gymaint ar ei feddwl.

Mawrth 23
Ar ben fy hun eto heddiw gan fod Llew wedi bod mewn cyfarfodydd drwy'r dydd efo rhai o 'ben bandits' Colombia a

swyddogion rhai o'r cwmnïau olew eraill sy'n gweithio yma. Tydw i ddim yn cwyno, (a) am 'mod i'n sylweddoli mor bwysig ydi'r cyfarfodydd yma i drafod sut ora i helpu'r Llywodraeth i ymladd y Rhyfal yn erbyn Terfysgaeth a Chyffuria, a (b) oherwydd bod Bogota yn ddinas mor ddifyr. Faint fynnir o siopa mawr, gwestai gwych, tai bwyta rhagorol ac adeilada cyhoeddus modern, a rhanna digon gwachul, hefyd, sy'n gneud i stad gyngor Glan Crafog edrach fel y Champs Elysées (lle buon ni'r wythnos ddiwetha).

Tydw i ddim yn cael crwydro Bogota ar fy mhen fy hun, wrth gwrs. Llawar rhy beryglus. Fasa'r Terfysgwyr sy'n bla yma wrth eu bodda'n cael eu hen ddwylo creulon ar ddynas wen o Ewrop, yn enwedig a hitha'n wraig i Lywydd un o gorfforaetha mwya'r byd. Heb sôn am y rafins, lladron, mygwyr a'r pigwyr pocedi welwch chi ym mhob dinas fawr y dyddia hyn. Dyna pam fydd Pedro a Pablo, dau Ladinwr lysti, yn dŵad efo fi i bob man.

Fydd 'na ddim g.r.g heno, mae arna i ofn. Yn fy ngwely rydw i'n sgwennu hwn a Llew'n cysgu'n sownd wrth f'ochor i, wedi ymlâdd ar ôl diwrnod o bwyllgora. Dw inna'n reit lluddedig hefyd, rhaid imi gyfadda, ar ôl siopa mor hegar, er bod Pedro a Pablo efo fi i gario'r bagia'n ôl i'r limwsîn.

Mawrth 24

Mae'r dair wythnos ddwytha wedi bod yn gyforiog o brofiada gwefreiddiol, anhygoel, bythgofiadwy, ond heddiw mi ges i'r mwya anhygoel un. Cwarfod dynas o Gwmbrwynog, yma yn ninas Bogota, filoedd ar filoedd o filltiroedd o adra!

Mi wyddwn i fod Mrs Roberts Gweinidog yn cenhadu rwla'n y Trydydd Byd, ac mewn capal y cwarfon ni. Ond dipyn o gyd-ddigwyddiad, serch hynny.

Cwt sinc bach gwyrdd â tho coch, ynghanol *skyscrapers* anfarth canol y ddinas, yn dwyn i gof 'Nid ydynt hardd eich hen addoldai llwm . . . yn flychau sgwâr, afrosgo trwm, yn foel ddiramant hyd y cwm . . . ', a phan glywais i seiniau 'I Bob Un sy'n Ffyddlon' yn cael ei chanu'n Sbaeneg yn cwafro drwy'r drws a'r ffenestri agored, roedd rhaid imi fynd i mewn.

Adwaith hefyd, yn rhannol mae'n debyg, yn erbyn yr holl 'gapeli Pab' rydw i wedi ymweld â nhw'n ddiweddar yn Palermo, Rhufain, Paris ac yma yn Colombia. Neis iawn, dwi'm yn deud, efo'u haur, marmor, delwa a ffenestri lliw, ond dda gen i ddim yr hen arogldarth drewllyd yna, na'r tincial clycha byth a hefyd drwy'r gwasanaeth, na hen fynachod a lleianod afiach yn mynnu'ch bod chi'n talu i weld pengloga ac esgyrn 'saint' digon amheus. Rydw i o'r un farn yn union â'r Parch. Culfor Roberts, sy'n methu dallt sut bod dynion clyfar fel Saunders Lewis yn medru llyncu'r fath rwtsh ofergoelus.

Ond sôn oeddwn i am Mrs Buddug Roberts. Roeddan nhw ar ganol gwasanaeth o ryw fath pan euthon ni i mewn i'r hen gapal bach, diymhongar. Yn Sbaeneg, wrth gwrs, ond digon tebyg i be gaech chi adra i mi deimlo'n gartrefol ar unwaith, beth bynnag am Pedro a Pablo, nes imi sylwi fod y ddynas dal, bryd tywyll efo siôl ddu dros ei phen wrth yr *harmonium* yn sbio arna i braidd yn ddigywilydd. Mi faswn wedi codi a mynd allan tasa hi heb fynd at y gweinidog, os mai dyna pwy oedd o – dyn ifanc efo mwstásh mawr du ac wedi'i wisgo'n ddigon blêr mewn crys chwys a jîns – a sibrwd rwbath yn ei glust o. Edrychodd ynta arna i a deud rwbath ddalltis i ddim wrth y gynulleidfa heblaw 'Senorita Sulwen Huws' a wedyn dyma'r ddynas yn deud, yn Gymraeg, 'Croeso arbennig y prynhawn yma i Miss Sulwen Huws, o Gwmbrwynog', a dyna pryd nabodis i hi!

Roeddan ni mor falch o weld ein gilydd. Gafon ni sgwrs hir dros banad o goffi a *tortillas* yn y festri wedi'r oedfa. Wydda Mrs Roberts ddim 'mod i wedi priodi. Synnis i braidd na fydda Mr Roberts wedi rhoid gwbod iddi, yn enwedig gan ei bod hitha wedi'i gwadd i'r briodas, ond mae'n debyg bod llythyra'n cymryd oesoedd i gyrradd a'r ffôn ddim yn ddibynadwy iawn yma chwaith.

Fasa Mrs Roberts wrth ei bodd yn cwarfod Llew. Grefodd hi'n daer iawn arna i i'w berswadio fo i ddŵad efo fi fora Sul, yn enwedig gan bydd hi'n Gymun.

Ebrill 1

Diwrnod Ffŵl Ebrill. Priodol iawn. Rydw i'n teimlo'n rêl ffŵl wrth sgrifennu hyn a ninna'n hedfan o Bogota i Washington. Fasa'n well gen i anghofio digwyddiada'r dyddia dwytha 'ma, ond llwfrdra fydda hynny. Well imi eu cofnodi nhw'n fy Nyddiadur na'u gwasgu nhw i lawr i'r isymwybod dim ond iddyn nhw ddŵad yn ôl i 'mhlagio i 'mhen blynyddoedd fel anhwylder ôl-drawmatig (PTSD).

Roedd Llew wedi llawn fwriadu dod i'r Capal efo fi – diolch byth na wnaeth o ddim, fel y bu petha – ond mi ffoniodd Arlywydd Colombia, dyn neis ofnadwy'n siarad Saesneg perffaith ac entrepreneur llwyddiannus cyn troi at wleidyddiaeth, fel yr oeddan ni ar gychwyn, felly mi es i'n hun (efo Pablo a Pedro, wrth gwrs).

Geuthon ni groeso gwresog iawn gan Mrs Roberts a'r Gweinidog er eu bod nhw'n siomedig ofnadwy nad oedd 'Senor Price' efo ni. Roedd y gwasanaeth yn ddifai, er na fedrwn i ddallt fawr ohono fo, a'r canu braidd yn dena, nes daeth hi'n Gymun.

Gynigiodd y Gweinidog, a Mrs Roberts wrth ei ochr o, y bara a'r gwin i ni'll tri o flaen neb arall, fel arwydd o barch, feddylis i, i'r bobol ddiarth. Ond symudon nhw ddim yn eu blaena wedyn. Dim ond rhythu'n hy ar Pedro, Pablo a fi. Wedyn, chwedl y bardd, 'dechreuais simsanu braidd, ac meddaf i chi, daeth rhyw ysictod drosof i'.

Roedd Pedro a Pablo'n edrach yn gwla hefyd. Syrthiodd y cynta'n glewt ar lawr. Waeddodd y llall rwbath mewn Sbaeneg, nerth ei ben, a mynd i'r afael efo'r Gweinidog nes cafodd o *wang-tsw-boi-ffeng-siwi* ar draws ei wddw gan Mrs Roberts (trwyddi hi y dechreuodd Mr Roberts ymddiddori mewn carate) a syrthio ar ben ei gyfaill. Dyna'r peth ola welais i am sbel.

Wn i ddim am ba hyd y bûm i'n anymwybodol. Diwrnod cyfa, synnwn i ddim. Roedd gen i andros o gur pen pan ddeffrais i. Beth bynnag ddodwyd yn y gwin cymun, roedd ganddo fo goblyn o gic!

Feddylis i gynta mai yn Santa Maraca yr oeddwn i, ac mai

breuddwyd neu hunllef oedd bob dim ddigwyddodd er hynny. Roedd hi'n dwym, yn glòs ac yn heulog a synau'r wig o 'nghwmpas i. Pan ddes ataf fy hun yn weddol, welis 'mod i mewn rhyw fath o gwt neu gaban o ddail a changau. Gan nad oedd 'na ddrws ar yr 'adeilad' mi gropis allan a chael fy hun mewn llannerch eang â nifer o gytia tebyg i'r un des i ohono fo a rhai eraill ar bolion tal. A haid o ddynion a merched mewn dillad *Army Surplus* â gynna a grenêds yn hongian o bob man y medrid bachu arf. Pan sylwon nhw arna i, daeth dwy o'r merched ata i. Mrs Buddug Roberts oedd un. Feddylis i 'mod i'n mynd o 'ngho. Neu'n dal i freuddwydio.

Dim byd o'r fath. Roedd hyn yn digwydd imi go-iawn, gwaetha'r modd. Ar ôl holi'n ddigon clên sut oeddwn i'n teimlo a deud y byddai hi'n trefnu imi gael bwyd a diod a molchi a 'newid i rwbath mwy cyfforddus' – h.y., y dillad *khaki* hyll oedd ganddi hi a'i ffrindia amdanynt – esboniodd Mrs Roberts 'mod i wedi cael fy 'rhyddhau' gan 'Fyddin Chwyldroadol Colombia' ond y cawn i fynd yn f'ôl at yr 'Archgyfalafwr Lou Price', os mai dyna fy nymuniad, a phetai o'n barod i dalu pridwerth o $20,000,000. Petawn i'n lwcus, ac yntau'n gwrthod, cawn fy 'hyfforddi' gan y Fyddin Chwyldroadol i ymladd i ryddhau Colombia a gweddill y byd, gan gynnwys Cymru, o grafangau 'Imperialaeth'.

Mae pobol Cwmbrwynog wedi bod yn deud ers blynyddoedd fod Mrs Roberts Gweinidog yn ddynas od. Sylweddolodd neb pa mor od!

Y gynta oedd honna o wn i ddim faint o sgwrsys gwallgo ges i efo Mrs Roberts a rhai o'i ffrindia oedd yn medru Saesneg. Drion eu gora i dorri 'nghalon i. Deud bod Llew'n gwrthod talu'r un ffadan beni a bod hynny'n profi nad oedd o'n fy ngharu i. Gymris arna fynd i'r pot ond wyddwn i y bydda Llew'n dod o hyd imi'n rhad ac am ddim am fod sglodyn silicon yn fy modrwy briodas i'n rhoid gwybod iddo fo, drwy ryw wyrth dechnolegol, lle'n union yr oeddwn i.

Echdoe, amsar cinio, a finna'n gorfodi fy hun i lyncu mymryn o reis a ffa, yr unig bryd ar fwydlen y 'Fyddin Chwyldroadol', mi glywais sŵn saethu yn y pellter ac yna'n nesu, ac mi hedodd dau hofrennydd mawr, du'n isel dros gangau ucha'r coed. Rhoddodd y terfysgwyr i gyd y gora i beth bynnag yr oeddan nhw'n ei wneud ar y pryd a hel eu pacia. Mewn deg munud roedd pob un o'r giwed wedi ei gwadnu hi o'r gwersyll.

Un o'r rhai ola i fynd oedd Mrs Roberts. 'Tyrd efo ni, Sulwen bach, ichdi gael bod yn hapus,' medda hi. Dwi'n siŵr ei bod hi'n meddwl o ddifri bydda hynny er fy lles i. 'Dowch chi'n ôl i Gwmbrwynog efo Llew a fi, Mrs Roberts,' medda finna. 'Fan'no mae'ch lle chi. Yn eich milltir sgwâr. Efo'ch pobol chi'ch hun, nid efo haid o estroniaid peryglus. Efo'ch gŵr eich hun, sy'n gweld eich colli chi'n arw iawn.' 'Culfor!' meddai Mrs Roberts a phoeri ar y llawr fel bydd pobol yn y rhan yna o'r byd yn ei wneud i ddangos gyn lleiad o feddwl sy ganddyn nhw o rwbath. 'Cul-de-sac!' A ffwrdd â hi efo'r hen sinach bach dauwynebog gymrodd arno fod yn Weinidog yr Efengyl er mwyn fy herwgipio i, yn lle mynd yn ôl at ei gŵr go-iawn sy'n Weinidog go-iawn. Ac wrth edrach arnyn nhw'n mynd efo'u gynna a'u grenêds, mi gofis rwbath fydda Mr Roberts yn ei ddeud reit amal: 'Nid yw'r ffaith fod rhywun yn proffesu crefydd Iesu Grist yn brawf ei fod o neu hi'n berson da.'

Funuda'n ddiweddarach mi gyrhaeddodd aeloda o Fyddin Colombia dan arweiniad criw o *American Marines*, a 'ngŵr i, Llewelyn C. Price IV, yn eu plith.

Rydan ni ar ein ffordd i Washington D.C., rŵan, imi ddeud fy hanas wrth swyddogion y CIA, yr FBI, y Pentagon a'r sefydliada eraill sydd ar flaen y gad yn y Rhyfel yn erbyn Terfysgaeth. Roedd Llew wedi cymryd ato'n ofnadwy am beth ddigwyddodd imi yng Ngholombia ond ddeudis i wrtho fo am beidio ag ymddiheuro. Alla'r helynt ges i ddigwydd i rywun, dyddia hyn. Fydd neb yn saff nes enillwn ni'r Rhyfel.

Ond rydan ni'll dau wedi'n sobreiddio gan yr helynt a fydd 'na ddim g.r.g. yn y caban heno.

Ebrill 4

Dyma ni yn yr awyren unwaith eto ac yn jetio tuag 'Ynys yr Hud' fel y bydda i'n galw Santa Maraca. 'Ynys y Trysor' ydi enw 'ngŵr i arni ac wn i'n iawn am beth mae o'n meddwl! Finna hefyd ar ôl yr helynt ym Mogota a chael fy holi'n dwll gan y CIA et al. Neuthon nhw imi gofio bob dim fedrwn i am y Capal a'r Gwersyll a phawb gwarfis i'n y ddau le, be ddeudwyd wrtha i, be glywis i ac ati ac yn y blaen, am ddeuddydd cyfa. Ddychrynis i pan ddeudon nhw fod Pedro, yr un lewygodd gynta yn y capal – os gwnaeth o hefyd! – wedi cyfadda, pan holwyd o gan arbenigwyr Americanaidd, ei fod o'n un o'r Terfysgwyr, a'i fod o wedi mynd â fi at y capal a nhwtha tu mewn wedi canu 'I Bob Un sy'n Ffyddlon' fel roeddan ni'n mynd heibio er mwyn iddyn nhw fedru fy herwgipio i. Fedrwch chi drystio neb y dyddia hyn!

Ddysgis i fwy o ffeithia bywyd yn Washington, amball un annymunol iawn, megis bod fy ngwlad i'n hun yn cynnal yr 'echel annuwiol' y mae Llywodraeth yr Unol Daleithiau mor benderfynol o'i dryllio ac mai Cymro ydi Osama bin Laden.

Pan glywais i fod gan y CIA Adran Gymreig, roeddwn i wedi gwirioni fod un o sefydliada pwysicaf a mwyaf dylanwadol yr Unol Daleithiau yn cydnabod Cymru fach fel cenedl ar wahân. Ond tydi hynny ddim er clod inni, gwaetha'r modd. I'r gwrthwyneb. Dim ond yn Irac, Iran, Syria, Libanus (y wlad, nid Capal Batus Pwllmawnog!), Gogledd Iwerddon, Gwlad y Basg a Cuba y mae canran uwch o'r boblogaeth yn cefnogi Terfysgaeth.

Pan ddeudodd Clust ap Clustfeiniad a Drem ap Dremidydd (nid eu henwau iawn), Pennaeth a Dirprwy Bennaeth CIACymru/Wales, fod ganddyn nhw le i gredu fod bin Laden yn un o'n 'hogia ni' mi 'nes i wfftio'r fath syniad. 'Pa dystiolaeth sy gynnoch chi?' medda fi. Dyma'u hateb.

Yr unig eglurhad pam mae'r gwasanaethau cudd mwyaf proffesiynol yn hanes y byd, efo'r offer electronig mwyaf soffistigedig a ddyfeisiwyd erioed, wedi methu dal bin Laden ydi eu bod ar drywydd hollol anghywir ac yn chwilio am ddyn sy'n hollol wahanol i'r llun ohono fo sydd ganddyn nhw yn eu meddyliau.

Canlyniad rhesymegol hynny ydi tybio na chafodd y dihiryn mo'i eni yn Sawdi, na fu erioed yng nghyffiniau

Affganistan, nad ydi o nag Arab na Mwslim ac nad Osama bin Laden ydi ei enw o.

Tydi hynny ddim yn profi mai Cymro ydi'r cena ond mae'r ffeithiau canlynol yn bur ddamniol:

Mae Cymru'n bell iawn o Sawdi ac Affganistan. Bychan ydi'r dylanwad Arabaidd a Mwslemaidd yno, ar hyn o bryd. Mae locsyn fforchiog, pigfain OBL yr un ffunud ag un Owain Glyndŵr. Ni lwyddodd yr Awdurdodau i ddal Glyndŵr na'i Feibion.

Ar sail y wybodaeth uchod, mae Drem a Clust a'u tîm fforensig wedi llunio proffil seicolegol o'r Cymro sy'n arwain rhwydwaith terfysgol perycla'r byd:

Gŵr parchus, canol oed, dosbarth canol, byth yn gwneud sôn amdano'i hun ond yn genedlaetholwr eithafol, serch hynny. Oherwydd ei ddefnydd celfydd o'r fideo fel erfyn propaganda mae'n amlwg fod gan hwn gysylltiadau â'r Cyfryngau. Dengys ei ddawn dweud a'i hoffter o ffugenwau ei fod yn fardd. Un o arferion cydnabyddedig arweinwyr carfanau terfysgol yw mabwysiadu ffugenwau sy'n swnio'n debyg i'w henwau bedydd.

Ar ôl bwydo'r holl ffeithiau hyn i gyfrifiaduron pwerus, mae'r CIA yn awyddus i holi Cymro Cymraeg o'r enw Oswyn ap Llwydyn neu Oswallt Llwyd Owain ac i gynnig blynyddoedd o wyliau'n rhad ac am ddim iddo ar lan Bae Guantanamo, Cuba.

Mae'r peilot yn paratoi i lanio ar 'Ynys yr Hud' lle bydd y gŵr a finna'n treulio wythnos ola'n mis mêl yn torheulo, nofio, snorclo a thorri pob record g.r.g cyn hedfan yn ôl i Gymru fach a'r hen Gwm annwyl.

Pennod 14

Ar y Bont

Eisteddai ar y canllaw yn syllu i lawr ar ddüwch disglair yr afon, cledrau ei ddwylo'n barod i'w hyrddio i ebargofiant neu i'w arbed rhag llithro. Ofn marw oedd yr unig beth a'i cadwai'n fyw, bellach. Yr unig deimlad cadarnhaol a deimlasai ers wythnosau. Casáu bywyd drwy'r dydd. Liw nos, wedi llond cratsh o gwrw a gwirod, gosod ei hun mewn safle lle y gallai derfynu ei fywyd trwy symud ei din fodfedd tua'r Dehau. Myfyrio ar ei ddifodiant ei hun nes ennyn arswyd a'r awydd i fyw.

O aml fynychu'r fan, pylai dychrynfeydd angau a chryfhâi apêl hudolus, gysurlon y dyfroedd tywyll. Sblash! Afon Taf yn ei gofleidio, yn lapio ei hun amdano, a'i hoerni marwol yn graddol liniaru ei atgasedd at ei elynion, ei anghymwynaswyr ac ef ei hun. Pob ymwybyddiaeth yn pylu wrth i'r llif dreiglo ei gorff diymadferth tua'r Bae.

Yno câi bydru nes i'w ddrewdod lenwi ffroenau Phariseaid, Ysgrifenyddion a Chyfnewidwyr Arian y Cynulliad. Pan godai ei sgerbwd o waelodion y doc, maes o law, byddai gwên ddanheddog ei benglog a bys cyhuddgar ei law esgyrnog yn datgan ei ddirmyg tuag atynt yn huotlach nag unrhyw ymosodiad geiriol.

Buasai ganddo awydd – nid awydd bychan, awydd mawr iawn – i achub Ffatri Wlân Cwmbrwynog a'i gwneud yn rhywbeth byw, cryf, nerthol yn perthyn i'r byd modern. Ac mi fethodd yn llwyr. Roedd wedi dyheu am briodi Sulwen a magu tyaid o blant Cymraeg yn ei fro enedigol. Drylliwyd y freuddwyd honno hefyd. Gan yr un dyn. Llewelyn C. Price IV. Yr Americanwr. Yr Americanwr Anorchfygol. Holodd Gwyndaf am y deng milfed tro a allasai fod wedi gwneud rhagor i atal *Basdas* ac ICAC rhag difetha'r fenter gydweithredol a chwalu ei obeithion. Go brin. Canrif yr Ianc fu'r ugeinfed. Byddai'r unfed ar hugain yn fwy fyth o dan ei bawen. Daeth Hanes i ben. Hanes pob gwlad ond Unol Daleithiau'r America. Yr unig wlad sofran, bellach, a'r lleill oll wedi eu darostwng i statws taleithiau a siroedd. Plwyfi yn achos erthyl-genhedloedd fel Cymru. Pe gadawai'r fuchedd hon yn awr, byddai'n rhagflaenu tranc Cymru o ychydig flynyddoedd, dyna i gyd. 'Gwehilion o boblach', wir dduw. Y werin wedi ei hurtio gan y cyfryngau torfol a'r dosbarth canol yn reit hapus cyn belled â bod hynny'n digwydd yn Gymraeg.

Ond gallasai fod wedi gwneud rhagor i rwystro'r sglyfath rhag cael ei fachau ar y ferch a garai. Dylasai fod wedi gosod ei stamp ar Sulwen pan gafodd gyfle. Ei meddu. Ei meddiannu. Ei . . .

Tân diniwed iawn oedd hwnnw a'i hataliodd rhag 'sgorio dros Gymru' yng ngwesty'r Hulton, noson wobrwyo Entrepreneur Cymraeg Ifanc y Flwyddyn. Pam, o pam, na fuasai wedi dal ati? Mynnu ei ffordd. Heb falio a fyddai'r lle'n llosgi'n ulw, am y byddai ef a Sulwen yn un ac yn cyrraedd y gwynfyd uchaf gyda'i gilydd. Ni fuasai'r Ianc wedi llwyddo i'w redeg petai ef wedi bod yn fwy penderfynol. Yn fwy o ddyn. Wedyn, hyd yn oed petai golud bydol a delwedd Hollywoodaidd y cythraul wedi hudo Sulwen oddi arno, buasai Gwyndaf wedi medru gwenu'n wawdlyd i wyneb haerllug Llewelyn C. Price IV, gystal â dweud: 'Fi fuo yno gynta, washi!' Bu'n ormod o ŵr bonheddig. Gwendid cynhenid y Cymro drwy'r oesau.

Syllodd fry ar y wybren oren, i lawr ar ddüwch dychrynllyd, atyniadol yr afon, o boptu ar y coed sinistr, bygythiol ar y glannau, yn syth yn ei flaen at loywder coeglyd y Stadiwm – symbol o genedlgarwch pitw, arwynebol y Cymry. Caeodd ei lygaid ac ail-fyw, am y deng milfed tro, yr hyn a ddaethai i'w ran oddi ar y cyfarfod trychinebus hwnnw yn y Ffatri.

Oddi yno, roedd Gwyndaf wedi ymlusgo, dan faich y bagiau plastig du, i'r *Brwynog Arms*. Cleciodd chwe pheint o lager cryf Belgaidd *Manykynpys* (Alc.15.35%) mewn llai nag awr ac ymadael gan ateb 'Bye, Gwyndaff! In tonight?' serchus y tafarnwr, Jamie Frogthorpe, gyda'r geiriau: 'Not if you're here, you Anglo-Saxon shithouse! Fuck off back to England!'

Dychwelodd i 26 Glan Crafog, aeth i'w wely yn ei drôns a'i grys isaf ac aros yno ac ynddynt am dros dair wythnos heb godi, ac eithrio ymweliadau â'r lle chwech.

Y bore cyntaf wedi'r cyfarfod, brathodd Jac Jones ei ben trwy ddrws llofft ei fab a'i gynghori i fynd i'r gwaith nes y deuai'r Ffatri'n eiddo i ICAC, 'tai hi ddim ond i fedru hawlio ridyndansi. Nid oedd ymateb Gwyndaf lawer mwy cwrtais nag y bu i ffarwél siriol *mine host* y *Brwynog Arms*.

Ddeuddydd yn ddiweddarach, pan hysbysodd Jac ef fod y darpar berchennog, Llewelyn C. Price IV, wedi ymweld â'r Ffatri ac iddo gyhoeddi wrth y gweithlu ei fod ef a Miss Sulwen Huws wedi dyweddïo ac yn bwriadu priodi ymhen ychydig wythnosau, aeth Gwyndaf yn lloerig. Gorfu i Jac ei lonyddu gyda nerth bôn braich a galw'r meddyg teulu, a'i chwistrellodd â chyffuriau pensyfrdanol oedd mor gryf fel na fynegodd y gwlatgarwr ifanc unrhyw ddiddordeb yn y newydd, rai dyddiau'n ddiweddarach, fod Jamie a Nigella Frogthorpe wedi derbyn ei gyngor a dychwelyd i'w gwlad eu hunain, a bod Cymry tu ôl i'r bar yn nhafarn y pentref.

Ar fore 'Priodas y Flwyddyn' rhoddodd Dr Rabinandrath Tagore ddos ddwbl i'r claf, a hynny ar gais ei dad, a'i hargymhellodd: 'Rhag ofn iddo fo ddŵad ato fo'i hun, ffendio be sy'n digwydd, cael myll, a difetha bob dim i Mr Price a Sulwen, Doctor.'

Rhywbeth yn y Cyfryngau

Drannoeth y briodas, galwodd y cynhyrchydd/cyfarwyddwr

Caledfwlch 'Rocky' Roberts i gydymdeimlo â'i hen gyfaill ar golli ei gariad a'i swydd ac i holi a allai oresgyn ei ragfarn yn erbyn y Brifddinas a dod i weithio fel rhif-fathrwr i Teledu Orji, a oedd newydd ennill comisiwn anferth gan S4C a chonsortiwm o ddarlledwyr tramor, ac a oedd yn chwilio am rhywun â sgiliau rheolaethol a gweinyddol Gwyndaf.

Brawychwyd Rocky gan gyflwr sombïaidd ei gyfaill, a oedd wedi byw ar goctel o gyffuriau, tost a the ers ymron i fis. Ffieiddiodd ddihidrwydd Jac Jones, a froliai'n feunosol yn y *Brwynog Arms* iddo gael addewid gan ei gyfaill Gerallt O'Toole o 'le da' yn y Ffatri Wlân dan y drefn newydd. Ni cheisiodd Jac guddio'i foddhad pan holodd Rocky a gâi fynd â'i fab gydag ef i Gaerdydd.

'Cei, siŵr dduw. Ond well ichdi ofyn iddo fo,' oedd ateb sinicaidd y tad.

Ni ddeallai Gwyndaf druan y cwestiwn.

'Dwi'n siŵr mai "ia" ddeudodd o, was,' crechwenodd Jac Jones.

Wrth yrru'n ôl i Gaerdydd gyda Gwyndaf yn llymbar llonydd ar sedd gefn y Volvo, bu Rocky a Gwenno'n trafod goblygiadau ymarferol gofalu am eu gwestai a cheisio ei ddiddyfnu oddi ar y tawelyddion a'i hanestheteiddiai o'i gorun i'w sodlau. Annoeth fuasai ei adael i ddadebru ar ei ben ei hun yn eu cartref yn Sblot a phenderfynasant fynd ag ef gyda hwy i'r gwaith bob dydd a'i roi i eistedd o flaen desgaid o waith papur. Bu hynny'n therapi effeithiol ac ymhen yr wythnos roedd Gwyndaf ap Siôn yn aelod gwerthfawr o dîm oedd yn gweithio ar *Secsteddfod Genedlaethol*, cyfres o raglenni'n cyflwyno cystadlaethau rhywiol ar batrwm y Brifwyl: Her Unawd, Deuawdau, Triawdau, Corau Merched, Corau Meibion, Corau Cymysg, Awdlau Anllad, Pryddestau Pornograffig, Englynion Budur, Dramâu Noethlymun, Celf a Chrefft Erotig ac yn y blaen, gyda'r 'Archdderwyddes Gwenffrewyll' yn llywio'r gweithgareddau mewn addasiad tryloyw, beiddgar o'r ŵn wen, orseddol a regalia aur, sado-Geltaidd.

Dangoswyd y rhaglen beilot eisoes mewn 62 o wledydd a

chafwyd ffigurau gwylio aruthol ym mhobman. Yn sgil hynny, ymrwymodd cwmnïau a chorfforaethau ledled y byd i ddarlledu'r gyfres gyflawn a mynegodd nifer ddiddordeb mewn cydgynhyrchu *Secsteddfod Ryngwladol.*

Ymateb Rocky Roberts i feirniadaeth anochel y carfanau arferol oedd mai 'Porn yw'r Canu Penillion newydd. Fel Mab y Mans rwy'n deall cwpwl o bethach amboutu moesoldeb a so Dad wedi conan *anyway.*'

Cyfiawnhaodd llefarydd ar ran y Sianel y penderfyniad i chwarteru cyllideb yr Adran Ddrama er mwyn buddsoddi yn 'y gyfres fwyaf arloesol ac uchelgeisiol yn hanes darlledu yn yr iaith Gymraeg' gan ddweud fod oes y ddrama deledu yn prysur ddirwyn i ben oherwydd fod gwylwyr yn ei gweld yn 'artiffisial'. Yn ôl nifer o arolygon barn, roedd yn well ganddynt wylio rhaglenni'n dangos 'pobol real yn gwneud pethau real i'w gilydd, yn hytrach nag actorion yn actio'. Testun llawenydd a balchder oedd lledaeniad byd-eang y Gymraeg a'r ffaith ei bod i'w chlywed ar filiynau o aelwydydd na wyddai am ei bodolaeth o'r blaen. 'Dyma brawf digamsyniol fod y Gymraeg yn iaith fyw, fodern sy'n gallu ymateb yn llwyddiannus i bob gwedd ar fywyd ar ddechrau'r unfed ganrif ar hugain,' meddai'r llefarydd.

Penderfynodd Gwyndaf wneud y gorau o'r gwaethaf. Ymdaflodd i'r bywyd cyfryngol gan ddilyn y ddihareb 'Llafur a orfudd ar bopeth' yn ystod oriau gwaith ac 'Eli calon, cwrw da' gyda'r hwyr. Gan fod ei swydd yn llawer llai o dreth ar ei alluoedd na'r frwydr i arbed y Ffatri Wlân rhag mynd i'r wal, cafodd gymryd rhan yn *Secsteddfod Genedlaethol* fel A.C. ('aelod cynorthwyol' S. *stunt dick*) fel y gelwid yr *extras* a ffilmid yn cnychu neu'n cyflawni gorchwyl gyffelyb, heb ddangos eu hwynebau, pan fyddai pall ar awch y cystadleuwyr gwrywaidd.

Ond os llwyddodd Gwyndaf ap Siôn i huddo, yn ystod y dydd, siomiant y proffwyd nad oes iddo anrhydedd yn ei wlad ei hun, blinid ei gwsg gan hunllefau pryd y câi ei watwar a'i ddifrïo gan Mr a Mrs Llewelyn C. Price IV, Mrs Lowri Huws, y Parch. D. Culfor Roberts, ei dad ef ei hun a gweithwyr Ffatri Wlân Cwmbrwynog.

Roedd y Ffatri a'r Cwm 'yn y newyddion' yn feunyddiol, gydag adroddiadau cyson ar y teledu a'r radio ac yn y wasg Gymraeg a phapurau Saesneg Cymru yn sôn am oblygiadau'r uniad gydag ICAC, y Prif Weinidog yn llwyddo i ddenu pencadlys ICACEwrop i Gwmbrwynog trwy addo £200,000,000 o gymhorthdal i'r gorfforaeth, effeithiau bendithiol y datblygiad hwnnw ar economi'r ardal, ymweliad y Prif Weinidog â Chwmbrwynog i gyflwyno'i siec i Lywydd ICAC, a chysylltiad Arfon Jones, Cyfarwyddwr Mê-Mê-o-Rama, â'r prosiect ('Un o hogia'r Cwm wedi dŵad yn ôl at ei wreiddia'). Ac, yn waeth na dim, y cyfweliadau di-ri 'gyda'r Gymraes werinol, ddi-lol o gwm anghysbell yn Eryri a ddaeth yn wraig i un o ddynion cyfoethocaf a mwyaf pwerus y blaned'.

Canlyniad anorfod yr holl bropaganda ICACaidd oedd gwneud Gwyndaf ap Siôn yn ddyn blin iawn, anodd byw a gweithio gydag ef. Aeth i yfed yn ystod oriau gwaith a buan y gwelwyd effeithiau hynny ar ei berfformiad yn y swyddfa ac o flaen y camerâu. Ceisiodd Rocky a Gwenno ei berswadio i leihau ei ddibyniaeth ar alcohol a lleddfu ei ing a'i angst gyda chocên a phot fel pawb arall, ond roedd gan Gwyndaf ragfarn biwritanaidd yn erbyn 'sothach cemegol felly'.

Ychydig dros fis yr arhosodd Gwyndaf gydag Orji. Diswyddwyd ef a gorfu iddo adael 99 Plutonium Street yn dilyn ffrae rhyngddo ef a Rocky Roberts. Asgwrn y gynnen oedd geiriau gwamal am Bennaeth y Sianel a lefarodd Gwyndaf yng nghlyw rhai o'i Gomisiynwyr ffyddlonaf. Ym mhrifwyl y cyfryngau Cymreig, Noson Wobrwyo Bafta, y bu hynny, pan ddaeth un o raglenni Orji'n gyntaf yn y categori Adloniant Ysgafn (yn *Chwip o Sioe*, gwelid a chlywid rhai o selebs mwyaf blaenllaw'r Genedl yn datgelu, dan artaith, eu ffantasïau rhywiol i'r Gwis-feistres filain ac awdurdodol, Gwenffrewyll).

'Ei ganmol o 'nes i,' protestiodd Gwyndaf. 'Deud ei fod o'n well boi na Iesu Grist.'

'Am bod, *quote*, "Iesu Grist 'mond wedi troi dŵr yn win; fedar hwn ei droi o'n aur". Roedd hynna'n gabledd ac yn *lèse-*

majesté 'run pryd,' haerodd Rocky.

'Ydi o wedi cwyno?' holodd Gwyndaf.

'Nag'di,' cyfaddefodd y cynhyrchydd, 'ond mi gafodd ei bobol o'r argraff nad oes gynnon ni yn Teledu Orji lawar o barch atyn nhw.'

'Sy'n wir,' sylwodd Gwyndaf.

'Wrth gwrs bod e'n wir,' arthiodd Rocky. 'Mae pawb yn gwbod mai *wankers* diog ydyn nhw, dim ond yn eu jòbs achos pwy oedd eu tade, neu pwy fuo'n shago'u mame. Ond 'so ni mor sdiwpid â gweud hynny wrth y diawled. Mwy na bydde Iraci wedi galw Sadam Hwssein yn dwat tra oedd e ar yr orsedd yn Baghdad.'

'Laddan nhw mona chdi.'

'Allan nhw ladd fy ngyrfa i a 'nghwmni i,' meddai'r cynhyrchydd annibynnol yn bendant iawn. 'Felly gwylia di shwt ti'n tsiopsan, gwboi, neu fyddi di mas ar dy din.'

Atebodd Gwyndaf nad oedd gan neb yr hawl i'w rwystro rhag dweud ei ddweud a dyna ddiwedd ei gysylltiad â Teledu Orji a'i gyfeillgarwch â Caledfwlch 'Rocky' Roberts, am y tro.

Yn fuan wedyn y dechreuodd ei ymweliadau dirfodol â'r bont dros afon Taf; fel arfer, wedi iddo gweryla gyda phwy bynnag y bu'n meddwi yn eu cwmni'n gynharach neu'n cysgu ar eu soffa'r noson cynt.

Baeddiad yn *Y Baedd*

Y noson arbennig honno yr oedd Gwyndaf ap Siôn wedi ei hel o ddwy o hoff dafarnau'r Cymry, y *John Jenkins* a'r *Baedd Gwyllt*. Gofynnwyd iddo adael y gyntaf am ddrachtio cynnwys ei botel fodca ei hun yn weladwy iawn, ac o'r ail am ei ymyrraeth mewn dadl rhwng darlithydd o Adran Astudiaethau Cyfryngol a Theleffonau Symudol Prifysgol Abergwylan a byrddaid o awduron a ddedfrydwyd i oes o lafur caled yng nghloddfeydd sebon y Sianel. Barnai'r darlithydd fel 'egotistiaeth adweithiol' ddyhead y sgrifenwyr i ddianc o ffas galed y ffuglen fformwla a chyfansoddi nofelau hanes swmpus a dramâu llwyfan – yr hyn a alwai ef yn *'genres* elitaidd, darfodedig'. Honnodd y byddai Shakespeare, petai'n fyw, wrth ei fodd yn sgriptio *Eastenders* neu *Emmerdale*, a bod marwolaeth Reg Harries yn gymaint o ergyd i Gymru ag y bu boddi Cwm Tryweryn a thranc Llywelyn ein Llyw Olaf ganrifoedd yn ôl.

'Be dâl dy falu cachu cyfryngol di a'ch nofela a'ch dramâu chi, a Chymru'n marw, ond i roid pres yn eich pocedi chi'ch hunain, yr uffernols?' bloeddiodd Gwyndaf gan ddifenwi'r ddwy blaid â geiriau y buasai wedi eu neilltuo, rai wythnosau ynghynt, ar gyfer Torïaid, mewnfudwyr Seisnig a chyfalafwyr Americanaidd. Cododd y deallusion dig fel un gŵr i luchio Gwyndaf ap Siôn o'r *Baedd* a'i ymlid tua'r parc coediog rhwng y dafarn a'r afon.

Yn ôl ar y Bont

Eisteddai ar y canllaw yn syllu i lawr ar ddüwch disglair yr afon, cledrau ei ddwylo'n barod i'w hyrddio i ebargofiant neu i'w arbed rhag llithro.

Yn dilyn ei benderfyniad diweddaraf i beidio â'i ladd ei hun, y tro yma o leiaf, troes meddwl Gwyndaf oddi ar y trywydd athronyddol i ystyried ymhle y câi do dros ei ben y noson honno, oblegid ni fyddai croeso iddo ar aelwyd y tair athrawes o Wynedd lle y bu'n trigo ers wythnos wedi'r 'ddamwain' ddrygsawrus yn oriau mân y bore.

Wrth archwilio posibiliadau iard gefn Y Baedd yn gynharach, roedd wedi sylwi ar gwt pren â'i ddrws yn gilagored. O fusnesu ymhellach gwelsai y gallai wneud nyth lled gysurus iddo'i hun yng nghanol pentyrrau o newyddiaduron wedi eu pacio ar gyfer eu hailgylchu, geriach tafarnol a photeli nwy.

Chwythodd chwa oer i'w wyneb o gyfeiriad y Bae a gyrru ias annifyr drwy ei gorff. Byddai joch o fodca'n gwrlid ac yn ffisig cysgu. Gwthiodd law i boced ei anorac a chydio yng ngwddw'r botel.

'Gwyndaf!'

Llais merch.

'Gwyndaf! Na! Paid!'

'Y? Be ddiawl? Pwy ddiawl?'

Wrth i Gwyndaf droi i weld ai merch o gig a gwaed a alwodd ei enw, ynteu, yr hyn oedd fwy tebygol, rhith o'i ddychymyg, llithrodd boch dde ei ben-ôl dros y canllaw. Woblodd. Teimlodd ei hun yn mynd. Sgrech merch. Ei waedd ei hun. Crafangau'n suddo i'w gorun. Yn plycio mwng seimlyd ei wallt. Syrthio.

'O-Mam-tydw-i-ddim-isio-marw-toeddwn-i-ddim-jest-smalio-o'n-i-ond-mi-wt-ti-wedi'i-gneud-hi-rŵan-y-lembo-gwirion-oedd-'na-gymaint-o'n-i-isio'i-neud-efo-'mywyd-Mam-Sulwen-Cymru-pam-gwrthodoch-chi-fi-pam-bod-pawbynferbyniafinnamond . . . Aaaaa!'

Y Samaritanes Drugarog

Nid oedd yn wlyb. Nid oedd yn oer. Nid oedd yn suddo. Nac yn mynd gyda'r lli. Nac yn boddi.

Ond roedd y gwayw yn ei ben yn saith gwaeth na'r hangofyr mwyaf mileinig a'i dirdynnodd erioed. Dododd ei law ar epiganolbwynt y cur a theimlo lwmp cymaint â'i ddwrn.

Agorodd Gwyndaf ei lygaid yn araf a chael ei fod yn eistedd ar lawr y bont a'i gefn yn pwyso yn erbyn bôn y canllaw metal. Safai rhywun droedfedd neu ddwy oddi wrtho'n syllu i lawr arno. Merch. Y ferch. Honno a'i cyfarchodd. Honno sgrechiodd. Blondan mewn siwt ddenim las a chap o'r un defnydd ar ei phen.

'Be ddigwyddodd?' meddai Gwyndaf wrth y ferch.

'Oe't ti am dwlu dy hun i'r afon. Achubes i ti.'

'Toeddwn i ddim yn bwriadu gneud amdana i'n hun, ichdi gael dallt!' crygodd Gwyndaf.

'Gwed ti.'

'Jest ista yna o'n i. Waeddist ti a 'nychryn i. Sut gwyddost ti pwy dwi? Drois i i weld . . . a syrthio ar 'y nghefn, ma raid.'

'Fi tynnodd di'n ôl. Neu bydde'n *arrivederci* arnot ti.'

Straffagliodd Gwyndaf ar ei draed a chraffu ar yr wyneb

lluniaidd. Roedd wedi gweld hon o'r blaen. Heno. Yn y J.J. a'r *Baedd*. Nosweithiau eraill hefyd, mewn tafarnau eraill a fynychai. Roedd wedi ei dal yn sbecian i'w gyfeiriad fwy nag unwaith, a meddwl efallai ei bod yn ei ffansïo, cyn wfftio'r syniad.

'Wyt ti'n 'nilyn i o gwmpas?' gofynnodd.

'Odw,' atebodd y ferch yn dalog.

'Pam?'

'Rhag iti neud rhywbeth dwl.'

'Chwara teg ichdi,' gwatwarodd Gwyndaf. 'Fydda i'n iawn rŵan, diolch yn fawr. A faswn i ddim wedi cael clenc tasat ti heb 'nychryn i.'

'Hefyd,' meddai'r ferch, 'mae arno i angen dy help di . . . '

'Ffendia rhywun arall.'

'Dim ond ti all fy helpu i 'da beth s'da fi mewn golwg,' mynnodd y flondan.

'Sef?'

'Gwahanu'r Bonwr Llewelyn C. Price IV a'i wraig Sulwen.'

'Pwy uffar wyt ti?' holodd Gwyndaf gan rythu'n wyllt arni.

'Myfanwy di Chianti,' atebodd hithau gan edrych i'w wyneb yn hy. 'R'yn ni wedi cwrdd.'

'Do,' meddai Gwyndaf gan ymdrechu i amgyffred y goblygiadau. 'Wyt ti wedi llifo dy wallt?'

'Rhag gwneud hi'n rhy hawdd i 'nghyn-gyflogwr gadw golwg arno i.'

'Pam . . . ? Hynny ydi . . . ?' holodd Gwyndaf yn ddryslyd.

'Dere 'da fi os wyt ti'n moyn atebion i'r cwestiyne sy'n corddi'n dy ben bach di. A chlywed gen i sut cei di Sulwen yn ôl. Mae 'nghar i ger y dafarn.'

Camodd Myfanwy'n sionc o ganol y bont at ben y grisiau a ddisgynnai i'r parc. Yna trodd, a'i herio: 'Os wyt ti'n ormod o gachgi – jwmpa mewn i'r afon.'

Gyda hynny diflannodd i lawr y grisiau o olwg Gwyndaf. Pendronodd yntau am ychydig eiliadau cyn ei dilyn.

Cydgerddodd y ddau'n ddi-ddweud at y Clio du a barciwyd dan y coed castan tal a amgylchynai'r cylchdro o flaen tafarn *Y Baedd*. Datglodd Myfanwy ddrysau'r cerbyd â'i hallwedd electronig ac amneidio ar Gwyndaf i fynd i mewn iddo.

'I le rydan ni'n mynd?' holodd.

'Rwy wedi rhentu hen oleudy ar glogwyn ar lan Môr Hafren,' meddai Myfanwy. 'Man delfrydol i dy baratoi di'n gorfforol, yn feddyliol ac yn ysbrydol ar gyfer dy frwydr yn erbyn Llewelyn Price am y ferch r'ych chi'ch dau'n ei charu.'

'Pa obaith sy gin i?' cwynodd Gwyndaf. 'Mae hi wedi'i briodi o, tydi?'

'So priodas yn golygu dim heddi, hyd yn oed i Bobol y Pethe. Er eu bod nhw'n barod i wario miloedd ar filoedd arnyn nhw,' meddai Myfanwy di Chianti'n goeglyd. 'Cer i mewn.'

Dicter Myfanwy

Ufuddhaodd Gwyndaf, yn fwy na dim oherwydd nad oedd ganddo le cysurus i roi ei ben i lawr y noson honno. 'Pam wyt ti mor awyddus i'n helpu i gael Sulwen yn ôl?' gofynnodd wrth i'r Clio deithio i fyny Heol y Gadeirlan.

'Am bo fi am ei gael *e*'n ôl,' meddai Myfanwy a mynd rhagddi i sôn am ei pherthynas hi â Llewelyn C. Price IV.

Merch i ragflaenydd Gerallt O'Toole oedd Margherita di Chianti. A hithau'n dal yn ei harddegau cynnar, swynwyd y miliwnydd (fel yr oedd, bryd hynny) gan finiogrwydd ei meddwl yn ogystal â'i dengarwch, a thalodd ef am ei haddysg mewn ysgolion preifat ac ym mhrifysgolion Bryn Mawr a'r Sorbonne. Syrthiodd hithau mewn cariad â'i noddwr caredig, carismatig a daethant yn gariadon cyn y caniatâi cyfreithiau'r Unol Daleithiau hynny.

Wedi i Margherita raddio, fe'i penodwyd yn Gynorthwy-ydd Personol i Lywydd yr *International Cambro-American Corporation*, gyda chyfrifoldeb hefyd am ddyletswyddau priodasol nad oedd ei wraig yn abl i'w cyflawni gan fod Môr Iwerydd rhyngddi hi a'i gŵr. Tyngai'r Biliwnydd mai ef fyddai'r dyn hapusaf yn y byd petai ef a Margherita/Myfanwy'n ŵr a gwraig. Gresynai fod Elizabeth, merch i un o deuluoedd uchelwrol a

Chatholig hynaf Lloegr, yn gwrthod ei ysgaru oherwydd ei daliadau crefyddol a'i hystyfnigrwydd maleisus.

'Gas e wared â'r maen tramgwydd 'na whap wedi iddo fe benderfynu priodi dy Sulwen di,' sylwodd y gyn-feistres.

Cynhyrfodd Myfanwy, er ei gwaethaf, megis, wrth fynnu mai hi wnaeth ICAC a Llewelyn Price yr hyn oeddynt. Mynnodd mai ei chrebwyll hi, ynghyd â'i dealltwriaeth o wleidyddiaeth ryngwladol a thueddiadau economaidd pwysicaf yr oes, a droes gadwyn o londris a mân fusnesau'n gorfforaeth enfawr, gyda chyllid ac eiddo cyfalafol mwy nag eiddo'r rhan fwyaf o wladwriaethau'r byd.

'A'r diolch ges i oedd gweld Sulwen fach, ddiniwed, ddi-glem yn cymryd fy lle i,' ebe'r eneth gadd ei gwrthod. 'Ofynnodd e ifi ddala mlaen fel meistres a P.A. Wedes i wrtho fe am fynd i grafu a gas e O'Toole i ledaenu'r stori gelwyddog bo fi wedi cael y sac am gafflo.'

'Dial wyt ti isio felly?' awgrymodd Gwyndaf.

'A'i gael e'n ôl,' meddai Myfanwy.

'A fynta'n gymaint o fastard?' ebychodd Gwyndaf yn anghrediniol.

'Achos bod e'n fastard,' ebe Myfanwy a gwên fain ar ei gwefusau. Cywirodd ei hun: 'Nage. Achos taw 'mastard i yw e. Mae 'da fi hawl i hanner yr ymerodreth greon ni 'da'n gilydd – o leia – ac i'w chydlywodraethu hi 'da fe. Dyna sut mae'r dyfodol i fod.'

'Sut medrat ti fyw efo cythral naeth dy drin di mor ddiawledig?' gofynnodd Gwyndaf wrth iddynt rowndio cylchdro cymhleth Croes Cwrlwys.

Atebodd Myfanwy ef gyda chwestiwn: 'Wyt ti'n gyfarwydd â drama Shakespeare, *Macbeth*?'

'Welis i hi'n Stratford, efo'r Ysgol . . . ' atebodd Gwyndaf.

'Gwed bod pethach ddim wedi mynd o whith i Macbeth a'i wraig,' meddai Myfanwy. 'Bod darogan negyddol y gwrachod yn hollol anghywir. Mac a hithe, ar ôl llofruddio'r Brenin a phawb arall a safai yn eu ffordd, a threchu Macduff a'i fyddin, yn cael eu hunain yn unbeniaid teyrnas unedig, gref. A wedi 'ny, mae e'n mynd off 'da rhyw dywysoges fach ddel, hanner ei oed e. A gadael y fenyw 'nas e'n frenin ar y clwt! Sut wyt ti'n meddwl y bydde hi'n teimlo? Beth fydde hi'n neud?'

'Os wyt ti'n meddwl peri unrhyw niwad i Sulwen, rho fi i lawr. A' i allan o'r car 'ma rŵan,' oedd ateb digyfaddawd Gwyndaf.

Chwarddodd Myfanwy. 'Yr unig beth 'naf i i Sulwen fach yw ei dodi hi'n ôl yn dy freichie di,' meddai. 'Man dyle hi fod.'

Pallodd y sgwrs nes i Gwyndaf ddweud, yn y man: ''Nes i *The Merchant of Venice* yn TGAU. Roedd gin i dipyn o gydymdeimlad efo 'rhen Shylock.'

'Diddorol,' meddai Myfanwy wrth i'r car bach wibio ar ôl y llafnau goleuni a drywanai dywyllwch y Fro.

'Pawb yn erbyn yr hen foi,' meddai Gwyndaf. 'Oherwydd ei dras. Hyd yn oed ei ferch o ei hun. Os oedd o'n ddiawl, y sistem naeth o felly. A'r crachach oedd yn ei rhedag hi. Chwara teg iddo fo am droi tu min atyn nhw, pan gafodd o gyfla i dalu'r pwyth.'

'Lwc owt, Llewelyn Price!' murmurodd Myfanwy di Chianti. Troes at ei chydymaith ac meddai: 'Rwy'n meddwl dewn ni mlaen yn dda iawn 'da'n gilydd, Gwyndaf ap Siôn.'

Pennod 15

E-pistol Gwyndaf at Culfor

pechadur234@gwestygwehilioncaerdydd.com.cym

Annwyl Mr Roberts,

Pa hwyl erstalwm iawn? Gobeithio eich bod ar i fyny, a Mrs Roberts hefyd, ble bynnag mae hi ar hyn o bryd. Helpu pobol llai ffodus na hi ei hun, mewn rhyw wlad bell, mae'n siŵr, ond a siarad o brofiad – chwerw iawn, fel y cewch chi glwad – mi fyddwn i'n deud bod digon o'i hangan hi yma yng Nghymru ac rydw i'n siŵr y byddach chithau'n cytuno.

Debyg eich bod chi'n synnu clywed oddi wrtha i. Wel, rydw i'n sgwennu atoch am ddau reswm. I ddiolch ichi ac i ofyn cymwynas.

Y diolchiada i ddechra, am i'ch geiria doeth fy nghodi i'r lan a finna wedi syrthio i waelodion isa pwll anobaith a fflachio fel goleudy pan oedd hi'n nos ddu iawn arna i. Wn i ddim faint wyddoch chi o fy hanas i, Mr Roberts, er pan adewis i'r hen Gwm annwyl wedi fy siomi gan weithwyr y Ffatri Wlân pan dderbynion nhw gynnig hael Mr Llewelyn C. Price IV i'w phrynu hi 'fel y cadwer i'r oesoedd a ddêl y gyflogaeth a fu', yn hytrach na 'nghynllunia delfrydgar iawn, dwi'n dal i ddeud, ond hollol anymarferol i, ac wedyn pan glywais fod Sulwen yn mynd i briodi Mr Price a finna wedi meddwl yn siŵr mai fi gâi'r fraint a'r anrhydedd, ond erbyn hyn, o gymharu fy sefyllfa druenus i ag un Mr Price, sy'n meddu ar gynifar o rinwedda rydw i'n ddiffygiol iawn ohonyn nhw, yn ogystal â'r gallu a'r ewyllys i hyrwyddo ffyniant y Cwm, Cymru a'r byd, wel, pwy ydw i, o bawb, i ddadla na wnaeth hi'r dewis calla?

Mi wyddoch pa mor ffeind fuo 'Rocky' chi a Gwenno wrtha i. Ddeudon nhw ddim wrthach chi, mae'n debyg, imi'u talu nhw'n ôl mor anniolchgar a nhwtha nid yn unig wedi rhoid cartra imi ond hefyd y posibilrwydd o yrfa werth chweil yn y Cyfrynga. Es i'n gradur mor atgas a chwerw, wela i ddim bai arnyn nhw am fy niswyddo i a 'nigartrefu i. Roeddwn i wedi mynd i fihafio'n hollol annioddefol yn y tŷ ac yn y gwaith. Es i'n slâf i'r ddiod a f'unig ddiléit oedd slotian a meddwi a chodi helynt mewn tafarna. Buan iawn y collis i hynny o ffrindia oedd gen i yng Nghaerdydd. Yn fy unigrwydd mi deimlwn ysfa i neud amdana i'n hun a mi fu ond y dim i hynny ddigwydd un noson dywyll trwy imi luchio'n hun i afon Taf oni bai i ryw ddynas ddewr iawn beryglu ei bywyd ei hun i f'achub i.

Mi benderfynis adael Caerdydd, sy'n lle peryglus ofnadwy i bobol sy'n byw ar y stryd, a gweld faswn i'n dŵad ataf fi'n hun yn y wlad. Am wsnosa, mi fus i'n crwydro'r ardal o gwmpas y Bontfaen, yn ennill be fedrwn i wrth wneud jobsys i ffermwyr a chardota ac yn cysgu mewn sguboria, beudai a than wrychoedd. Fyddwn i'n gwario pob ceiniog oedd gen i ar sgrympi (seidar amrwd, cry iawn), a hynny o fwyd fwytwn i, mi fyddwn i'n ei gymryd o o finia siopa a thafarna. Neu'n ei ddwyn o gafna anifeiliaid.

Meddyliwch amdana i, Mr Roberts, yn cwffio efo cenfaint o foch Wiltshire du a gwyn i gael siâr o'r llwtrach. Mi feddylis i amdanoch chi. Do wir. A hynny achubodd fi. Fel roeddwn i'n slochian y slwj a'r moch eraill yn rhochian o 'nghwmpas i, mi ddaeth y geiria yma i f'ymennydd pŵl i o rwla: 'Ac efe a chwenychai lenwi ei fol â'r cibau a fwytâi y moch.' Ac mi gofis eich pregath chi – glywis i hi fwy nag unwaith – am y Mab Afradlon.

'Mi a godaf, ac a af at fy nhad, ac a ddywedaf wrtho, Fy nhad, pechais yn erbyn y nef, ac o'th flaen dithau.'

Gofis i'r adnod yna hefyd ond er mor hurt oeddwn i,

wyddwn i na chawn i lawar o groeso gan 'Jac Sowth' â'r fath olwg arna i, ac yn drewi, ond y peth lleia medrwn i neud oedd deud wrth Rocky a Gwenno bod ddrwg gen i am fod mor ddiflas ac yn ôl â fi i Gaerdydd a gneud hynny, ac mi ges faddeuant llawn ganddyn nhw.

Ydach chi'n credu yn yr Arfaeth, Mr Roberts? Trefn Rhagluniaeth? Siŵr gen i'ch bod chi. Mi ydw i erbyn hyn. Fel petai rhywbeth yn mynnu bod, roedd Rocky newydd ddechra ffilmio'r rhaglen ddogfen *Prifddinas y Digartref* a toedd petha ddim yn mynd gystal ag yr oedd o wedi gobeithio oherwydd mai'r unig bobol ddigartra'n siarad Cymraeg y medra fo ddŵad o hyd iddyn nhw yng Nghaerdydd oedd ffoaduriaid economaidd o Wynedd, hogia a gennod ifanc o gartrefi da, iach iawn yr olwg, oedd yn cysgu ar loria a soffas eu ffrindia cyn ffendio lle eu hunain.

Mi ges *starring role* yn y ffilm (fydd yn mynd allan ar S4C dwrnod Dolig), pres i brynu dillad newydd a 'nghyflwyno i sêr go-iawn y ffilm, Cristnogion Cymraeg sy'n mynd â brechdana a phaneidia o de i bobol ddigartra Caerdydd bob nos Sadwrn er mwyn eu cael nhw i fynd i'r Capal fora Sul.

Mae fy nyled i'n fawr i fy ffrindia newydd. Mi ges wely yn yr hostal yma a chyfla i ddilyn cwrs o ddarlithoedd ar 'Sut i Garu Iesu Grist yn Iawn'. Mae'r darlithwyr, pobol beniog iawn, wedi profi imi bod y syniada roeddwn i'n eu harddel o'r blaen, e.e. 'Sosialaeth', 'cydraddoldeb' a 'chwarae teg i bawb' nid yn unig yn naïf ac arwynebol ond yn erbyn trefn Duw hefyd. Mi wela i'n glir rŵan mai'r Diafol sy tu ôl i ymdrechion dynion i herio'r drefn honno, fel y dangosodd y Chwyldro Ffrengig a'r Chwyldro Bolsieficaidd yn Rwsia a gwrthryfeloedd bach a mawr ledled y byd drwy gydol Hanes.

Wel, mae'r llythyr yma wedi mynd yn llawar iawn hwy nag yr oeddwn i wedi ei fwriadu ond fel'na rydw i'r dyddia yma. Unwaith y dechreua i sôn am Iesu Grist a be mae o wedi'i neud drosta i fedra i ddim stopio. Ond cyn imi dewi, mae'n rhaid imi ofyn y gymwynas.

Dyma hi. Fydda i ddim dicach os ydi hyn yn ormod i'w ofyn a finna'n gradur mor wael ac annheilwng, ond mae gen i hiraeth mawr a hiraeth creulon am Gwmbrwynog, Mr Roberts. Am y gymdeithas Gymraeg glòs ac agos atoch chi. Rydw i am ddŵad yn ôl at fy ngwreiddia. Ond tydw i ddim am fod yn fwrn nac yn ddibynnol ar neb. Mi fydd angan gwaith arna i. Dim ond un cyflogwr o bwys sydd yn yr hen Gwm erbyn hyn, sef Mr Llewelyn C. Price IV, ac mae arna i ofn 'mod i wedi ei bechu o a'i annwyl wraig yn anfaddeuol. Ond mae'r ddau'n Gristnogion, fel yr ydach chi, Mr Roberts, a finna bellach. Ac felly, rydw i am fentro gofyn ichi, yn ostyngedig iawn, a fyddech chi mor garedig ag ategu efo geirda gais gen i am swydd, unrhyw swydd, yn Ffatri Wlân ICACwmbrwynog?

Yr eiddoch yn wylaidd,
Gwyndaf ap Siôn

Yr Eiriolwr Mawr

Yn ei swyddfa ym mhencadlys ICACanada yn Toronto y derbyniodd Llewelyn C. Price IV alwad deleffon y Parch. Culfor Roberts.

'Diddorol dros ben, Mr Roberts,' meddai'r Biliwnydd wedi i'r Gweinidog amlinellu cynnwys e-bost Gwyndaf ap Siôn.

'"Mewn rhyfedd ffyrdd mae'r Arglwydd Iôr yn dwyn ei waith i ben", Mr Price,' sylwodd Mr Roberts.

'Rhyfedd – ond nid annisgwyl,' meddai'r Cambro-Americanwr.

'Rydach chi'n meddwl y medrwch weld eich ffordd yn glir i neud yr hogyn yn un o'ch gweision cyflog, felly?' gofynnodd y Gweinidog yn obeithiol.

'Nid heb ymgynghori gyda Swyddog Personél y Ffatri . . . '

'Mr O'Toole?'

'Ie. A 'ngwraig,' atebodd y Biliwnydd â'i lais yn dwysáu. 'Wn i ddim a ddylwn i ddweud hyn wrthoch chi, Mr Roberts, ond yn y dyddiau pan oedd Mr ap Siôn yn Brif Weithredwr Ffatri Wlân Cwmbrwynog a Sulwen yn ddirprwy iddo, byddai'n manteisio ar ei safle i aflonyddu'n rhywiol arni.'

'Naddo rioed!' ebychodd y Parch. Culfor Roberts. 'Be'n union fydda fo'n neud iddi, Mr Price?'

'Aeth Sulwen ddim i fanylu, Mr Roberts,' meddai'r Biliwnydd a thinc beirniadol yn ei lais. 'Ond gallwn i feddwl fod y profiad yn un pur drawmatig. Roedd ei ddwyn i gof yn ddigon i beri i'r eneth druan wylo'n hidl. Wn i ddim sut y byddai hi'n teimlo o weld ei phoenydiwr eto, efallai'n feunyddiol – hyd yn oed os ydyw wedi cael tröedigaeth.'

'Be ddeuda i wrth Gwyndaf 'ta, Mr Price?' holodd y Gweinidog. 'Iddo fo fynd yn ôl at y moch?'

'Nage wir,' meddai'r Biliwnydd. 'Hoffwn i drafod ei gais gyda Mr O'Toole a Mrs Price, ac ymhellach gyda chithau, Mr Roberts, cyn dod i benderfyniad terfynol. Ydych chi'n rhydd i ddod draw i Brethynfa am damaid o swper nos Sadwrn?'

'Rydw i i fod i feirniadu'r adrodd mewn steddfod bach tua Pen Llŷn,' cyfaddefodd y Prifardd, 'ond welan nhw mo 'ngholli i. Faint o'r gloch, Mr Price?'

Y Sanhedrin

Roedd y pryd yn gampwaith, meddyliodd Llewelyn C. Price IV. Gwyrth artistig, gymhleth, yn llawn croestyniadau gogleisiol, y gellid ei chymharu â soned gan R. Williams Parry, symffoni gan Mozart neu baentiad gan Botticelli. Gorchest a lwyr gyfiawnhâi hedfan Jean-Paul, yr athrylith a'i cyfansoddodd, o Santa Maraca i Gwmbrwynog yn unswydd:

Omled Wyau Adar Prin; Eog Ffres o Lyn Crafog mewn Saws Caribïaidd gyda Mwtrin Swêj Thermidor; Tafodau Wyn Bach à la Porth Meirion ar obennydd o Fara Lawr ac ysbigoglys; Caws Gafr y Gogarth; Unanticipated Daisy-Cutter (Bombe Surprise, gynt).

Drachtiwyd gyda phob cwrs winoedd cymharus o Galiffornia. Yn awr, bob yn ail â'r coffi, a rhwng pwffiadau o fwg melys troedfedd o sigâr a smyglwyd gan swyddogion y CIA o Havana dan drwyn Fidel Castro, sipiai'r Biliwnydd a'i westeion gwrywaidd chwisgi canmlwydd oed o Ddistyllfa'r Fron Goch, tra clymai'r menywod ben y mwdwl gastronomig gyda *Cysur y Deheudir* a siocledi ceiniaf Gwlad Belg.

'Cyn inni gael ein llethu'n llwyr gan lythineb, gyfeillion,' cellweiriodd y Biliwnydd yn awdurdodol, 'hoffwn glywed eich barn ynglŷn ag e-bost Mr Gwyndaf ap Siôn at Mr Roberts . . . '

Trodd y siaradwr at y Gweinidog gydag amnaid a gwên, crymodd yntau ei ben yn ddiymhongar ac aeth Llewelyn Price rhagddo:

'Rydych i gyd wedi cael cyfle i ddarllen ac i ystyried ei gais am gael dychwelyd i'r gorlan. Efallai mai chi, Mr O'Toole, fel Swyddog Personél Dros-dro Ffatri Wlân ICACwmbrwynog, ddylai agor y drafodaeth . . . '

Gynted ag yr enwyd cyn-Brif Weithredwr Ffatri Wlân Cwmbrwynog, ciliasai'r wên hoffus a addfwynai wynepryd garw Gerallt O'Toole fel arfer, ac yn enwedig wedi ei wala a'i weddill o fwyd a diod a mwg sigâr dda. Ymatebodd yn ffyrnig i siars ei gyflogwr.

'Dwi'n hollol yn erbyn rhoid tshans arall i'r cwd bach. Sgiwsiwch fi, *ladies*, a chitha, Mr Roberts, ond dyna be dwi'n feddwl ohono fo ac wn i fwy am Gwyndaf ap Siôn na neb, ond Sulwen ella, a wydda hi ddim pa mor ddauwynebog oedd o nes deudis i wrthi. Tydi o ddim yn drŷst, Bòs. Mae o'n codi twrw lle bynnag eith o a dyna neith o eto os ceith o ddŵad yn ôl yma.'

'Mae'r hogyn wedi cael tröedigaeth, Gerallt,' sylwodd y Parch. Culfor Roberts.

'Pob parch ichi, Mr Roberts,' meddai Gerallt O'Toole, 'ond waeth gin i be galwith jerro'i hun, Bwdist, Mwslim neu Efengýl, trwbwl ydi'i grefydd o.'

'Dwi'n cytuno efo Gerallt, bob gair!' cyhoeddodd Mrs Lowri Huws gyda'r fath sêl nes i'r gwirod melys a lyncai ar y pryd newid cyfeiriad a chodi i'w thrwyn, gan beri iddi disian a phesychu am rai munudau. Pan ddaeth ati ei hun, gyda chynorthwy Sulwen a Gerallt O'Toole, aeth Mrs Huws rhagddi i restru'n fanwl ddiffygion a chamweddau 'Gwyndaf Jôs', gydag atodiad o ffaeleddau cynhenid teulu Jac Sowth, hyd y nawfed ach. Terfynodd ei chyfraniad gan ddyfynnu geiriau ei diweddar ŵr:

'"Hen gomiwnist bach ydi o yn y bôn", dyna be fydda Cybi druan yn ddeud. Ochri'n ddi-ffael efo'r gweithiwrs pan fydda'r rheini'n swnian isio mwy o gyflog a hefo cnafon powld yr *Health and Safety* pan fyddan nhwtha'n trio deud wrth Cybi sut i redag ei Ffatri.'

'Rydach chi braidd yn annheg hefo Gwyndaf, Mam,' maentumiodd Sulwen.

Roedd y gwrid ar ruddiau Mrs Sulwen Price yn gyfamserol â gwg y Bonwr Gerallt O'Toole. Yn awr, a llygaid gweddill y cwmni'n rhythu arni, fflamiodd Sulwen yn sgarlad. Aeth yn ei blaen, serch hynny:

'Er y bydda hi'n mynd yn boeth iawn ar adega rhwng Tada a Gwyndaf pan fyddan nhw'n dadla politics,' cyfaddefodd Sulwen, 'roeddan nhw'n dal yn ffrindia. "Haearn a hoga haearn", fydda Tada'n ddeud. Ac er cymaint oedd Gwyndaf o blaid chwara teg i'r gweithwyr, roedd o ei hun yn barod i slafio oria maith am gyflog bach ofnadwy.'

'Wyddon ni i gyd pam, Sulwen,' atebodd Mrs Huws â dirmyg yn nhro ei gwefus a'i llais. 'Yr hen stori. Priodi merch y bòs. Cael ei hen facha blewog arnat ti a'r Ffatri 'run pryd. Fasa wedi llwyddo hefyd, tasa Llew 'ma heb landio ar y sîn.'

'A finna,' murmurodd Gerallt O'Toole yng nghlust Lowri Huws fel mai hi'n unig a glywai ei eiriau. 'Jest mewn pryd.'

'Faswn i rioed, byth bythoedd, wedi priodi Gwyndaf,' haerodd Sulwen. 'Am un rheswm syml iawn, Mam: toeddwn i ddim yn ei garu o. Ond roedd o'n fy ngharu i. A'r Ffatri. Dorrodd ei galon pan gollodd o ni a dwi'n teimlo'n gyfrifol am be ddigwyddodd iddo fo wedyn, er na fedris i ddim peidio â syrthio mewn cariad efo Llew.'

Gosododd Sulwen ei llaw fechan, ddelicet ar law lydan, gadarn ei gŵr. Gwenodd y ddau ar ei gilydd. Yna trodd Sulwen i annerch eu gwesteion:

'Dyna pam, os ydi Gwyndaf wedi dŵad at ei goed, y leciwn i iddo fo gael cyfla arall. Beth bynnag ddeudwch chi amdano fo, rhaid ichi gyfadda'i fod o'n ddiffuant iawn yn beth bynnag mae o'n ei gredu ar y pryd. Rydw i'n siŵr y bydd o'n gystal Cristion ag y buo fo'n anffyddiwr, yn sosialydd ac yn rafin.'

Gwenodd Llewelyn C. Price IV yn edmygus ar ei wraig. 'Diolch yn fawr iti, 'nghariad i, am siarad mor onest ac am fod mor barod i faddau,' meddai a throi at y Gweinidog: 'Fel yr ydych chithau, bob amser, Mr Roberts.'

'Wel ydw a nac ydw,' oedd ateb annisgwyl y Bugail da. 'Hynny ydi,' eglurodd, 'rydw i o blaid siarad yn onast a bod yn barod i fadda, o fewn rheswm wrth gwrs, ond yn yr achos dan sylw, sef y ddafad golledig sydd am ailymuno â'r praidd, mae eich geiria chi, Lowri, a chitha, Sulwen, wedi f'atgoffa i mai dafad ddu iawn oedd Gwyndaf Jôs. Mi heintiodd genhedlaeth gyfa o blant Sodom a Gommorah, gan gynnwys fy nau i fy hun, efo'i anffyddiaeth, a fynta'n ddim o beth. Sy'n awgrymu i mi ei fod o wedi cael dos anghyffredin o gry o'r Pechod Gwreiddiol. Mae arna i ofn bod yr hogyn yn eithafwr wrth natur, ac y bydd o, fel llawar o bobol sy'n honni eu bod nhw wedi 'cael diwygiad' a'u 'haileni' a ballu, yn gradur diflas a sych-dduwiol o'r teip sy mor niweidiol i ddelwedd y Grefydd Gristnogol ac, yn fy marn i, yn fwyaf cyfrifol am wagio'n heglwysi ni. Rydw i rhwng dau feddwl, Mr Price. Leciwn i'n fawr glwad eich barn chi ar achos y brawd ifanc.'

Sugnodd rhoddwr y wledd fwg o'i sigâr braff a'i ollwng yn hamddenol o'i ffroenau cyn ateb. 'Yn aml iawn,' meddai, 'lladmeryddion mwyaf eiddgar ac effeithiol unrhyw athroniaeth yw dynion a fu'n arddel daliadau hollol wrthwynebus i'r ideoleg honno yn nyddiau eu hieuenctid. Dyna ichi'r Apostol Paul, er enghraifft, Mr Roberts . . . '

Ameniodd y Gweinidog y sylw ac aeth y Biliwnydd yn ei flaen:

'Heb sôn am aelodau o lywodraethau presennol San Steffan a Bae Caerdydd, cadeiryddion cwangos a darlledwyr a fu gynt yn Drotscïaid chwyldroadol, rhonc ond sy'n awr yn fawr eu sêl dros fendithion y Farchnad Rydd ddilyffethair a Democratiaeth. Rydw i, fel Sulwen, yn mawr obeithio bod Gwyndaf yn perthyn i'r categori defnyddiol hwnnw. Os ydyw, bydd y Ffatri, Cwmbrwynog, ICAC a Chymru oll ar eu hennill.'

'Be os mai sdynt ydi hyn, Llew?' holodd Mrs Lowri Huws. 'Stori glwyddog er mwyn cael joban yn ôl yn y Cwm a fynta wedi gneud cymaint o lanast o betha tua Chaerdydd?'

'Tydi o ddim yn drŷst, Bòs,' rhybuddiodd Gerallt O'Toole. 'Tydi'r ffaith ei fod o'n caru Iesu Grist ddim yn profi ei fod o wedi stopio'n casáu ni.'

'Os yw'r gŵr ifanc yn parhau'n elyn i ICAC,' dyfarnodd y Biliwnydd, 'mae'n well iddo fod yma, lle y medrwch chi gadw golwg arno, Mr O'Toole, nag yn cynllwynio'n ein herbyn ni tua'r Brifddinas.'

'Os ydach chi'n mynnu bod mor wirion â rhoid joban i hogyn Jac Sowth, Llew,' meddai mam-yng-nghyfraith y Biliwnydd, 'gnewch iddo fo frwsio lloria neu llnau'r toilets.'

'Byddai'r fath sarhad yn dân ar groen sant, Lowri,' meddai ei mab-yng-nghyfraith. 'O deimlo ei fod yn cael cam, gallai gŵr ifanc deallus, waeth pa mor rhinweddol, weld ei hun fel arweinydd naturiol yr elfennau anhydrin, anufudd a gwrthryfelgar a geir ym mhob gweithle. Rydw i wedi penderfynu rhoi ei hen swydd yn ôl i'r Bonwr ap Siôn. Anfonwch y deiliad presennol am flwyddyn o hyfforddiant i Swyddfa L.A., Mr O'Toole. Gofynnwch chithau, Mr Roberts, i Gwyndaf gysylltu â Mr O'Toole gynted ag y bo modd, i drefnu cyfweliad ar amser a dyddiad a fydd yn gyfleus i'r ddau.'

Pennod 16

E-pistol Culfor at Gwyndaf

prifardd@sodomagommorah.com.cym

F'annwyl Gwyndaf,

Hyfryd iawn a pheraidd iawn oedd derbyn dy lith electronig, yn enwedig o glywed i'm cenhadaeth gyffwrdd â man a fu'n anghyraeddadwy i'r rhelyw o bregethau. Calonogol yn wir, yn y dyddiau dreng hyn, yw bod yn gyfrwng i dywys adyn ar gyfeiliorn drwy Fwlch yr Argyhoeddiad i borfeydd gwelltog y Deyrnas.

Newyddion da o lawenydd mawr, fachgen! Cydsyniodd Mr Llewelyn Price – nid heb eiriol taer ar dy ran, rhaid cyfaddef – nid yn unig i'th dderbyn yn ôl fel cyflawn aelod o staff y Ffatri Wlân ond, a dyma ddangos mawrfrydigrwydd y gŵr, i roi dy hen swydd fel Prif Weithredwr yn ôl iti! Dyna iti Gristion!

Deisyfir iti gysylltu ar fyrder gyda Mr Gerallt O'Toole, Rhaglaw hynaws Mr Price, i drefnu cyfweliad, pryd y cewch drafod dy ddyletswyddau, d'amodau gwaith a'th gyflog (a fydd, yn ôl a ddeallwyf, yn fwy sylweddol o lawer na'r hyn a dderbyniet dan y drefn gydweithredol, fethdaliadol).

Cei weld cryn dipyn o newid yn yr hen le yma pan ddychweli, Gwyndaf. Prysurdeb aruthrol yn y Ffatri a'i chyffiniau wrth i'r gweithwyr a'r gyrwyr lorïau fwrw iddi fel lladd gwiberod i gyflenwi archeb ICACAir am lifreiau i'w gweinyddesau glandeg, a thirfesurwyr wrthi'n ddiwyd nos a dydd, hyd a lled y Cwm, yn chwilio am safle addas ar gyfer Pencadlys ICACEwrop.

Gwelwyd tipyn o fynd a dod yn y Cwm yn ddiweddar. Mewnlifiad o Gymry Cymraeg wrth i ffyniant y Ffatri a'r gwaith o godi estyniadau ac adeiladau newydd greu degau o swyddi, ynghyd â diflaniad rhai wynebau cyfarwydd.

Gadawodd Jamie a Nigella Frogthorpe y *Brwynog Arms* ar ôl derbyn cynnig na allent mo'i wrthod gan Mr Gerallt O'Toole yn gweithredu ar ran Mr Llewelyn Price, a benododd bâr ifanc o Gymry brwd, Rheinallt a Rhonwen ap Rhisiart, yn Rheolwyr ar y gwesty. Glenda, a fu'n gweini sawl tymor y tu ôl i far y *Brwynog*, sy'n gofalu am y Post yn awr, yn dilyn ymddeoliad Bill Grimely wedi cyfres o fân ladradau costus ac un ymosodiad gwirioneddol frawychus pan herwgipiwyd y Postfeistr a'i orfodi i drosglwyddo i'r gwylliaid rai miloedd o bunnoedd a ddigwyddai fod yn y sêff ar y pryd. Ymddengys fod y drwgweithredwyr yn gwybod i'r funud pryd i daro. A'th frawd Arfon, wrth gwrs, yw perchennog newydd fferm *Tŷ'n y Gorchudd*. Colled i'r ardal oedd methdaliad merlotfa'r Group-Captain Gryphon, yn sgil difodiant ei feirch gan haint llidus, hollol anghyfarwydd i filfeddygon yr ardal, ond disgwylir y bydd y swyddi a grëir gan 'Dafadwristiaeth' yn gwneud mwy nag iawn am hynny.

Wel, dyna'r oll am y tro, fachgen. Edrychaf ymlaen yn eiddgar i'th groesawu'n ôl yn gynnes iawn i'th henfro ac at dy weld, unwaith eto, yn cymryd dy le haeddiannol fel un o geffylau blaen y gymuned, ac, yn dilyn dy dröedigaeth Ragluniaethol, y cefais i'r fraint o fod yn llestr gwael a benodwyd gan yr Hollalluog i'w chyflawni, yn Ddiacon ac yn Arolygydd yr Ysgol Sul yn Sodom.

Yr ydwyf,
Dy Weinidog a'th Frawd Mawr yn y Ffydd,
D. Culfor Roberts, B.A., B.D., O.B.E., Y.H.

Cyfweliad (1)

Plygodd Gerallt O'Toole y rhifyn diweddaraf o'r *Gors* yn ddestlus a'i osod ar ei ddesg. Cododd a chamu at ffenestr y swyddfa i gnoi cil ar ddadleuon praff yr erthygl olygyddol yn erbyn caniatáu troi festri Berea (Annibynwyr) yn fwyty Indiaidd. ('Cwmbrwynog ar Flaen y Gad yn y Rhyfel yn erbyn Terfysgaeth!') Yn y maes parcio roedd rhyw hanner dwsin o weithwyr yn eu hofarôls glas gyda *FfatrICACwmbrwynog* mewn llythrennau melyn llachar ar eu cefnau yn llwytho bolltau brethyn i ddwy lorri o'r unlliw ac arnynt yr un geiriau.

Er mor amheuthun fuasai powlaid o gyrri chwilboeth a chwart o lager iasoer ar ôl noson fawr yn y *Brwynog*, cytunai'r Swyddog Personél Dros-dro â'r gosodiad: ' . . . â Gwareiddiad y Gorllewin yn wynebu her mor arswydus, mae dyletswydd ar wŷr o ewyllys da i aberthu mymryn o gysur bydol, yn awr ac yn y man.'

Daeth ymson athronyddol Gerallt O'Toole i ben pan gerddodd dieithryn mewn siwt dywyll, drwsiadus a briffces yn ei law i mewn i'r maes parcio a chyfarch y dynion. Roedd yn amlwg fod y rheiny'n ei adnabod, oblegid rhoesant y gorau i'w gorchwylion ar unwaith a thyrru o'i amgylch i ysgwyd ei law. Pwy oedd hwn? Arolygwr busneslyd? Dyn TAW? Newyddiadurwr? Mormon? Aeth Gerallt O'Toole i'r maes parcio i geisio'r ateb.

'Alla i'ch helpu chi?' meddai O'Toole wrth y dieithryn gan atgoffa'r gweithwyr ar yr un gwynt: 'Tydan ni ddim yn eich talu chi i batro hefo dynion diarth.'

'Alla i'ch helpu *chi*?' gofynnodd y dieithryn yn wrtais fel yr ailgydiodd y dynion yn y bolltau lliwgar.

Dyna pryd yr adnabu Gerallt O'Toole ef.

'Chdi!' ebychodd.

'Ia, fi,' atebodd Gwyndaf gyda gwên swil. 'Sut ydach chi, Mr O'Toole?'

'Reit giami!' sgyrnygodd y llall. 'Ty'd,' meddai gan droi ar ei sawdl a datgan dros ei ysgwydd wrth frasgamu tua phrif adeilad y Ffatri, 'i chdi gael clwad be 'di be.'

Lliniarodd gelyniaeth Gerallt O'Toole fel y disgrifiai wrth Gwyndaf ofynion, dyletswyddau a chyfrifoldebau ei swydd, a'r gwahaniaethau hanfodol rhwng yr ethos a'r egwyddorion a lywodraethai weithgareddau'r Ffatri yn awr, a'r agweddau digyfeiriad, ffwrdd-â-hi a ganiateid yn ystod y cyfnod blaenorol, oblegid ni chlywodd yr un sill o feirniadaeth nac o wrthwynebiad o du ei wrandawr.

'Mi wt ti wedi newid,' meddai wedi i Gwyndaf arwyddo dogfen a'i hymrwymai i ufudd-dod llwyr i orchmynion a chyfarwyddiadau swyddogion uwch eu safle nag ef yn hierarchaeth y Gorfforaeth, ac i fynnu'r un ufudd-dod gan yr isel rai. 'Crys gwyn, glân, tei – sidan ia? – siwt gnebrwng, sgidia sgleiniog. Wedi colli dwy stôn, o leia. Iesu Grist naeth hynna?'

'Iddo Ef bo'r clod,' oedd ateb gostyngedig Gwyndaf.

'Hm!' wfftiodd O'Toole drwy ei drwyn. 'Wt ti wedi newid tu mewn? Hwnna 'di'r cwestiwn.'

'Dyna'r newid mwya, Mr O'Toole!' meddai Gwyndaf a llawenydd yn tasgu o'i lygaid. 'Y troeon o'r blaen y cwarfon ni, roeddwn i wedi fy meddiannu gan gasineb. Casineb at Saeson, Americanwyr, Cyfalafwyr, Toraid, Llafur Newydd, Lib Dems, arweinwyr Plaid Cymru, S4C, Bwrdd yr Iaith. Roeddwn i'n llawn casineb. Casineb ataf fi'n hun, hyd yn oed!'

'Be ddigwyddodd?' holodd Gerallt O'Toole a chymysgedd o chwilfrydedd a siniciaeth yn ei lais.

'Pan aeth y fentar gydweithredol i'r wal, ac y collis i Sulwen, mi es i'n isal iawn. Mi driis neud amdana i'n hun, Mr O'Toole. Ond toedd Duw ddim f'isio i. Eto. Dyna pryd y daeth yr Iesu i 'mywyd i. Mi sylweddolis mai pechadur oeddwn i. Wedi pechu pawb oedd wedi ymddiried yn'a i erioed. Pobol y Cwm, Sulwen, Mrs Huws, Mr Roberts Gweinidog. Dyn da fel Mr Price, sydd wedi ymroi'n llwyr i wasanaethu ei gyd-ddynion ac yn ymdrechu i ddileu tlodi trwy wneud pawb yn gyfoethog, fel mai 'brodyr i'w gilydd fo dynion pob oes'. Yn lle ennyn cynnen a gwrthdaro rhwng y tlawd a'r cefnog, fel fi a fy ffrindia.'

'Be ddeudodd Culfor, pan ofynnis i oedd o'n meddwl bo chdi'n jeniwin, oedd "Wrth 'i ffrwytha ma nabod co",' meddai O'Toole. 'Gawn ni weld os ma orinjis 'ta lemons fydd ar dy ganga di, Gwyndaf.'

'Rydw i'n edrach ymlaen yn arw at gydweithio efo chi, Mr O'Toole,' meddai Gwyndaf. 'Yn llafurio'n yr un maes ac i'r un meistr.'

'Jest gwatsha dy fŵfs,' rhybuddiodd y llall. 'Fydd 'yn llgada i arna chdi rownd y ril. A sôn am fŵfs, mae Mrs Price isio ichdi alw i' gweld hi.'

'Sulwen?' holodd Gwyndaf a syndod yn ei lais.

'Mrs Price i chdi,' chwyrnodd Gerallt O'Toole. 'Cofia hynny. Bob amsar.'

Cyfweliad (2)

Wrth eistedd y tu ôl i lyw'r hen 4x4 ffyddlon a'i yrru tua *Brethynfa*, fel y gwnaethai ugeiniau o weithiau o'r blaen, teimlodd Gwyndaf nad oedd dim wedi newid. Am ychydig eiliadau'n unig y parodd y canfyddiad. Roedd popeth wedi newid. Ef ei hun. Y pentref. Y Ffatri. Y cerbyd a yrrai, hyd yn oed, yn orchest i gyd yn lifrai lachar las a melyn ei berchennog newydd. Sulwen . . . Ei Sulwen ef. Nage. Sulwen Llewelyn C. Price IV.

Pan ddaeth i olwg *Cloth Hall*, ychwanegodd Gwyndaf gartref y teulu Huws at restr y pethau cyfarwydd a weddnewidiwyd. Amgylchynid y plasty bychan yn awr gan fagwyrydd tal a disodlwyd yr hen glwydi haearn, rhydlyd gan borth a weddai i gastell. Gwarchodid y fynedfa gan bostyn metal gwyn ac arno geg electronig, botwm coch a'r geiriau *Gwasger i gael sylw*.

Dilynodd Gwyndaf y cyfarwyddyd. Gofynnwyd iddo, yn Gymraeg, i ddisgrifio'i berwyl. Gwnaeth hynny. Codwyd y porthcwlis. Gyrrodd Gwyndaf ei gerbyd drwy'r porth. Disgynnodd y porthcwlis ar ei ôl.

Yr unig newidiadau amlwg yn y tirwedd o amgylch y tŷ oedd bynglo gwyngalchog nid nepell o'r porth mawr, a hofrenfa ar ganol y lawnt. Disgynnodd Gwyndaf o'r car a syllu ar y cylch concrid am rai eiliadau ac yna fry i'r wybren lwyd, fel petai'n disgwyl i'r sawl y crëwyd y cyfleuster ar ei gyfer ymddangos drwy'r cymylau a glanio gerllaw. Gwasgodd fotwm y cyfarpar croesawu ar bostyn y drws a gwrando'n ddisgwylgar nes clywed llais cyfarwydd yn holi:

'Ia? Pwy sy 'na?'

'Fi, Mrs Price.'

'Pwy ydach *chi*?'

'Gwyndaf . . . '

Ebychiad diamynedd:

'Gwyndaf . . . '

'Ia.'

Saib. Ac yna:

'Ddo i yna rŵan.'

Agorwyd y drws a safai Sulwen o'i flaen mewn siwt liain wen, drofannol.

'Gwyndaf! Rydw i mor falch o dy weld di!'

Cydiodd Sulwen yn ei law a'i hysgwyd yn hyderus. 'Ty'd i mewn!' gwahoddodd. 'Mae Llew yn rwla'n Affrica a Mam yn y bynglo godon ni iddi wrth y giât. Gawn ni sgwrs hir heb neb i'n styrbio ni. Ty'd heibio.'

Camodd Gwyndaf dros yr hiniog i'r cyntedd a dilyn Sulwen heibio campweithiau Syr Koffyn i'r Parlwr Mawr. 'Sôn am steil!' meddyliodd. 'Y dillad. Y gwallt cwta, ffasiynol. Y sbectol haul yn y gwallt. Mae hi'n edrach fel model!'

'Rŵan 'ta,' meddai Sulwen wedi iddi hi eistedd ar y soffa a Gwyndaf ar y gadair esmwyth yn wynebu'r ffenestr sinemasgopig a godidowgrwydd Llyn Crafog, Moel y Bwch, y Cimwch Bach a'r Cimwch Mawr y tu draw iddi. 'Be 'di'r lol 'ma o 'ngalw i'n "Mrs Price"?'

'Dyna wyt ti rŵan, Sulwen,' atebodd Gwyndaf yn dawel. 'Feddylis i . . . '

Torrodd Sulwen ar ei draws dan chwerthin:

' . . . na fedrwn ni fod yn ffrindia am 'mod i wedi syrthio mewn cariad hefo Llew a chditha hefo Iesu Grist?'

' . . . y bydda'n well gin dy ŵr imi d'alw di'n Mrs Price. Roedd Mr O'Toole yn bendant iawn nad oeddwn i i d'alw di'n Sulwen.'

'Paid â gwrando ar yr hen lob,' chwarddodd Sulwen. 'Ddylwn i ddim deud hynna amdano fo, chwaith, a Mam a fynta'n gymaint o ffrindia. Synnwn i ddim na welwn ni románs yn datblygu'n fan'na cyn bo hir. Ond 'sgin ti ddim diddordab mewn petha felly rŵan, nagoes?'

'Mae Mr O'Toole yn ddyn cadarn iawn ei gymeriad,' ebe Gwyndaf. 'Cydwybodol a ffyddlon iawn i'w gyflogwr. Rydw i'n meddwl ei fod o a dy fam yn siwtio'i gilydd, ac yn haeddu ei gilydd hefyd.'

'Chwara teg ichdi am ddeud peth mor neis!' meddai Sulwen. 'Mi wyt ti wedi newid. Roedd 'na amsar pan oeddat ti a Mam fel cath a chi.'

'Do. Mi ydw i wedi newid,' cydsyniodd yr ymwelydd a goslef ei lais yn dwysáu'r awyrgylch.

Cafwyd pwl o ddistawrwydd digon annifyr nes i Sulwen ddatgan, yn y man: 'Ges i 'noethuriaeth, wsdi.'

Goleuodd wyneb Gwyndaf wrth iddo'i llongyfarch ac ychwanegu: 'Ac mi wyt ti'n ddoctor rŵan?'

'Ydw,' meddai Sulwen. 'Llew fynnodd 'mod i'n gorffan y traethawd ac mae o am gael Gwasg Prifysgol Llansteffan i'w argraffu o ar femrwn, mewn rhwymiad o groen llo. Mae o mor falch ohona i. Wrth ei fodd yn fy nghyflwyno i i'r pwysigion fyddwn ni'n gwarfod fel "Fy ngwraig, Sulwen – y Dr Sulwen Huws, fel y'i hadwaenir yn y byd academaidd".'

'Sut wyt ti'n dygymod efo'r cylchoedd diarth, uchel-ael rwyt ti'n troi ynddyn nhw?' holodd Gwyndaf a'i ddiddordeb yn amlwg.

'Dwi'n hapus iawn, iawn!' atebodd Sulwen a'i gwên lesmeiriol yn ategu'r gosodiad. 'Mae pob dim wedi troi allan yn iawn yn diwadd tydi? Fi'n caru Llew. Chditha'n caru Duw a Iesu Grist. Chdi sy fwya hapus, wrth reswm. Ond fedra inna ddim cwyno.'

'Rydan ni'll dau wedi bod yn ffodus iawn,' meddai Gwyndaf.

'Ydan,' cydsyniodd Sulwen.

Gwenodd y ddau ar ei gilydd am funud cyfan cyn i Sulwen holi:

'Gymi di rwbath i yfad, Gwyndaf? Cwrw? Lager? Rwbath cryfach? Be sy arna i! Panad?'

'Dim diolch, Sulwen,' meddai Gwyndaf a gwneud osgo codi. 'Gin i dipyn o waith, heno, cael trefn ar y tŷ 'cw.'

'Glywis i byddi di'n byw'n yr hen gartra, gan bod dy dad wedi symud i'r Post at Glenda. Ond cyn iti fynd, mae 'na rwbath leciwn i ofyn iti.'

Petrusodd Sulwen â'i llygaid yn llenwi.

'Ia?' holodd Gwyndaf.

'Mi ydan ni'n ffrindia, tydan, Gwyndaf?'

'Siŵr iawn.'

'Ddim gymaint ag oeddan ni, wrth gwrs.'

'Nag'dan. Wrth gwrs.'

Cododd Sulwen oddi ar y soffa, eistedd ar fraich cadair Gwyndaf a chydio yn ei law.

'Dyma be o'n i isio'i ofyn, Gwyndaf,' meddai a thaerineb yn llenwi ei llygaid a'i llais. 'Ddeudi di ddim wrth Llew *faint* o ffrindia oeddan ni, na nei? Nag wrth neb fasa'n deud wrth Llew?'

'Fel pwy?'

'Gerallt O'Toole. Na neb arall o gwbwl, a deud y gwir. Wn i basa Llew'n flin iawn 'tai o'n gwbod, er na neuthon ni ddim byd o'i le, naddo?'

'Naddo,' cydsyniodd Gwyndaf.

Gwasgodd Sulwen ei law nes i'w hewinedd hirfain archolli'r cnawd. Daliodd Gwyndaf yr artaith yn wrol ac meddai'n groyw:

'Fuon ni'n agos, Sulwen. Yn agos iawn. Unwaith neu ddwy. Dy gyfrinach di a fi fydd honno.'

'O, diolch iti, Gwyndaf!' llefodd Sulwen a gwyro tuag ato fel petai am ei gusanu.

Cododd Gwyndaf o'r gadair mewn pryd.

'Well imi fynd,' meddai.

'Ia, well ichdi fynd,' cytunodd Sulwen yn fyngus a'i mynwes yn codi a gostwng yn wyllt wrth iddi hebrwng Gwyndaf ap Siôn tua'r drws ffrynt ac yntau'n rhwbio'i law.

Aduniad (1)

Rai oriau'n ddiweddarach, a Gwyndaf newydd wisgo ei ddapiau a'i dracwisg ICAChwaraeon newydd sbon, clywodd gnoc ar ddrws ffrynt 26 Glan Crafog. Pan atebodd, fe'i cyfarchwyd yn frochus gan yr horwth heglog, Idris *Bigynogyn*, y stwcyn rhadlon Dei *Cae Maip Duon* ac Emrys *Penglog Bach*, bachgen main, ciddil yr olwg a'r siarpaf ei feddwl o'r tri.

'Dowch i mewn, hogia,' meddai Gwyndaf a'u tywys i'r gegin. 'Tasach chi funud yn hwyrach mi faswn wedi mynd allan i redag.'

'I'r *Brwynog*, m'wn,' cellweiriodd Emrys.

'Naci,' eglurodd Gwyndaf. 'Fydda i'n rhedag am awran, o leia, bob min nos.'

'Wt ti'n edrach yn ffit ar y naw,' sylwodd Dei wedi iddynt eistedd o amgylch bwrdd y gegin. 'Mae'r ail dîm yn chwilio am rywun ar yr asgall chwith, Bons.'

''Sgin i fawr o ddim i ddeud wrth rygbi wedi mynd,' meddai Gwyndaf. 'Gweld hi'n hen gêm dreisgar iawn. Gymrwch chi banad?'

'Panad!' rhuodd y tri ag un llais.

'Te 'ta coffi?' cynigiodd Gwyndaf.

'Sdwffia dy banad a rhed i'r *Brwynog* i godi rownd,' ebe Idris. Neith hi uffar o sesh heno.'

''Sgin i ddim i ddeud wrth gwrw chwaith,' meddai Gwyndaf gyda gwên ymddiheurol. 'Mi wnaeth alcohol gymaint o ddrwg imi, ac i lawar o Gymry llawar mwy talentog na fi; well gin i hebddo fo.'

'Wyt ti'n uffar o gês, Bonso,' chwarddodd Dei. ''Dan ni'n uffernol o falch o dy weld di.'

'A bo chdi wedi cael dy jòb yn ôl,' ychwanegodd Idris.

'Ma'r basdads fotiodd yn d'erbyn di ac o blaid ymuno hefo ICACachwrs i gyd yn teimlo 'run fath â ni erbyn hyn,' meddai Emrys gan restru cwynion mwyaf cyffredin y gweithlu yn erbyn y drefn newydd: patrymau shifft anghyfleus ac anghymdeithasol; gorfodaeth i weithio goramser heb dâl ychwanegol; llai o wyliau; llai o hoe yn ystod oriau gwaith;

disgyblaeth ddiwydiannol lem, gyda dirwyon a chosbau am droseddau fel cyrraedd yn hwyr, gadael yn gynnar a threulio gormod o amser yn y tŷ bach.

'Mae'n chwith gin bawb am yr amsar roeddat ti'n rhedag y Ffatri, Bonso, a ma nhw i gyd yn gweld yn ddigon clir rŵan mai chdi oedd yn iawn,' meddai Emrys.

'*Toeddwn* i ddim yn iawn, nag o'n?' atebodd Gwyndaf gydag argyhoeddiad tawel yn ei lais. 'Neu mi fydda'r fentar gydweithredol wedi llwyddo. Ffor Llewelyn Price ydi'r unig ffor ymlaen yn y byd sydd ohoni, hogia. Ella nad ydi'r drefn bresennol yn berffaith, chwadal nag unrhyw drefn arall, ond 'nyletswydd i fel Prif Weithredwr fydd codi'r safon a'i gneud hi'n fwy effeithiol. Os oes gynnoch chi gwynion, galwch yn y Swyddfa i 'ngweld i, ac os ydyn nhw'n rhei teg, mi wela i be fedra i neud. Un ffor o leihau rhwystredigaeth a'r tueddiad i wingo yn erbyn y symbylau ymhlith y gweithwyr fydd dechra pob shifft efo cwarfod gweddi ac emyn. Be 'dach chi'n feddwl o hynna?'

'Dim tynnu coes wyt ti, naci?' holodd Dei'n ddigalon.

'Tydw i rioed wedi bod mwy o ddifri,' meddai Gwyndaf. 'Rydw i'n edrach ymlaen at yr her o gynyddu duwioldeb ac elw Ffatri Wlân Cwmbrwynog.'

'Dwi'n edrach ymlaen at lond cratsh o gwrw er cof am fêt a rebal drodd yn gynffonnwr!' arthiodd Emrys i wyneb digyffro Gwyndaf ap Siôn. 'Dowch, hogia.'

Cododd y tri gan wgu'n hyll ar y cyfaill a'u siomodd a gadael y tŷ gyda chlep nerthol ar y drws ffrynt ar eu hôl.

Am ysbaid hir wedi i Idris, Dei ac Emrys ymadael, safodd Gwyndaf ar ganol y llawr â'i lygaid a'i ddyrnau ynghau. Yna agorodd hwy, dodi ei law ym mhoced llodrau ei dracwisg i sicrhau fod ei allweddi ynddi, mynd allan o'r tŷ a loncian tuag at y llwybr a amgylchynai Lyn Crafog.

Aeth rhedeg hyd lwybrau'r fro yn arferiad beunosol gan Gwyndaf ap Siôn. Daliodd ati hyd yn oed wedi i dri gŵr mewn balaclafas ymosod arno mewn man anial ger giât fynydd Moel y Bwncath. Llwyddodd Gwyndaf i ddianc heb anaf difrifol gan ei fod yn ffitiach, yn gryfach ac yn sobrach na'r dihiriod ac yn rhedwr cyflymach na hwy. Soniodd wrth ei dad am y digwyddiad, ac anogodd Jac ef i riportio'r mater i'r heddlu. Atebodd Gwyndaf na fyddai'n elwach o hynny gan na welsai wynebau'r tri. Ni ddywedodd wrth ei dad fod un ohonynt gymaint ag arth a'r ddau arall yn gorachod wrth ei ymyl.

Aduniad (2)

Ychydig ddyddiau wedi ei phenodi'n Bennaeth Cyhoeddusrwydd a Chysylltiadau Cyhoeddus ICACEwrop, galwodd Gwenno Roberts yn swyddfa Prif Weithredwr Ffatri Wlân ICACwmbrwynog i gyflwyno ei hun iddo yn rhinwedd ei swydd newydd.

'Ac i bigo dy frêns di, Gwyndaf,' cyfaddefodd Gwenno, a wisgai grys gwyn, tei arianlliw a siwt fusnes *pinstripe* a bwysleisiai amlinelliad benywaidd ei chorff yn hytrach na'i liniaru.

'Gobeithio fydd hynny ddim yn rhy boenus,' cellweiriodd Gwyndaf yn ddifalais.

'Ddim i chdi, Bonso, a chditha mor beniog,' meddai Gwenno. 'Sori. Twyt ti ddim yn lecio inni d'alw di'n hynna rŵan, nagwyt? Beth bynnag, Gwyndaf, y Bòs sy wedi gofyn imi drefnu rwbath sbeshal i ddathlu Gŵyl Dewi. Y broblam ydi, tydi ICACEwrop ddim yn bod, go-iawn, eto, a heblaw am betha hollol naff fel fflio'r Ddraig Goch tu allan i'r Ffatri a gneud i'r gweithwyr wisgo daffodils plastig, fedra i feddwl am ddim byd. *Any ideas?*'

'Ga i ffonio ffrind?' holodd Gwyndaf. 'Hynny ydi: ga i noson i feddwl?'

'OK,' cydsyniodd Gwenno. 'Chei di ddim miliwn o bunna gin i am ddŵad i fyny hefo'r *goods*, ond gei di jymp, os wyt ti'n gaddo iwsio condom.'

Buasai gwên flysiog merch y Gweinidog wedi cynhyrfu cerflun marmor o Ddewi Sant. 'Fasat ti'n lecio hynny, basat?' honnodd.

'Rydw i wedi newid, Gwenno,' esboniodd Gwyndaf ap Siôn yn raslon.

'Dyna glywis i,' chwarddodd hithau.

Cododd Gwenno o'i chadair a chychwyn am y drws. Trodd ac ychwanegu cyn diflannu: 'Ond ddim gormod, gobeithio. Gawn ni weld fory, ia?'

Estynnodd Gwyndaf ei law at y teleffon ond heb gydio yn y derbynnydd. Doethach ffonio'i ffrind o gartref.

Memorandwm

At: Y Fns Gwenno Roberts, Pennaeth Cyhoeddusrwydd a Chysylltiadau Cyhoeddus ICACEwrop

Oddi wrth: Gwyndaf ap Siôn, Prif Weithredwr Ffatri Wlân ICACwmbrwynog

Annwyl Gwenno,

Re: Gŵyl DewICACEwrop

Yn ystod ein trafodaeth ddoe ynglŷn â'r mater uchod, mynegaist y farn fod y ffaith nad yw ICACEwrop 'yn bod go-iawn' yn broblem. Awgrymaf ein bod yn troi'r 'broblem' yn fantais. Deallaf fod y syrfewyr, bellach, wedi dewis safle ar gyfer Pencadlys Ewropeaidd y Gorfforaeth ar lan Llyn Crafog ond nad yw'n fwriad dechrau ar y gwaith adeiladu am rai wythnosau.

Beth, felly, am wneud 'Torri'r Dywarchen Gyntaf' gan Mrs Sulwen Price yn ganolbwynt y dathlu, a thrwy hynny nodi pen-blwydd priodas Mr a Mrs Llewelyn C. Price ac uniad y Ffatri Wlân ag ICAC, yn ogystal â choffáu ein Nawddsant? A gwahodd enwogion, pwysigion a phobol ddylanwadol a phwerus o bob rhan o Gymru a thu hwnt i Gwmbrwynog ar gyfer yr achlysur (a gofnodir ar ffilm ar gyfer cynulleidfa ehangach gan Deledu Orji)? Dylid cynnal yr holl weithgareddau mewn pafiliwn fydd yn cynnwys arddangosfa o fodel o'r 'Palas Grisial' arfaethedig, cynlluniau'r pensaer ac ati.

Trefn y Moddion*

1. Gweddi: Y Parch. D. Culfor Roberts, B.A., B.D., O.B.E., Y.H., Caplan Ffatri Wlân ICACwmbrwynog

2. Emyn: Datganiad o 'Anthem y Ffatri Wlân' gan Gôr Meibion y Brwynogiaid dan arweiniad Madam Lowri Huws (Eos Brwynog)

> Mae'n Ffatri'n siŵr o lwyddo
> Â Llewelyn wrth y llyw;
> Iachawdwr ein cymdeithas ni
> A'i gwaredwr yw.
> Mae'n arwr, mae'n athrylith,
> Mae'n agos iawn at Dduw.
> O fendigedig Ffatri,
> Os bychan yw dy faint,
> Mae gweithio yma i ICAC
> Yn bleser ac yn fraint,
> Mae fel bod yn y Nefoedd
> Gyda'r Iôr a'i Saint.

D. C. R.

3. Torri'r Dywarchen Gyntaf: Mrs Sulwen Price

4. Datganiad: 'Glaswellt Glas, Glas fy Mro': Syr Bryan Turvell (gyda chaniatâd caredig cwmni recordiau ICACAffôn)

5. Teyrngedau:

   ICACwmbrwynog: Bnr Jac Jones (Undeb y Gweithwyr Cyffredin)
   ICACymru: Y Prif Weinidog
   ICACosmos: Y Parch. D. Culfor Roberts, B.A., B.D., O.B.E., Y.H.

Llewelyn C. Price IV, y Cambro-Americanwr: Gwyndaf ap Siôn,
Prif Weithredwr Ffatri Wlân ICACwmbrwynog

6. Anerchiad y Llywydd, y Bonwr Llewelyn C. Price IV

7. 'Hen Wlad fy Nhadau'
   'The Star-Spangled Banner'

* Dan arweiniad G. ap S.

Gan edrych ymlaen at drafodaeth adeiladol parthed yr awgrymiadau uchod.

Er mwyn ICAC,
Gwyndaf

Diolchgarwch Gwenno

'*Brill*, Bonso!' llefodd Gwenno Roberts. '*Absolutely bloody brill!*'
   Cododd o'i sedd, cylchu'r ddesg, eistedd ar lin y Prif Weithredwr, dodi ei breichiau cryfion amdano, serio ei wefusau gyda chusan chwilboeth ac andwyo'i donsils â'i thafod. 'Faswn i wedi gorfod talu miloedd i gonsyltants codog o Lundan am "gyngor" oedd ddim chwarter cystal!' meddai'r gawres gerfluniaidd pan ballodd ei hanadl ymhen rhai munudau. 'Fydd arna i werth hynny o ddownsio gwerin ichdi, Bons. Lle awn ni? 26 Glan Crafog 'ta *Room 69, The Brwynog Arms*?'
   Llwyddodd Gwyndaf i wingo oddi tan y wraig ifanc nobl a rhoi'r ddesg rhyngddynt cyn ateb. Pan wnaeth roedd ei ddwy law ar y Beibl a orweddai ar y dodrefnyn hwnnw bob amser yn awr. 'Os wyt ti isio diolch imi, Gwenno,' meddai, 'dos â hwn hefo chdi i dy stafall yn y *Brwynog Arms* a'i ddarllan o o'i gwr.'
   '*Oh God!* Mae hi'n uffar o *turn-on* bo chdi mor grefyddol!' gweyrodd Gwenno. ''Run fath â Salome hefo Ioan Fedyddiwr yn y ffilm honno gin Oscar Wilde!'

221

Cododd merch y Gweinidog o'r gadair *executive* ledr ddu fel cath fawr, reibus â'i dwylo'n crafangu at Gwyndaf ap Siôn. Daliodd yntau ei dir gan godi'r Beibl megis tarian rhag trachwant y fenyw orffwyll a'i chwenychai.

'OK, OK,' meddai Gwenno mewn llais blinedig. 'Tydw i ddim yn dy ffansïo di go-iawn. O'Toole ofynnodd imi dy destio di, i weld os wyt ti wedi cael diwygiad 'ta jest smalio.'

'Be am y Memo?' holodd Gwyndaf yn bryderus. 'Wyt ti'n dal i lecio fo?'

'Fus i rioed yn un i ddal dig,' atebodd Gwenno gan roi'r ddogfen yn ei briffces. 'Y *deal* ydi: gei di fod yn M.C. os ca i'r *kudos* am ddyfeisio'r sioe.'

'Mae hynna'n deg iawn, Gwenno,' ebe Gwyndaf a dychwelyd i'w gadair gyda gwên foddhaus ar ei wyneb.

Pennod 17

Dygwyl Dewi

Roedd y pafiliwn y cynhaliwyd Dygwyl DewICAC ynddo'r un ffunud â chartref yr Eisteddfod Genedlaethol a bron gymaint â'r honglad hwnnw. Roedd yn las a melyn ac yn arddangos logo'r Gorfforaeth mewn mannau amlwg, fel y byddai'r 'Cwt Mawr' ei hun ymhen blwyddyn, pan ddeuai ICAC yn brif noddwr y Brifwyl.

Roedd hi'n dywydd Eisteddfodol a'r dwyreinwynt yn llifo'n afon anweledig, iasol, gref dros gopaon y Cimwch Bach, y Cimwch Mawr a Moel y Bwncath a thros ddyfroedd rhewllyd, tywyll Llyn Crafog, gan boeri cyfres o gawodydd maleisus dros y pentref i ddifetha hwyl ei drigolion a'r miloedd oedd wedi tyrru i'r Cwm o bell ac agos.

Ychwanegwyd at naws brifwyliol yr achlysur gan barodrwydd Cae'r Gors – y llain ar lan Llyn Crafog y codwyd y Pafiliwn arno – i droi'n llaid traddodiadol dan draed y gwahoddedigion dethol a wyliai'r gweithgareddau yng nghlydwch y pafiliwn a'r dorf rynllyd a'i hystyriai hi'n fraint i lygadrythu ar sgrin fawr *alfresco* yn y glaw.

Nid yr un detholedigion oedd y rhain â'r dorf liwgar a wahoddwyd i briodas Llew a Sulwen. Roedd mwy o Gymry nag o dramorwyr y tro hwn; llawer o'r galarwyr a ddaeth i angladd Cybi Huws ynghyd â gwleidyddion, cyfryngwyr, arweinwyr eglwysig, digrifwyr, actorion a mabolgampwyr o fri, gan gynnwys tîm pêl-droed Cymru yn ei grynswth ac ambell chwaraewr rygbi digywilydd.

Dan arweiniad sicr Gwyndaf ap Siôn, aeth popeth fel yr oriawr ddiarhebol hyd at y tro annisgwyl yng nghynffon y cyfarfod.

Gweddïodd y Parch. Culfor Roberts yn daer. Canodd Côr Meibion y Brwynogiaid yn uchel. Torrodd Mrs Sulwen Price dywarchen o lain wyrddlas rhwng y llwyfan a rhes gyntaf y gynulleidfa yn ddeheuig â rhaw blatinwm. Byddarodd Syr Bryan Turvell y defaid ar lethrau'r Cwm. Taniodd Jac Las (Goch gynt) y gynulleidfa gydag araith rymus, annealladwy ar 'Partneriaeth mewn Diwydiant: y Drydedd Ffordd Ymlaen i Gwmbrwynog'. Difyrrodd y Prif Weinidog hi gyda phedair jôc glasurol. Ysbrydolodd y Parch. Culfor Roberts hi gyda phregeth wyryfol ar yr ail adnod ar bymtheg o'r bymthegfed bennod a deugain o Lyfr y Proffwyd Eseia: 'Canys wele fi yn creu nefoedd newydd, a daear newydd'.

Yna camodd Gwyndaf ap Siôn at y meic eto. Taflodd edrychiad nerfus dros ei ysgwydd at Mr a Mrs Llewelyn Price a eisteddai ar ddwy orsedd oreuraidd ar ganol y llwyfan, gydag aelodau o Orsedd Beirdd ICACYnys Prydain, pob un â'r logo cyfarwydd ar dalcen ei benwisg, yn gefnlen liwgar y tu ôl iddynt. Cyfarchodd y dorf ddisgwylgar:

'Bendefigion Cymru,
Londri a agorodd Cymro yn ninas Chicago,
A gosod ynddi'r peirianna golchi gora,
Gyda phowdwr sebon a thapiau dŵr yn ei chanol,
A rhoes hi i'w fab yn fuddsoddiad
I gynyddu ei elw o genhedlaeth i genhedlaeth . . .

'Enw'r Cymro hwnnw, gyfeillion, oedd Llewelyn Calvin Price II, mab i'r Llewelyn Calvin Price cyntaf, sylfaenydd y llinach, Cymro uniaith, duwiol a diwylliedig yn hanu o bentref bychan diarffordd yn Sir Drefaldwyn. Roedd y mab, fel y tad, yn gefnogol iawn i'r Achos Dirwestol, a thestun llawenydd i'r ddau oedd pasio'r *National Prohibition Act* yn 1919, a arweiniodd at bedair blynedd ar ddeg o lwyrymwrthod swyddogol yn yr Unol Daleithiau. Teimlodd Llewelyn C. Price II ddyletswydd foesol i ddiwallu syched yfwyr a amddifadwyd o alcohol a sefydlu *Price's Chicago Sodapop Company* a lwyddodd i'r fath raddau nes ei wneud yn filiwnydd mewn byr o amser.

'Buddsoddwyd peth o elw enfawr y cwmni pop yn y *Chicago Fire, Theft, Extortion and Blackmail Insurance Corporation,* a warchodai fusnesau Chicago rhag y drwgweithredwyr oedd yn rhemp yn y ddinas honno yn y dauddegau a'r tridegau, a hefyd yn y diwydiant adloniant a thwristiaeth.

'Llewelyn C. Price II oedd y dyn busnes cyntaf i adnabod potensial y Gorllewin Gwyllt fel canolfan wyliau. Yn 1945, anfonodd ei fab, Llewelyn C. Price III, draw yno, i Dalaith Nevada, i arloesi. Canlyniad hynny oedd troi pentref bychan o'r enw Las Vegas ynghanol y diffeithwch llychlyd yn brifddinas adloniant y byd.

'Fel y bardd R. Williams Parry, cafodd Llewelyn C. Price IV goleg gan ei dad. Mynychodd brifysgolion Cymreiciaf yr Unol Daleithiau, Iâl a Bryn Mawr, gan raddio'n ddisglair yn y Gyfraith, Astudiaethau Busnes a Gwleidyddiaeth Ryngwladol. Yna, gyda'i ddysg academaidd a'i ddawn gynhenid, trodd ei dreftadaeth o gwmnïau Americanaidd yn un gorfforaeth enfawr, fyd-eang: *The International Cambro-American Corporation.*

'Nid Llywydd ICAC yw'r unig Gymro sydd wedi gwireddu, ac wedi byw, y Freuddwyd Americanaidd. Ond yn wahanol i'r rhelyw, penderfynodd Llewelyn C. Price IV ddychwelyd at ei wreiddiau, fel bod trigolion Hen Wlad ei Dadau'n cael yr un breiniau a'r un cyfleoedd â fo'i hun a'i hynafiaid, heb y drafferth o groesi Môr Iwerydd. Mi aeth i Brifysgol Llansteffan i loywi ei Gymraeg ac i ailgydio yn ei etifeddiaeth ddiwylliannol. Syrthiodd mewn cariad efo'i athrawes ifanc, landeg, a chael ei ysgogi gan ei serch ati hi i achub o afael y Derbynwyr Ffatri Wlân Cwmbrwynog, a fu yn nheulu Mrs Price ers naw canrif. A phenderfynu sefydlu, ar y tir sy dan ein traed, Bencadlys ICACEwrop, a fydd yn ganolbwynt i sefydliad ariannol a diwydiannol mwyaf grymus ein cyfandir.'

Tawodd y siaradwr wrth i'w eiriau ennyn cymeradwyaeth wresog ei wrandawyr. Cydnabu Gwyndaf hynny gyda gwên a throi at y Llywydd a'i wraig i weld eu hymateb hwy.

Gwenasant yn ôl arno'n werthfawrogol. Wynebodd yntau'r gynulleidfa eto ac aeth rhagddo fel a ganlyn:

'Dyna'r fersiwn swyddogol, fel y'i ceir hi yn y llyfryn sy'n gynwysedig yn y pecyn gwybodaeth sgleiniog oedd ar eich seddi chi. Dyma'r gwir:

'Gangster oedd Llewelyn C. Price II, taid y gŵr sy'n eistedd y tu ôl imi. Olynydd Al Capone fel pen bandit Chicago'r tridegau. Wisgi tatws oedd cynnyrch ei gwmni diodydd ysgafn, nid lemonêd. Hel pres gan siopwyr a masnachwyr eraill ar boen eu bywyda oedd prif weithgaredd y *Fire, Theft, Extortion and Blackmail Insurance Corporation*. Mae'n wir fod gan ICACLeisure westai a chasinos yn Las Vegas a dinasoedd eraill ledled yr Unol Daleithia, ond o gamblo, puteinio, pornograffiaeth a hwrjio cyffuria mae'r rhan fwyaf o'i elw'n deillio.

'Cyfraniad mawr y teulu hwn i fywyd yr Unol Daleithia oedd parchuso gangsteriaeth trwy fuddsoddi budr-elw torcyfraith mewn busnesa cyfreithiol a chyfoethogi'r iaith Saesneg – os mai 'cyfoethogi' yw'r gair cywir – gyda'r ymadrodd *"money laundering"*, sy'n cyfeirio at y broses o "lanhau" arian budur yng nghyfrifon yr olchfa deuluol.

'Dan arweiniad Teulu Cymreig y dysgodd gangsteriaid America fod perchenogi bancia'n fwy proffidiol na lladrata ohonyn nhw, gwyrdroi'r Gyfraith yn elwach na'i thorri, a llygredigaeth, ar adega, yn arf mwy effeithiol na llofruddiaeth.

'Aeth y gŵr sy'n eistedd y tu ôl imi, Llewelyn C. Price IV, â'r datblygiad ymhellach trwy ychwanegu talpia mawr o'r diwydianna moduron, olew, awyrenna ac arfa at ei ymerodraeth, ac ehangu honno i bedwar ban byd.'

Cododd murmur anniddig o blith y gynulleidfa a'r Gorseddigion yng nghefn y llwyfan. Â'i hwyneb tlws yn fflamgoch, cydiodd Mrs Sulwen Price yn llaw ei gŵr a chlywodd y rhesi blaen hi'n ymbil arno:

'Deud rwbath wrtho fo, Llew! Sdopia fo!'

Roedd wyneb y Llywydd mor gadarn a digyffro â'r meini arlywyddol a naddwyd ar ystlys Mount Rushmore. Gwasgodd law ei gymar yn dyner a gwrthod ei chais dan siglo'i ben yn gynnil.

'Ac mae gan Gymru ei rhan yn yr ymgyrch felltigedig honno,' haerodd Gwyndaf ap Siôn. 'Ein gwlad fach ni fydd troedle Llewelyn Price yn Ewrop. Mae o am brynu Cymru er mwyn ei throi'n wladwriaeth fydd yn llwyr dan ei reolaeth o. Yn sylfaen ddiogal i ymyrrath yng ngwleidyddiaeth Ewrop a'r byd. I gyrraedd y nod hwnnw, mi iwsith o'r un dullia dan din iwsiodd o i feddiannu Ffatri Wlân Cwmbrwynog . . . '

Trodd Gwyndaf ap Siôn oddi wrth y gynulleidfa anniddig a chyfeirio'i eiriau nesaf at gymar yr Archgyfalafwr:

'Mi brynodd dy ŵr di *Basdas*, Sulwen, er mwyn darfod eu cytundeb nhw efo ni, a gyrru'r fentar gydweithredol i'r wal. Ac er mwyn rhoid y caibosh ar ein carwriath ni, a chael ei facha'i hun arna chdi, mi barodd i'w was ffyddlon, Gerallt O'Toole, roid Hulton Caerdydd ar dân, er i hynny beryglu bywyda cannoedd o bobol . . . '

Ar y gair, ymddangosodd y dywededig Gerallt O'Toole a phump o swyddogion diogelwch mewn lifrai gorfforaethol ar y llwyfan. Cododd y dorf ar ei thraed gydag ochenaid golectif o arswyd, rhyddhad a chymeradwyaeth wrth i'r gwŷr gydio yn Gwyndaf a'i lusgo ymaith.

Safodd y Llywydd.

'Na!' gorchmynnodd Llewelyn Price a'i unsill awdurdodol fel clec chwip.

Gollyngodd Gerallt O'Toole a'i griw eu prae fel caethion yn ufuddhau i'w meistr a thawelodd trydar cythryblus y gynulleidfa a'r Gorseddigion.

'Rhydd i bawb ei farn ac i bob barn ei llafar,' meddai'r Biliwnydd boneddigaidd gan droi at y dyrfa gynhyrfus o'i flaen. 'Dyna un o gonglfeini'r Ffordd Americanaidd. Mi gaiff y Bonwr ap Siôn orffen deud ei ddeud enllibus. Mi wna innau ymateb i'w gyhuddiadau wedyn. Ac yna, mi gewch chi, y beirniaid, ddewis rhyngddon ni, a gwobrwyo'r buddugwr gyda thlws eich ymddiriedaeth a choron eich cymeradwyaeth. Y Gwir yn erbyn y Byd!'

Ciliodd O'Toole a'i ddynion o'r llwyfan. Eisteddodd y

Llywydd ar ei orsedd ac efelychodd y gynulleidfa ef. Dychwelodd Gwyndaf ap Siôn at y meic yn herfeiddiol.

'Mae 'na wahaniaeth mawr rhwng enllib a'r gwirionedd,' cyhoeddodd Gwyndaf. 'Mae'r hyn yr ydw i wedi ei ddweud am ddullia ac amcanion yr *International Cambro-American Corporation* a'i Llywydd yn wir bob gair. Ac wedi ei sylfaenu ar dystiolaeth un a gydweithiodd am flynyddoedd efo Llewelyn C. Price IV i greu ei ymerodraeth fyd-eang. Ei gyn-Gynorthwy-ydd Personol, Myfanwy di Chianti, ydi honno. Mi adawodd Myfanwy ei swydd ar bwynt o egwyddor . . . '

Edrychodd y siaradwr i fyw llygaid gwraig y Llywydd wrth lefaru'r geiriau nesaf:

'Toedd Myfanwy di Chianti ddim yn barod i barhau'n feistras i Llewelyn C. Price IV a fynta'n ŵr priod i ti, Sulwen. Er iddo fo gynnig llwgrwobrwyon aruthrol iddi, a'i bygwth yn giaidd pan wrthododd hi.'

Mwynhaodd Gwyndaf yr olwg drallodus ar wyneb Sulwen a'i hapêl fud ar i'w gŵr wadu'r cyhuddiad, cyn troi eto at y gynulleidfa. Ymdawelodd hithau'n astud gynted ag y dechreuodd lefaru.

'Mae'r ffeithia yr ydw i wedi eu crybwyll, a llawar rhagor, mwy damniol hyd yn oed, mewn clamp o adroddiad mae Myfanwy a fi wedi ei hel at ei gilydd a'i anfon at y wasg a'r cyfrynga ac arweinwyr prif bleidia gwleidyddol Cymru. Rydan ni'n eu gwahodd nhw, fel yr ydw i'n eich gwahodd chitha rŵan, i ymuno efo ni, ac efo'r mudiad gwrthglobaleiddio byd-eang, mewn ymgyrch i hel o'n gwlad oresgynnwr mwy peryglus na'r Rhufeinwyr, y Normaniaid a'r Saeson i gyd hefo'i gilydd.'

Trodd Gwyndaf at y gŵr a fu dan ei lach: 'A rŵan, y Bonwr Price,' meddai gyda gwên ddifrïol, 'drosodd atach chi . . . '

Hisiodd rhai o'r gynulleidfa fel seirff a hwtiodd eraill fel tylluanod wrth i Gwyndaf ap Siôn gilio oddi wrth y meic. Unodd y ddwy garfan i gymeradwyo'n eiddgar pan gododd Llewelyn C. Price oddi ar ei orsedd gydag urddas hamddenol i dderbyn yr her.

'Gyd-Gymry,' meddai'r goludog golygus yn ei lais soniarus, Americanaidd, gan ennyn rhagor o gymeradwyaeth. 'Gyd-Gymry . . . Mor hyfryd yw cael llefaru'r geiriau hyn gerbron cynulleidfa o oreugwyr – a goreuwragedd! – ein cenedl. Yma, mewn rhan o'r Henwlad y mae gen i'r hawl yn awr, ar sawl cyfrif, i'w galw'n fy milltir sgwâr i.

'Yr Henwlad. Yr Hen Wlad. Ac eithrio 'Mam' a 'Tad', dyma'r geiriau tlysaf a fedd yr iaith Gymraeg. Bu eu tynfa gyfriniol yn ddylanwad aruthrol o bwerus arna i gydol fy mywyd. A dyma fi, o'r diwedd, wedi dod adre. I blith fy mhobol fy hun. A'm traed ar y graig y'm nadded i ohoni.'

Cymeradwyodd y gynulleidfa, namyn ambell un, yn uchel ac yn faith, nes i'r siaradwr beri gosteg ag ystum gwylaidd â'i law.

'Gangster oedd fy nhaid, gangster oedd fy nhad, gangster ydw inne, y mwya yn y wlad. Ac efallai'r byd. Os credwch chi'r Bonwr Gwyndaf ap Siôn,' cellweiriodd Llewelyn Price.

Chwarddodd y gynulleidfa barchus lond ei bol am hydoedd nes i'r siaradwr ei siarsio:

'Credwch o. Mae o'n o agos at y gwir. Gyd-Gymry,' meddai'r Cambro-Americanwr, 'yn ddeng mlwydd oed, cychwynnodd fy nhaid, Llewelyn C. Price II, ym myd busnes, ar ffon isaf un yr ysgol, yn gwerthu papurau newydd ar gornel un o strydoedd garwaf dinas Chicago. I warchod ei safle a'i stondin, gorfu iddo herio ac ymladd hyd at waed fechgyn eraill ac oedolion o bob llun a lliw. Y dewis a'i hwynebai oedd cael ei sathru dan draed rhai mwy penderfynol, neu ddal ei dir a brwydro dros yr hawl dynol sylfaenol hwnnw a ddiffiniwyd gan Gymro mawr arall, yr Arlywydd Thomas Jefferson, fel *'the preservation of life and liberty and the pursuit of happiness'*.

'Roedd fy nhaid a 'nhad, Llewelyn C. Price III, yn wroniaid. Mi brofon nhw, yn ninas ddiffaith Chicago, ym mlynyddoedd enbytaf ei hanes, fod Cymru'n magu glewion cyn ddewred â meibion yr Eidal a Sisilia ac mor barod i ymladd dros y Pethe ag yr oedd y rheini dros Cosa Nostra.

'Mi brofon rywbeth arall hefyd. Fod y Cymry'n genedl glyfrach na'r llabystiau Lladinaidd. Yn fwy deallus, dysgedig a diwylliedig na nhw. Do, fe wnaethon nhw "barchuso gangsteriaeth", a defnyddio ymadrodd y Bonwr ap Siôn. A marw yn eu gwlâu yn "hen a pharchus" ac nid mewn carchar, mewn cadair boeth, neu ar wely oer yr afon ag esgidiau concrit am eu traed. Dyna eu cyfraniad pennaf i America'r ugeinfed ganrif.

'Cyfalafiaeth pobol yr ymylon yw Gangsteriaeth. Mynegiant gwerinol o unigolyddiaeth eofn yr ethos cyfalafol. Cymwynas fawr fy Nheulu i â'n gwlad fabwysiedig yw gwneud y gyfalafiaeth wyllt honno'n un o elfennau hanfodol cyfundrefn economaidd a gwleidyddol yr Unol Daleithiau. Hynny a ro¹dodd i gyfalafiaeth America'r egni a'r beiddgarwch a wnaeth ein gwlad yn rym byd-eang – yr unig *super-power* ar y blaned.

'Dyna'r hyn a wnaeth fy Nheulu i dros America. Beth ydw i a 'Nghorfforaeth yn bwriadu ei wneud dros Gymru? Rydw i am weld Cymru, o fewn degawd, yn wlad sofran, annibynnol – y tu fewn neu efallai y tu allan i'r Undeb Ewropeaidd – ond mewn partneriaeth gadarn gyda'r Unol Daleithiau, yn bendifaddau.'

Cymeradwyodd y gynulleidfa'n frwd – yn enwedig y Prif Weinidog a'i gyfeillion.

'Yn y cyfamser,' meddai'r Biliwnydd, 'gallwch ddisgwyl gweld ICAC yn gweithredu trwy Gymru fel y gwnaeth yng Nghwmbrwynog. Creu gwaith a chyflogaeth i gynnal y gymdeithas frodorol, ei hiaith a'i diwylliant. Troi'r Farchnad o blaid Cymreictod ac yn erbyn y 'carthu ethnig' a ddaw gyda'r mewnlifiad Seisnig; yn groes i'r hyn a ddigwydd ar hyn o bryd.'

Cododd y gynulleidfa fel un gŵr dan guro dwylo a bonllefu hyd at lesmair.

'Rydw i am derfynu,' meddai'r Llywydd pan dawelodd y storm gymeradwyol, 'gydag enghraifft o 'Nghorfforaeth i'n gweithredu i ddiogelu gwerthoedd mwyaf cysegredig Cymru a'r Unol Daleithiau. Rhyddid barn, a'r hawl i adloniant. Ers peth amser, fel y gŵyr llawer ohonoch chi, bu Gweinidogion y Goron yn ystyried diddymu Sianel 4 Cymru, gan honni mai dim ond 4,547, ar gyfartaledd, sy'n gwylio ei rhaglenni. Rydw i'n falch o gyhoeddi mai'r bygythiad hwnnw sydd wedi ei ddiddymu ac nid y Sianel, ohewydd 'mod i wedi ei phrynu hi ar ran y Genedl.'

Roedd y gynulleidfa ar ei thraed unwaith eto a pharodd y cymeradwyo a'r banllefu am rai munudau nes i'r siaradwr apelio am osteg a chloi ei araith gyda'r geiriau:

'Gyd-Gymry – mae'n rhaid ichi ddewis yn awr rhwng y gangster gonest . . . '

Dododd y siaradwr ei law ar ei fynwes ei hun.

'A'i elyn anghymodlon . . . '

Pwyntiodd Llewelyn Price at Gwyndaf ap Siôn, a edrychai fel dyn dan artaith a oedd yn benderfynol o beidio â dangos i'w boenydiwr ei fod yn dioddef. Ychwanegwyd at hyder y naill a loes y llall gan leisiau o'r gynulleidfa yn galw'r 'gelyn' haerllug yn 'fradwr'.

'Gŵr a ffugiodd dröedigaeth grefyddol er mwyn cael swydd gan y Gorfforaeth y mae newydd ei chollfarnu,' meddai Llewelyn Price a dicter yn ei lais am y tro cyntaf. 'Athrodwr a seiliodd ei ymosodiad ar dystiolaeth menyw wenwynllyd a ddiswyddwyd am dwyll ariannol difrifol. Rydw i'n pledio'n euog i'r cyhuddiad o beri i'r Ffatri Wlân fynd i'r wal fel menter gydweithredol, ac o ofyn i Mr Gerallt O'Toole wneud popeth yn ei allu i ddod â pherthynas y Bonwr ap Siôn a Miss Sulwen Huws i ben. Mi wnes hynny oherwydd 'mod i'n argyhoeddedig nad oedd Gwyndaf ap Siôn yn deilwng o eneth mor annwyl a di-nam. Pwy all wadu hynny wedi'r perfformiad yna? Ac oherwydd 'mod i fy hun yn caru Sulwen o eigion dyfnaf fy mod. Ac yn benderfynol o'i chael hi'n wraig imi.'

Llefarodd Llewelyn Price y geiriau olaf gyda chiledrychiad swil i gyfeiriad ei wraig. Cododd hithau'n ddigymell, camu ato, plethu ei breichiau am ei wddf a'i gusanu'n serchus. Cofleidiodd Llew Sulwen a'i hebrwng yn ôl i'w sedd i ragor o fanllefau a chymeradwyaeth.

'Gyd-Gymry,' meddai Llewelyn Price wedi iddo ddychwelyd at y meic – 'os mai'r Bonwr Gwyndaf ap Siôn a'i weledigaeth sydd at eich dant, rydw i'n addo y cymra i fy nghweir yn ddigwyno, a gadael Cwmbrwynog a Chymru iddo fo a'i griw anystywallt o chwyldroadwyr a therfysgwyr. Os caf i fy ngwobrwyo â'ch ymddiriedaeth, rydw i'n ymrwymo i'ch arwain i Gymru rydd, Cymru Gymraeg, Cymru gyfalafol, Cymru Americanaidd. Pob un sy'n gefnogol i Gwyndaf ap Siôn, coded ei law.'

Craffodd y Biliwnydd ar y gynulleidfa, troi i archwilio'r Orsedd, ac yna droi'n ôl at y dorf.

'Neb, Mr ap Siôn,' cyhoeddodd, a chywiro'i hun ar unwaith. 'Nage. Mae'n ddrwg gen i. Un. Y fenyw bryd golau mewn siwt ddenim ar ben y drydedd res o'r blaen.

'Pawb sy'n derbyn fod fy hynafiaid a minnau'n wŷr o anrhydedd sydd wedi gweithredu'n wastadol er lles eu pobl, ac sy'n barod i gerdded ymlaen gyda mi i'r Gymru newydd lle y gwireddir y freuddwyd Americanaidd yn Gymraeg ac yn Gymreig, codwch eich dwylo!'

Cododd fforest o ddwylo ac aeth y Pafiliwn yn wenfflam wrth i berchenogion y dwylo neidio ar eu traed gan ddawnsio a gorfoleddu. Cododd Sulwen oddi ar ei gorsedd, rhedodd at ei gŵr, lluchiodd ei breichiau amdano eto a'i gofleidio gan chwerthin a llefain yr un pryd.

Gadawodd Gwyndaf ap Siôn y llwyfan a'r Pafiliwn. Sylwodd Gerallt O'Toole arno'n mynd, a'r fenyw bryd golau yn codi o'i sedd ac yn ei ddilyn, a'r ddau'n cydgerdded law yn llaw o Gae'r Gors drwy'r llaid a'r lluoedd.

Gwyndaf, Myfanwy ac O'Toole

Eisteddai Gwyndaf ap Siôn yn stafell fyw 26 Glan Crafog gan syllu ar y carped pygwyrdd, di-raen a cheisio anwybyddu pigiad un o sbringiau clustog y soffa siabi ar foch dde ei ben-ôl.

'Ddisgwylis i gael dipyn mwy o gefnogaeth na hynna,' meddai am yr wythfed tro ers gadael y Pafiliwn pan ddaeth Myfanwy i mewn gyda dau fygaid o goffi ac eistedd wrth ei ymyl.

'Ddisgwyliest ti hefyd i Sulwen dwlu'i breichie amdanot ti

yn lle fe?' holodd hithau a thinc o gydymdeimlad yn gymysg
â'r gwatwar yn ei llais.

'Hulpan wirion ydi Sulwen,' atebodd Gwyndaf fel petai'n
traethu gosodiad ffeithiol. 'Wyddwn i 'i bod hi erstalwm. Dim
ond rŵan dwi'n barod i gyfadda hynny.'

"Sdim drwg sy'n ddrwg i gyd 'te,' sylwodd Myfanwy.

Sipiodd y ddau'n ddi-ddweud am ysbaid.

'Be wyt ti'n feddwl ohono *fo* rŵan?' holodd Gwyndaf yn y
man.

'Fel rwy wedi gweud wrthot ti sawl tro, Gwyndaf,' meddai
Myfanwy, 'ddar inni ddechre cynllwynio'n erbyn Lou Price,
rwy wedi teimlo fwyfwy fod dy Sulwen fach di wedi gwneud
yffach o dro da â fi.'

'Dim fy Sulwen fach i ydi hi,' meddai Gwyndaf yn flin. 'A
dwi'n reit falch o hynny. Dallt?'

'Dallt,' ebe Myfanwy gyda gwên. 'Jest bod ti'n disgwl mor
ddiflas.'

'Toes gin Sulwen ddim byd i neud hefo hynny, Myf. Y
sefyllfa sy'n edrach mor uffernol o anobeithiol. O
Gwmbrwynog i le bynnag edrychi di'n y byd.'

'Rheswm da dros roi rhain yng nghist y car,' meddai
Myfanwy gan amneidio i gyfeiriad y ddau gês a orweddai wrth
eu traed. 'Baglu hi'n ôl tua'r De. A dechre'r ymgyrch.'

Yfodd y ddau eu coffi heb ragor o siarad a rhoddodd
Gwyndaf ei fŷg i Myfanwy wedi iddo orffen. Dododd hi'r
llestri ar lawr a'i breichiau am Gwyndaf.

'Dere,' meddai a tharo cusan gyfeillgar ar ei foch. 'Mae lot
fawr o ddaioni wedi dod i ni'n dou o'r hen fusnes hyn, os nad i
neb arall. R'yn ni wedi dod yn ffrindie. A mwy na hynny,
Gwyndaf . . . '

Trodd Myfanwy ben y gŵr ifanc fel eu bod yn edrych i fyw
llygaid ei gilydd.

'R'yn ni wedi rhoi rheswm dros fyw i'n gilydd,' meddai.
'Cyfeiriad i'n bywyde.'

'Ydan ni'll dau'n dal i fynd i'r un cyfeiriad?' holodd
Gwyndaf.

'Yden, gwlei,' chwarddodd Myfanwy.

Ar amrantiad a chyda chydamseru perffaith, fel petaent yn cael eu tynnu at ei gilydd gan rym magnetig, cyfarfu eu gwefusau.

Roedd y gusan yn faith ac yn felys. Myfanwy lefarodd gyntaf pan ddarfu.

'Hei,' meddai'n ffug-geryddol. 'Nag oedd 'na i fod i ddigwdd.'

'Nag oedd,' cyfaddefodd Gwyndaf. 'Ond mae o. Rydw i wedi bod isio iddo fo ddigwydd ers . . . dwn i ddim pryd.'

'A finne,' ategodd Myfanwy a chydio yn ei law. 'Gewn ni drafod beth yw goblygiade hyn i gyd ar y siwrne'n ôl i'r Sowth?'

'Ddyla pedair awr fod yn ddigon inni sortio bob dim allan,' meddai Gwyndaf gan chwerthin, am y tro cyntaf y diwrnod hwnnw, wrth iddynt helpu ei gilydd i godi oddi ar y soffa.

A delwi wrth i guro nerthol ar y drws cefn ddiasbedain drwy'r tŷ.

'Pwy all hynna fod?' holodd Myfanwy gan grychu ei thalcen.

''Nhad, debyg. Trw drws cefn mae o wedi arfar dŵad i'r tŷ,' ebe Gwyndaf. 'Wedi galw i roid ram-tam imi am ddeud petha cas am "y Bòs". Nefoedd, mae o wedi mynd yn llyfwr ac yn grafwr! Os dechreuith o flagardio ddeuda i "Ta ta, Jac Las. 'Dan ni'n mynd i'r Sowth, lle dyla chdi fod wedi aros"!'

Prin fod Gwyndaf wedi agor y drws cefn nag y gwthiodd Gerallt O'Toole ef o'i ffordd a chamu i'r gegin.

'Ofynnis i ddim ichdi ddŵad i mewn,' protestiodd Gwyndaf.

'Naddo,' ebe O'Toole a mynd yn ei flaen i'r stafell fyw. 'Lle mae dy fanars di?'

Caeodd Gwyndaf y drws a dilyn gwarchodwr Llewelyn C. Price IV i'r stafell lle'r oedd eisoes yn herio Myfanwy.

'Lecio chdi'n blond, Myf,' meddai O'Toole gan holi Gwyndaf pan ymddangosodd: 'Ydi pob blewyn yn felyn? 'Ta dim ond y gwallt?'

'Deud be wt ti isio, O'Toole, a hel hi o'ma,' meddai Gwyndaf. ''Dan ni ar 'yn ffor i'r Sowth.'

'Gwynt teg ar eich ola chi,' sylwodd y llall a thynnu o boced fewnol ei siaced ddwy amlen frown a dalen wen wedi ei phlygu'n ei hanner. 'Tydw i ddim wedi dŵad yma i wastio'n amsar i na chi, nag i falu cachu,' cyhoeddodd y cawr o Chicago. 'Mae gin i bresant bach bob un ichi'n fan hyn,' meddai ac estyn yr amlenni i Myfanwy a Gwyndaf. 'Presanta gin y Bòs. A papur fydd isio ichi'i seinio . . . ' Dangosodd y ddalen wen iddynt. 'I gydnabod bo chi wedi derbyn nhw, ac yn gaddo byth bythoedd ddeud dim byd cas amdano fo nag ICAC byth eto.'

Agorodd Myfanwy a Gwyndaf yr amlenni a chael ynddynt bob o siec am filiwn o bunnau. Edrychasant ar ei gilydd, deall ei gilydd heb ynganu'r un gair, gwenu'n annwyl ar ei gilydd, a chyda dirmyg ar O'Toole.

'Deud wrtho fo am eu sdwffio nhw,' meddai Gwyndaf. 'A rhag gneud hynny'n rhy hawdd . . . '

Rhwygodd Gwyndaf ap Siôn ei siec a'i hamlen a thaflu'r darnau i wyneb cynddeiriog O'Toole. Gwnaeth Myfanwy'r un modd.

'Diawlad gwirion,' meddai Gerallt O'Toole gan dynnu o boced ystlys ei siaced bâr o fenig plastig tryloyw o'r math a wisgir gan wasanaethyddion cownteri *delicatessen*. Dododd y menig am ei ddwylo a chyda'i law dde tynnodd lawddryll hir o wain a lechai dan ei gesail chwith.

'Ddeudodd y Bòs wrtha i am eich bygwth chi efo hwn, i'ch cael chi i seinio,' meddai gan chwifio'r dryll yn eu hwynebau. 'Ond faint elwach fasan ni? Tydi torri'ch gair yn golygu bygyr-ôl i chi, y diawlad drwg.'

Anelodd Gerallt O'Toole y dryll at fynwes Myfanwy a thynnu'r glicied.

'Fflwp!'

Pecialodd y gwn a chwympodd Myfanwy di Chianti a golwg syfrdan ar ei hwyneb a bwled yn ei chalon.

Hanner eiliad a gymerodd i arswyd Gwyndaf droi'n gynddaredd ond erbyn hynny roedd dryll Gerallt O'Toole â'i anel ato ef. Cythrodd Gwyndaf am wddf y llofrudd, ond cyn iddo gyrraedd:

'Fflwp!'

Bwled drwy ei ysgwydd.

'Fflwp!'

Bwled arall drwy dalcen Gwyndaf ap Siôn, a syrthiodd wrth ymyl Myfanwy a dicter cyfiawn ar ei wyneb marw.

Syllodd Gerallt O'Toole ar y cyrff am ychydig eiliadau cyn eu gosod yn daclus i gydorwedd ochr yn ochr â'u breichiau am ei gilydd. Dadsgriwiodd y tawelydd oddi ar flaen y dryll a dodi'r arf yn llaw dde Gwyndaf ap Siôn. Caeodd lenni'r ffenestr ffrynt a'r ffenestr gefn ac ymroi i gasglu tameidiau'r sieciau a'r amlenni'n ofalus a'u dodi ym mhoced ei siaced.

Clywodd gnoc ar y drws ffrynt. Ymsythodd ac ystyried y posibilrwydd o wahodd pwy bynnag oedd yno i'r tŷ a'i saethu ef neu hi. Na. Buasai hynny'n creu amwysedd annerbyniol. Troediodd Gerallt O'Toole o'r stafell fyw i'r gegin cyn ddistawed â chath. Wedi sicrhau y buasai'r drws cefn yn cloi ar ei ôl, aeth drwyddo, ei gau, a cherdded yn gyflym ond heb frysio i lawr llwybr yr ardd. Agorodd y ddôr yn y wal frics uchel ar waelod yr ardd, ei chau ar ei ôl a brasgamu ar hyd Llwybr Cefna Tai i gyfeiriad y Llyn.

Newyddion Da o Lawenydd Mawr x 2

Pan ddychwelodd Gerallt O'Toole i'r Pafiliwn roedd hwnnw wedi ei drawsnewid yn babell fwyd lle'r oedd y siampên yn llifo a'r *canapés* yn diflannu. Cymerodd y Gwarchodwr wydraid o'r hylif eurlliw gan un o forynion *Brwynog Arms* (arlwywyr y bwffe blasus ac amrywiaethol) ac ymlwybro rhwng y selebs parablus hyd nes y cyrhaeddodd o fewn ychydig lathenni i'w bennaeth, a safai gyda'i wraig ynghanol grŵp o'r pwysigion pwysicaf yn gwrando'n astud ar y Prif Weinidog yn erfyn arno i osgoi'r canfyddiad ei fod yn ffafrio'r Cymry Cymraeg ar draul eu cydwladwyr uniaith 'trwy groesawu i deulu mawr ICAC ddau brif bapur newydd Saesneg Cymru sydd, ar hyn o bryd, mewn trafferthion ariannol dychrynllyd'.

Wrth i Llewelyn C. Price ymateb yn gadarnhaol i argymhelliad y gwleidydd, sylwodd ar bresenoldeb Gerallt

O'Toole. 'A chan 'mod i eisoes yn noddi'r Papurau Bro,' meddai, 'hoffech chi, syr, imi roi cymorth cyffelyb i'r wasg leol Saesneg?'

Manteisiodd y Prif Weinidog ar y cyfle i annerch ei wrandawyr ar rôl hanfodol bwysig y Wasg mewn democratiaeth aeddfed. Galluogodd hynny Lywydd ICAC i gyfathrebu'n ddieiriau â'i 'Raglaw' heb ymddangos yn anghwrtais.

Gwgodd Llewelyn Price pan dynnodd O'Toole ochr ei law ar draws ei wddf ei hun ddwywaith. Cododd O'Toole ei ysgwyddau, gystal â dweud: 'Toedd 'na ddim byd arall fedrwn i neud, Bòs.' Nodiodd y meistr ei faddeuant a throi i amenio rhyddfrydiaeth y Prif Weinidog.

'A sôn am newyddion da,' meddai'r Biliwnydd pan dawodd y gwleidydd am eiliad i gael ei wynt ato, 'mae gan Sulwen a minnau gyhoeddiadau pwysig i'w gwneud. On'd oes, cariad?'

'Oes wir,' cydsyniodd Mrs Price.

'Esgusodwch ni, gyfeillion,' meddai Llewelyn Price a thywys ei wraig gerfydd ei llaw fechan wen i'r llwyfan.

'Os cawn ni'ch sylw chi am ychydig, foneddigion a boneddigesau,' meddai'r Biliwnydd balch a'i lais yn cyrraedd cyrion pellaf y Pafiliwn heb gymorth meic, 'mae gan fy ngwraig a minnau newyddion da o lawenydd mawr i'w cyflwyno ichi.'

Tawodd y clebar ar unwaith a throdd noddwr y dathlu at ei wraig gyda'r gwahoddiad: 'Ti gynta, cariad.'

'Mam. Gerallt. Ddowch chi'll dau i fyny yma atan ni, os gwelwch chi'n dda?' meddai Sulwen yn eiddgar.

'Dwi'n iawn lle'r ydw i, diolch yn fawr,' meddai Mrs Lowri Huws a bu angen cryn berswâd gan Gerallt O'Toole a'r Parch. Culfor Roberts cyn yr ufuddhaodd i wŷs ei merch. Yna, gyda Llew a Sulwen yn sefyll o boptu i Gerallt a Lowri, cyhoeddodd gwraig y Biliwnydd:

'Fy newydd da i ydi fod Mam, Mrs Lowri Huws, a Mr Gerallt O'Toole, llaw dde gadarn y tipyn gŵr 'ma sy gen i,wedi dyweddïo, ac yn bwriadu priodi yn y dyfodol agos iawn! Llongyfarchiada, Mam. Llongyfarchiada, Gerallt.'

I sŵn dathlu oedd gyfuwch â dim a glywyd y prynhawn

hwnnw, cofleidiodd a chusanodd Sulwen a Mrs Huws ei gilydd, cofleidiodd Llywydd ICAC a'i Warchodwr ei gilydd fel petaent yn Eidalwyr, tarodd Sulwen gusan ar foch ei darpar lystad a gwnaeth Mrs Lowri Huws yr un modd â'i mab-yng-nghyfraith.

Galwodd Llewelyn Price ar y gwahoddedigion i lenwi eu gwydrau â siampên i ategu'r llwncdestun 'Y Pâr Ifanc', a gwnaed hynny ag afiaith.

'Ac yn awr,' meddai'r Biliwnydd wedi i'r cyffro llon dawelu, 'mae gen i gyhoeddiad i'w wneud, ar ran fy ngwraig, Sulwen, a minnau.'

Closiodd Sulwen at ei gŵr, a ddododd fraich warchodol am ei hysgwyddau:

'Fy newydd da i,' meddai Llewelyn C. Price IV, 'yw fod Sulwen a minnau'n disgwyl ein plentyn cyntaf.'

Bu distawrwydd llethol am eiliad. Yna ffrwydrodd y Pafiliwn yn storm o longyfarch.

'Rydym ni'n edrych ymlaen at enedigaeth Llewelyn C. Price V ymhen chwe mis,' bloeddiodd y Biliwnydd balch dros y dwndwr. 'Bydd y mab hwn yn Gymro Cymraeg ac yn ddinesydd Americanaidd. Ac rydw i'n tyngu y rhoddaf holl rym, cyfoeth a chysylltiadau'r Teulu ar waith ar unwaith, i sicrhau y caiff ei ethol, rhyw ddydd, yn Arlywydd yr Unol Daleithiau. Meddyliwch! Cymro Cymraeg yn y Tŷ Gwyn. Cymro Cymraeg â'i fys ar y botwm! Dyn mwya pwerus y byd yn Gymro Cymraeg!'

Collodd y dorf wlatgar bob rheolaeth arni ei hun am funudau lawer, hyd nes i Gerallt O'Toole, â'i law chwith ar ysgwydd ei gyflogwr a'i ddarpar fab-yng-nghyfraith, godi'r gwydryn yn ei law dde a galw ar bawb i'w efelychu: 'Ac yfad iechyd da a hir oes i Llewelyn C. Price V!'

'Llewelyn C. Price V!' adleisiodd y dorf ag un llais.

'Ac yn awr, rydw i am ofyn ichi ddyrchafu eich gwydrau i'r mynyddoedd unwaith eto,' llefodd yr arwr Cambro-Americanaidd, 'ac yfed i barhad a ffyniant y sefydliad clodwiw, unigryw a ddaeth â f'annwyl wraig a fi at ein gilydd yn y lle cyntaf: 'Ffatri Wlân Cwmbrwynog! Ffatri Serch!'

'Ffatri Wlân Cwmbrwynog! Ffatri Serch!' bloeddiodd goreugwyr a goreuwragedd Cymru gan ddychryn y defaid ar lethrau'r Cwm am yr eildro y diwrnod bythgofiadwy hwnnw.

Pennod 18

Cymraes ar Wasgar

Roedd y gwyntyllau trydan wedi nogio ers chwarter awr oherwydd toriad yn y cyflenwad. Cyn bo hir, dychwelai'r mosgitos a gedwid draw gan eu hawelon i'w phlagio a'i phigo, gan ychwanegu at anghysur y gwely cynfas caled a hinsawdd fyglyd, chwyslyd, fwll dryswig Caqueute ar lannau afon Amason.

Edrychodd y Comandante Victoria, *aka* Mrs Buddug Roberts, i lawr o'i llofft ddibared i'r llannerch lle y cerddai dyrnaid o'i chymrodyr yn ôl a blaen dan sgwrsio'n dawel, wrth iddynt chwifio ôl-rifynnau o *El Revolucionario* o flaen eu hwynebau mewn ymgais ofer i'w hoeri. Roedd ar fin ymuno â hwy pan ddechreuodd y gwyntyllau droi eto. Cododd y llythyr a dderbyniasai rai dyddiau'n ôl, er i'w merch ei anfon wythnosau ynghynt. Darllenodd eto y paragraffau a roes y mwyaf o bryder iddi:

Roeddwn i'n flin ofnadwy efo Gwyndaf am ddifetha'r sioe (dyna sut gwelwn i hi ar y pryd, o leia) felly pan ddaeth y malu awyr i ben mi es draw i Glan Crafog gan feddwl rhoid llond pen iddo fo. Gnocis ar y drws ffrynt. Dim atab. Cnocio eto. Dim smic. Roedd ei gar o'n y lôn felly mi es rownd i'r cefn a phwy welis i'n dŵad allan drwy'r drws cefn (welodd o mo'na fi, diolch byth!) ac yn ei gwadnu hi drwy'r ddôr i Lwybr Cefna Tai ond y boi 'ma, Gerallt O'Toole, sy wedi bod yn rhedag y Ffatri (a'r pentra hefyd) er pan brynwyd hi gan ICAC.

Mi gnocis ar y drws cefn. Dim atab. Roedd y cyrtans i gyd wedi'u cau a toedd dim modd gweld drwy'r ffenestri, felly mi es yn f'ôl i'r miri mewn pryd i glwad bod Lady Lowri ac O'Toole wedi bigejo a Sulwen yn disgwl. Mi yfis alwyni o siampyrs 'and a wonderful evening was had by one and all'. Dwi'n meddwl!

Es i'n ôl i Gaerdydd dwrnod wedyn, ac yno y clywis ar y teli am farwolaeth Gwyndaf a Myfanwy di Chianti. Reit o'r dechra, ddeudodd y polîs mai achos o 'lofruddiaeth a hunanladdiad' oedd o ac nad oeddan nhw'n 'chwilio am neb arall mewn cysylltiad â'r digwyddiad'. Esboniad y papura i gyd oedd fod y ddau wedi gneud 'suicide pact' ar ôl cael eu siomi wrth fethu troi yr 'Establishment' Cymraeg yn erbyn ICAC.

Es i at slobs Caerdydd a deud 'mod i wedi gweld O'Toole yn gadal Nymbar 26 tua'r amsar lladdwyd Gwyndaf a Myfanwy yn ôl y 'forensics'. Ges ffôn gynnyn nhw 'mhen tridia i ddeud bod Heddlu Gogledd Cymru'n diolch imi am gysylltu ond mae'n rhaid 'mod i wedi camgymryd. Roeddan nhw wedi holi Mr O'Toole oedd yn mynnu na ddaru o ddim gadael y Pafiliwn tan tua hannar nos ac roedd 'na ddega o bobol barchus iawn wedi deud yr un peth wrthyn nhw.

Sdopiodd hynny fi ddim rhag rhoid gora i weithio i ICAC a deud y stori wrth fy ffrindia ac wrth bobol sy'n gweithio i raglenni materion cyfoes. Nes ces i lythyr gan dwrna O'Toole yn bygwth achos enllib fasa'n costio cannoedd o filoedd imi os na faswn i'n rhoid y gora i 'ledaenu celwyddau athrodus, di-sail am ein cleient'.

Ddeudodd S4C wrth Rocky am 'gael gair 'da dy 'whar' os oedd o isio dal i weithio yng Nghymru.

Mae 'na ddynion yn 'nilyn i o gwmpas ble bynnag dwi'n mynd, Mam, ac yn gwatshad y tŷ 'ma nos a dydd, a dwi'n gwbod bydd hi'n anodd ar Rocky tra bydda i efo Orji. Felly dwi wedi penderfynu mynd i weld y byd. Faswn i wrth fy modd dy weld di eto, Mam. Oes 'na obaith medrwn ni gwarfod yn rwla cyn bo hir?

Mi holist ynglŷn â'r sefyllfa wleidyddol yma. Y datblygiad diweddara ydi bod Ll.C.P. wedi sefydlu'i blaid o ei hun – 'Y Blaid Boblogaidd'. Mae rhai o bobol amlyca'r pleidia erill wedi ymuno, a miloedd oedd ddim yn perthyn i unrhyw blaid . . .

Clywodd Victoria/Buddug draed yn dringo'r ysgol. Yn y man ymddangosodd pen ei chymar, Tomós (Y Tad Martinez gynt) ychydig yn uwch na llawr y stafell.

'Llongyfarchiada,' meddai hi wrtho.

'Bydd rhaid inni ddod yn ôl â generadur gwell na'r hen beth yna o'r cyrch nesa,' atebodd y gŵr ifanc mwstashog.

'Rydw i wedi penderfynu mynd yn ôl i Gymru,' meddai hi. 'Ar ôl cyfarfod â Gwenno gynta, yn rhywle gweddol saff.'

'Pam, Victoria? A phethe'n mynd o'n plaid ni, o'r diwedd.'

'Dyna un rheswm pam,' atebodd y Comandante Victoria/Mrs Buddug Roberts. 'Y rheswm arall ydi fod mwy o f'angen i yn fy ngwlad fy hun.'